清賞叢書

# 梅花喜神譜
# 梅花字字香

〔宋〕宋伯仁
〔元〕郭豫亨 撰

圖書在版編目（ＣＩＰ）數據

梅花喜神譜 /（宋）宋伯仁撰. 梅花字字香 /（元）郭豫亨撰. -- 揚州 : 廣陵書社, 2023.11
（清賞叢書）
ISBN 978-7-5554-2178-8

Ⅰ. ①梅… ②梅… Ⅱ. ①宋… ②郭… Ⅲ. ①梅花－花卉畫－作品集－中國－宋代②古典詩歌－詩集－中國－元代 Ⅳ. ①J222.44②I222.747

中國國家版本館CIP數據核字(2023)第231606號

ISBN 978-7-5554-2178-8

梅花喜神譜　梅花字字香

撰　者　〔宋〕宋伯仁　〔元〕郭豫亨
責任編輯　胡　珍
出 版 人　曾學文
出版發行　廣陵書社
社　址　揚州市四望亭路2-4號
郵　編　二二五〇〇一
電　話　（〇五一四）八五二二八〇八一（總編辦）
八五二二八〇八八（發行部）
印　刷　揚州文津閣古籍印務有限公司
版　次　二〇二三年十一月第一版
印　次　二〇二三年十一月第一次印刷
標準書號　ISBN 978-7-5554-2178-8
定　價　壹佰伍拾捌圓整（全貳册）

微信二維碼

微博二維碼

http://www.yzglpub.com　E-mail:yzglss@163.com

清賞叢書

# 梅花喜神譜
# 梅花字字香

〔宋〕宋伯仁
〔元〕郭豫亨　撰

上册

廣陵書社
中國·揚州

# 清賞叢書序

現代生活多姿多彩，而閱讀是一場永恒的心靈之旅；傳統文化包羅萬象，而經典是一泓不朽的精神源泉。傳統經典中既有莊重典雅的經史著作，也有温柔敦厚的詩詞文集，還有許多別具風格的藝術小品，如涓涓清泉，汩汩流淌，清新雅致，妙趣横生，賞讀品玩，回味無窮。于是我們彙集此類典籍，編爲《清賞叢書》，希望打造一套與《文華叢書》相得益彰的經典叢書，讓喜好傳統文化的讀者，享受古典之美，欣賞風雅之樂。

清新脱俗，是謂清；賞心悦目，是謂賞。這套《清賞叢書》的宗旨，就是擷取古人所稱清玩之物、清雅之言，以藝術賞鑒和生活消閑類作品爲主，内容包括品鑒、養生、園藝、書畫、飲食等。仍采用宣紙綫裝的形式，經典内容與傳統形式珠聯璧合，古樸雅致，韵味無窮。

『林泉到處資清賞，翰墨隨緣結古歡。』一册在手，可品紅塵之閑趣，發思古之幽情。恍若置身古人的心靈家園，領悟經年纍月積澱的人生智慧，如品佳釀，如沐春風，喜悦自心而生，感悟隨時而長。

廣陵書社編輯部　二〇一八年七月

## 出版説明

梅花被列爲『四君子』之一，向來爲文人雅士所重。古人對梅花的賞玩吟詠大抵始于何時？據《四庫全書總目》載，『自北宋林逋諸人遞相矜重，「暗香疎影」「半樹横枝」之句，作者始别立品題。南宋以來，遂以咏梅爲詩家一大公案。江湖詩人，無論愛梅與否，無不藉梅以自重。凡别號及齋館之名，多帶梅字，以求附於雅人』。宋元時期，梅花譜、詠梅詩層出不窮，南宋宋伯仁《梅花喜神譜》與元代郭豫亨《梅花字字香》即是其中的代表。




《梅花喜神譜》的作者宋伯仁（約一一九九—？），字器之，號雪巖，苕川（今屬浙江湖州）人，著有《忘机集》《西塍集》等。《梅花喜神譜》由宋伯仁編選繪製，初刻于南宋理宗嘉熙二年（一二三八），是我國最早出版的木刻圖譜。嘉熙本今已不存，目前此書的最早版本爲上海博物館所藏南宋景定二年（一二六一）金華雙桂堂重刻本，爲宋刻孤本。書名中『喜神』二字，一説爲宋代時稱寫像的俗語。本書分爲上下兩卷，共繪製梅花特寫圖百幅，每半葉置一圖，並配有一首五言古詩和一個形態名目，極寫梅花形態之妙，

如『古文錢』『懸鍾』『扇』等名目，頗爲生動傳神。除梅花圖外，亦收入附録、題詞、後跋等文字。本次整理以國家圖書館所藏古倪園影宋刻本爲底本。該版本由清代藏書家黄丕烈所得，于嘉慶癸酉年（一八一三）交古倪園沈氏影刻發行，印製精良，具有較高的版本價值。

《梅花字字香》的作者郭豫亨生卒年不詳，自號梅巖野人，宋末元初詩人，約生活在元至大年間。據《四庫全書總目》，《梅花字字香》書名蓋取晏殊詞句『唱得紅梅字字香』。本書彙集前代詠梅佳句爲七言詩，並于詩後注明每句



作者，共集詩近百首，分爲前後兩集。郭豫亨在自序中稱：『凡見古今詩人梅花傑作，必隨手鈔録而歌詠之。積以歲月，遂成巨編，熟之既久，若有所得，暇日輒集其句，得百篇，目爲字字香。其間句鍛意鍊，璧合珠聯，亦有天然之巧者，吾不知其爲古作也。』《四庫全書總目》評價亦稱『又闢新境，且屬對頗能工巧，亦勝李龏《翦綃集》之多』。本次整理以清咸豐三年仁和胡氏琳瑯秘室叢書本爲底本，今據底本書後所附『校譌』校正原文，並參校《四庫全書》本，『校譌』不重複收録。現將《四庫全書總目·梅花字字香提

要》附録于後，供讀者參考。

賞梅清韻，古今皆同。此次整理出版，遇有異文，擇善而從，個別文字據別本校改，不另加説明，版式追求仿古，參考刻本。讀者賞讀本書，可進入梅花圖譜和詩歌的美學空間，『嗅蘂吹英，挼香嚼粉』，體會古人愛梅惜梅之心。

廣陵書社編輯部

二〇二三年十一月

# 目録

## 梅花喜神譜

## 梅花字字香

# 梅花喜神譜

〔宋〕宋伯仁 撰

前

余有梅癖，闢圃以栽，築亭以對，刊《清臞集》以咏。每於梅，猶有未能盡花之趣爲慊，得非廣平公以鐵石心腸賦未盡梅花事，而拳拳屬意於雲仍者乎？余於花放之時，滿肝清霜，滿肩寒月，不厭細，徘徊於竹籬茅屋邊，嗅蘂吹英，挼香嚼粉，諦玩梅花之低昂俯仰、分合卷舒，其態度冷冷。然清奇俊古，紅塵事無一點相着，何異孤竹二子、商山四皓、竹溪六逸、飲中八仙、洛陽九老、瀛洲十八學士？放浪形骸之外，如不食煙火





食人，可與桃花賦、牡丹賦所述形似，天壤不侔。余於是與其自甲而芳，由榮而悴，圖寫花之狀貌，得二百餘品。久而刪其具體而微者，止留一百品，各各其所肖，併題以古律，以梅花譜目之，其實寫梅之喜神，可如牡丹、竹、菊有譜，則可謂之譜，今非其譜也。余欲與好梅之士共之，僭刊諸梓，以閑工夫作閑事業，於世道何補，徒重覆瓿之譏。雖然，豈無同心君子，於梅未花時，閑一披閱，則孤山橫斜，揚州寂寞，可仿佛於胸襟，庶無一日不見梅花，亦終身不忘梅花之

意。玆非爲墨梅設，墨梅自有花光仁老、揚補之家法，非余所能。客有笑者曰：『是花也，藏白收香，黄傳紅綻，可以止三軍渴，可以調金鼎羹。此書之作，豈不能動愛君憂國之士，出欲將，入欲相，垂紳正笏，措天下於泰山之安。今着意於「雪後園林纔半樹，水邊籬落忽横枝」，止爲凍吟之計。何其捨本而就末？』余起而謝云：『譜尾有商鼎催羹，亦玆意也。』客抵掌而喜曰：『如是，則譜不徒作，未可謂「閑工夫作閑事業，無補於世道」，宜廣其傳。』敢併及之，以俟來者。雪巖耕田夫宋伯仁敬書。





詠梅者多矣，粗得其態度，未究其精髓。近收此本，既能摸寫其花神之似真，又能形容其它人之所未盡，玩之如噉蔗然，詩人之冠冕是也。金華雙桂堂時景定辛酉重鋟。

卷上

蓓蕾四枝

## 麥眼

南枝發岐穎，崆峒占歲登。
當思漢光武，一飯能中興。




## 柳眼

靜看隋堤人，紛紛幾榮辱。
蠻腰休逞妍，所見元非俗。

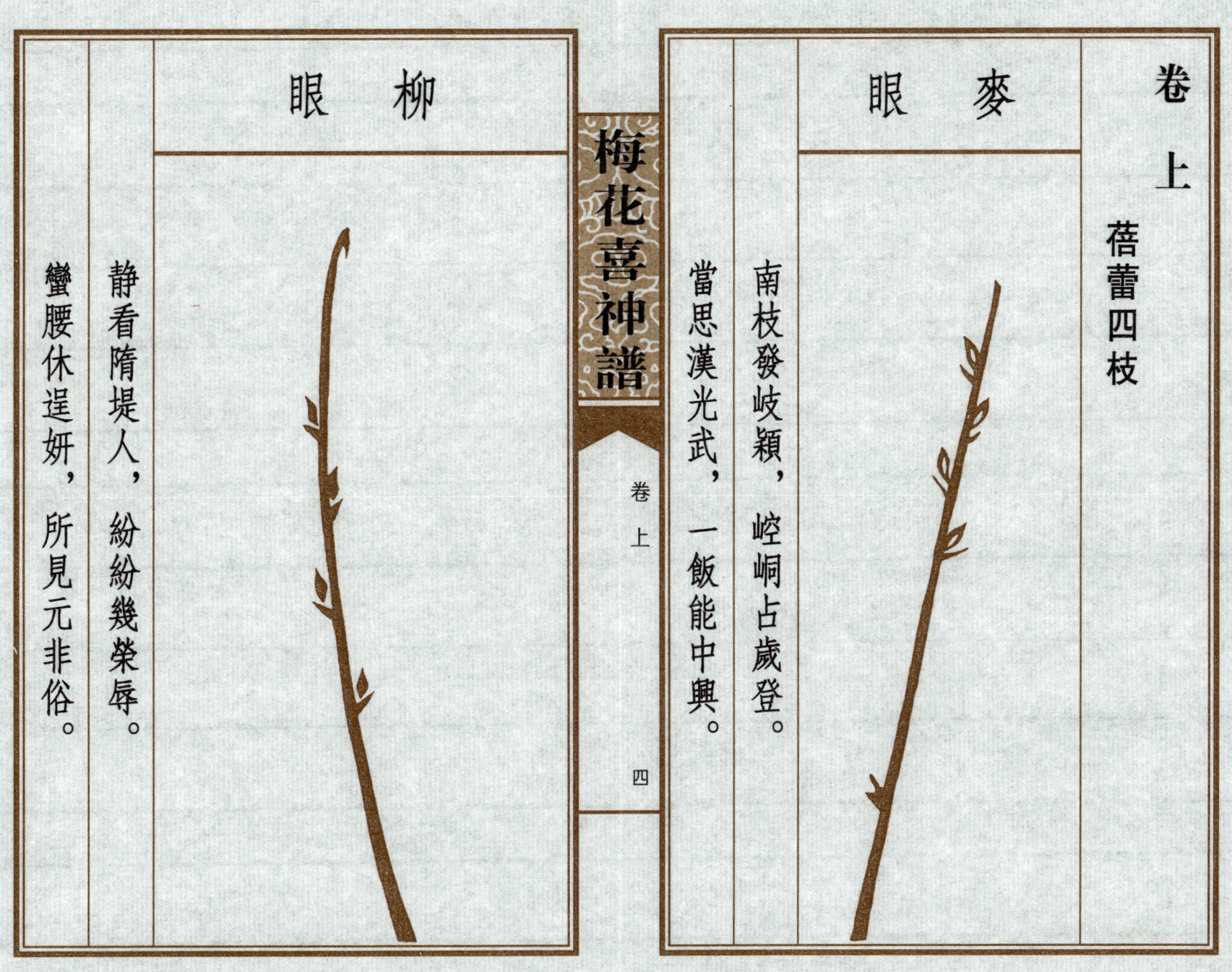

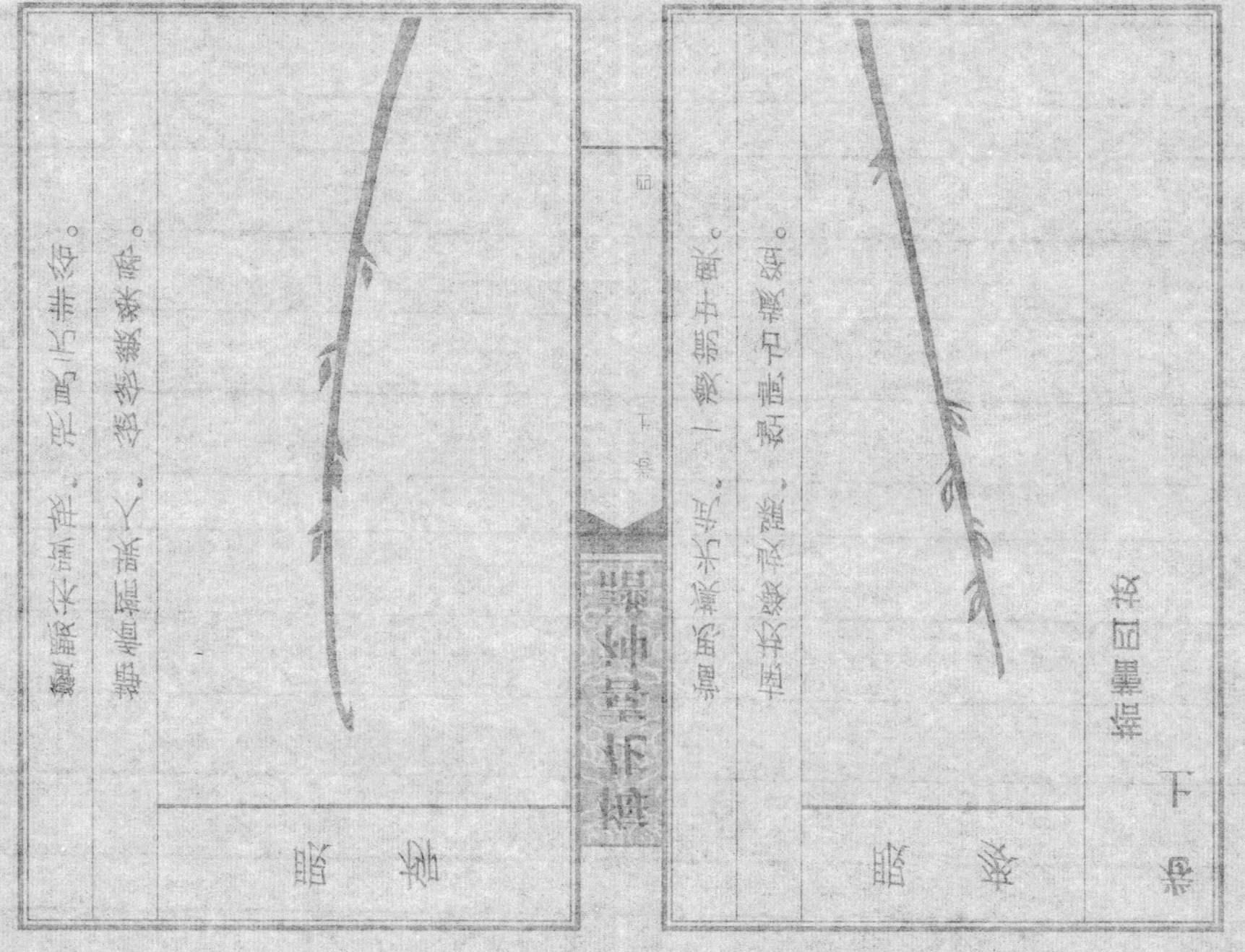

## 椒眼

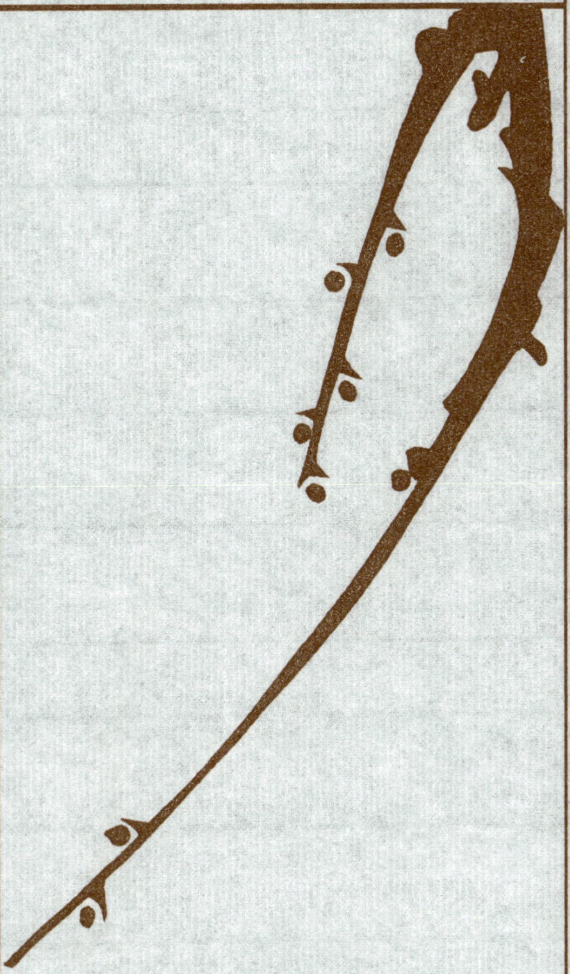

獻頌侈春朝，争期千歲壽。
凌寒傲歲時，自與冰霜久。

## 蠏眼

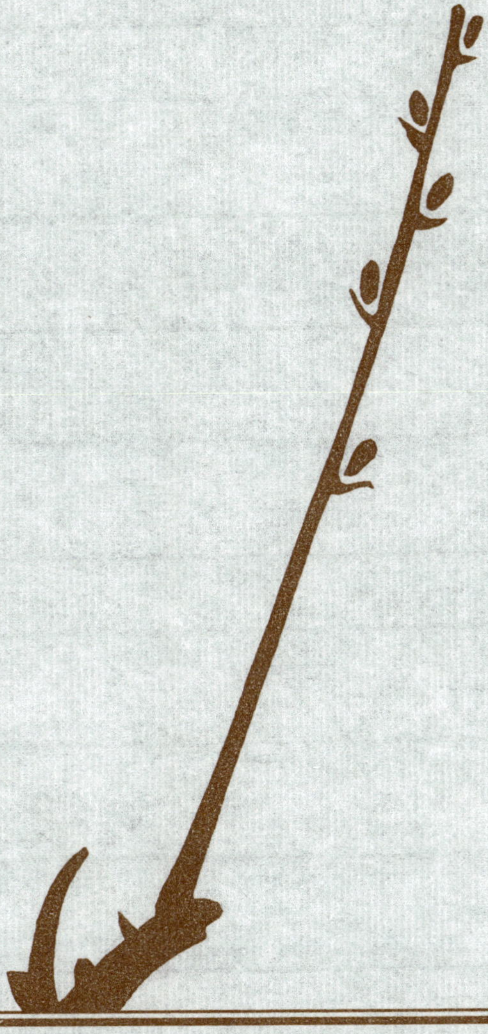

爬沙走江海，慣識風波惡。
東君爲主張，顯戮逃砧鑊。

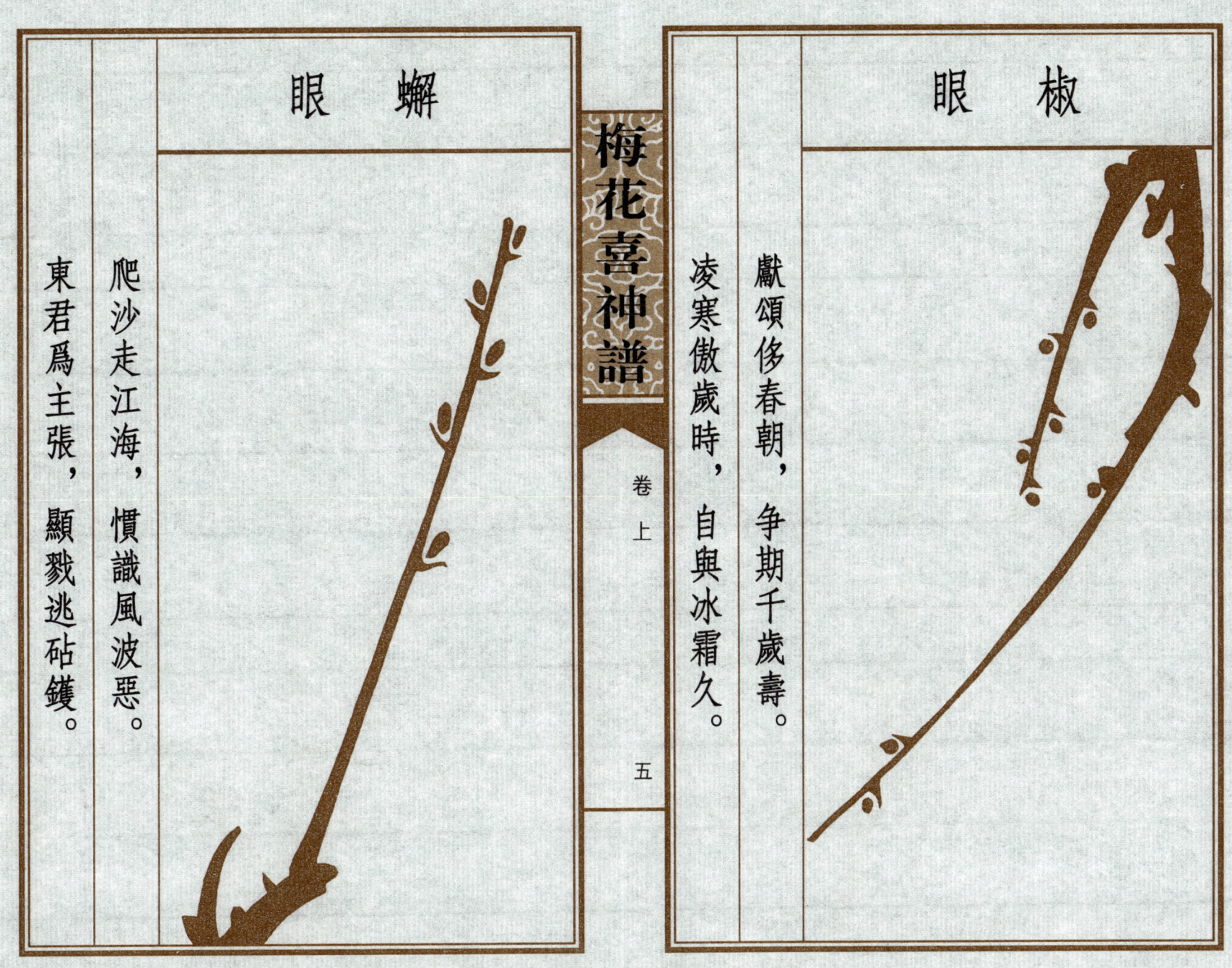

蟹眼

東君高主張，顯發逃古鑊。
爬沙走江海，慣識風波惡。

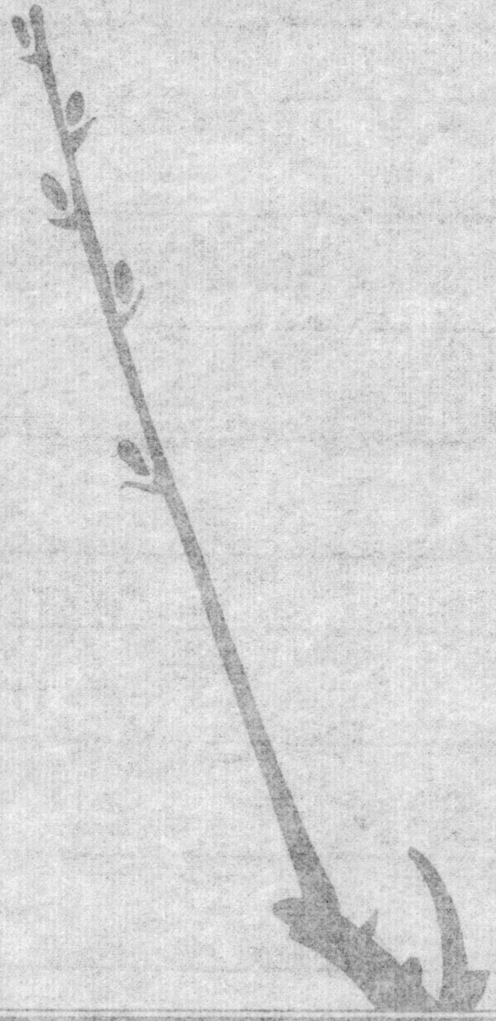



椒眼

姿寒微歲時，自與冰霜久。
獻頌侈春朝，每期千歲壽。

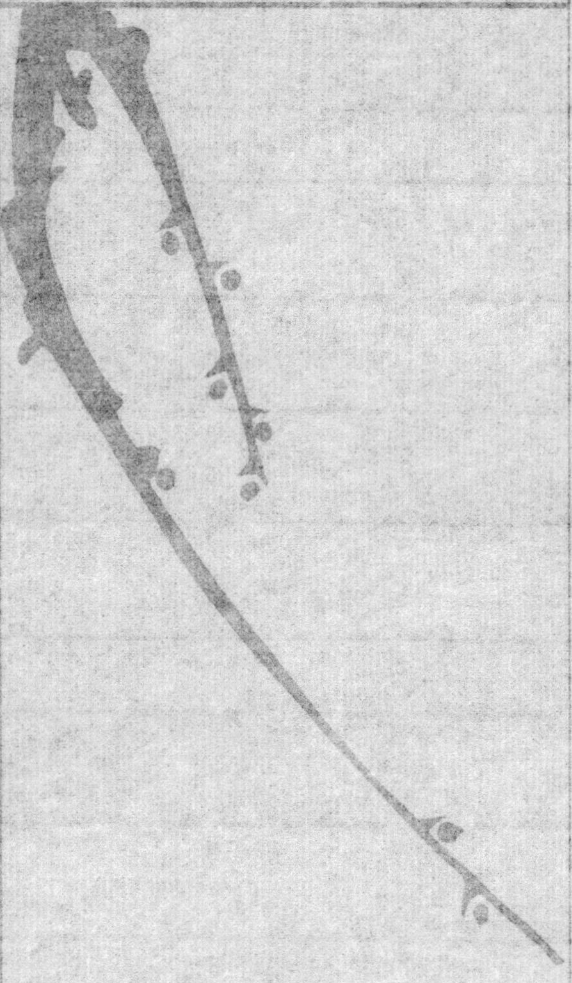

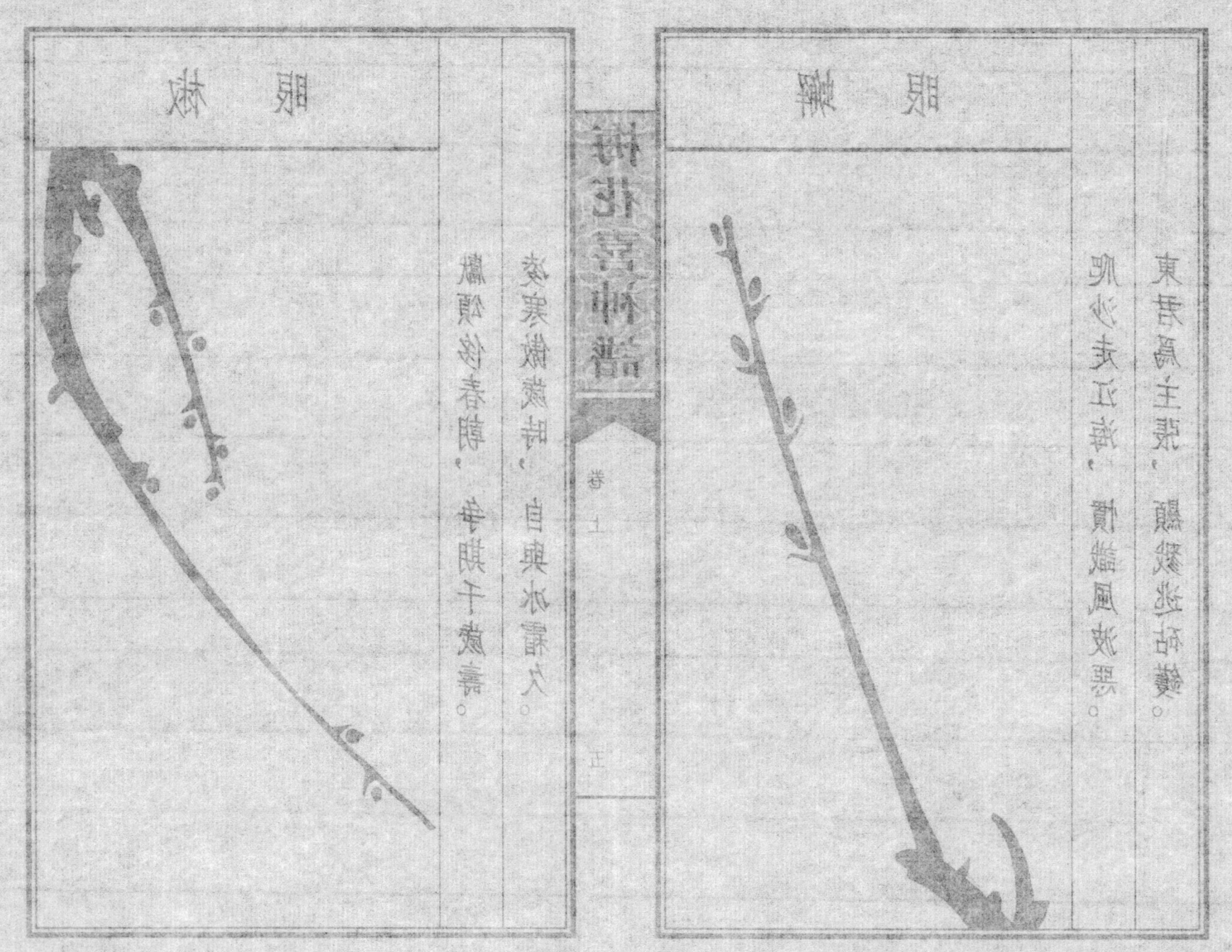

## 丁香

小蘂一十六枝

蘂性貴温涼，胡爲辛且烈。
無與桂附徒，天資更趂熱。



## 櫻桃

樊素艷而歌，樂天何所羨。
須結帝王知，拜寵明光殿。

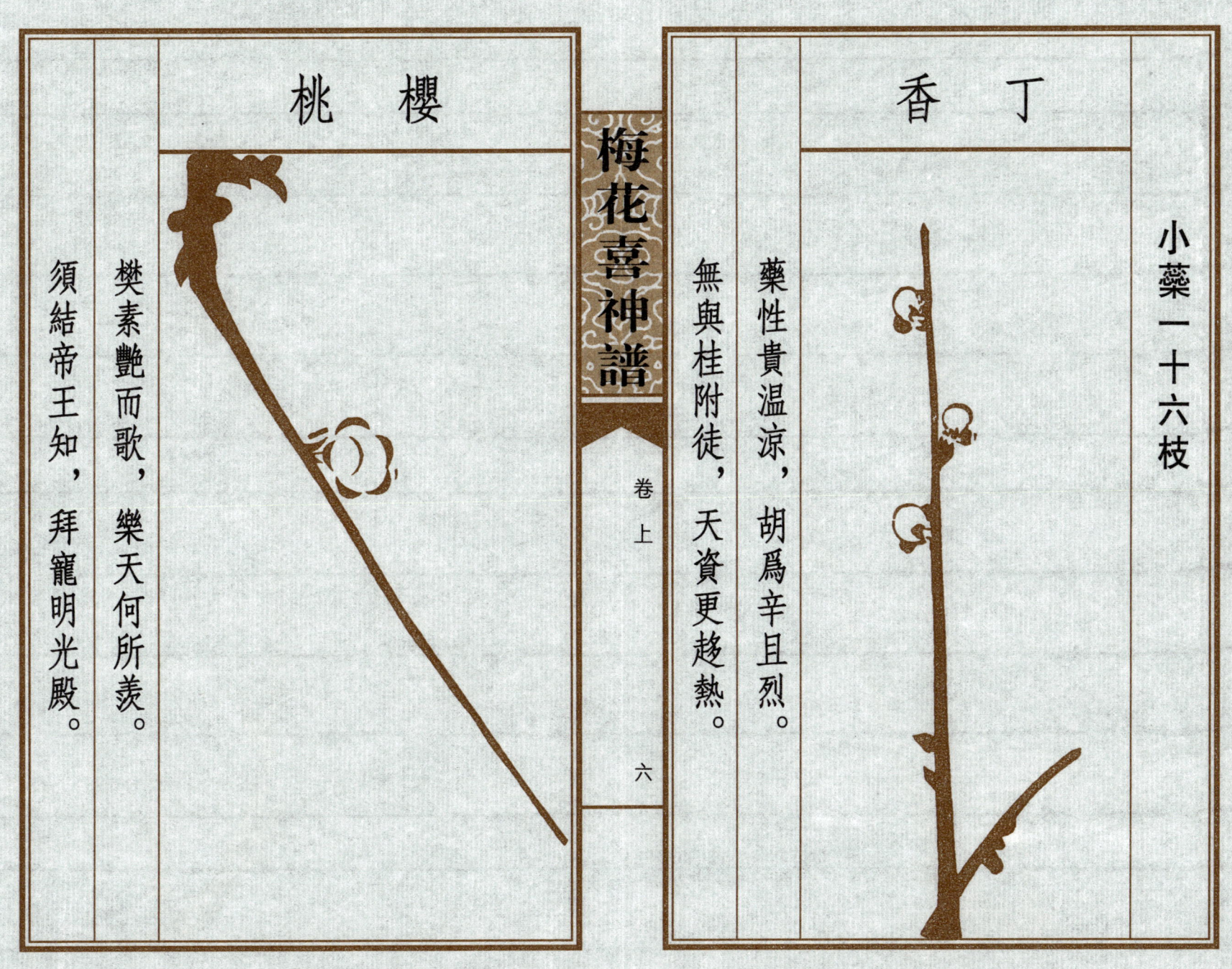

## 小蘂一十六枝

### 丁香

兼與桂附徒，天資更超熱。
藥性貴溫涼，胡爲辛且烈。



### 櫻桃

樊素艷而歌，樂天何所羨。
須結帝王知，拜寵明光殿。

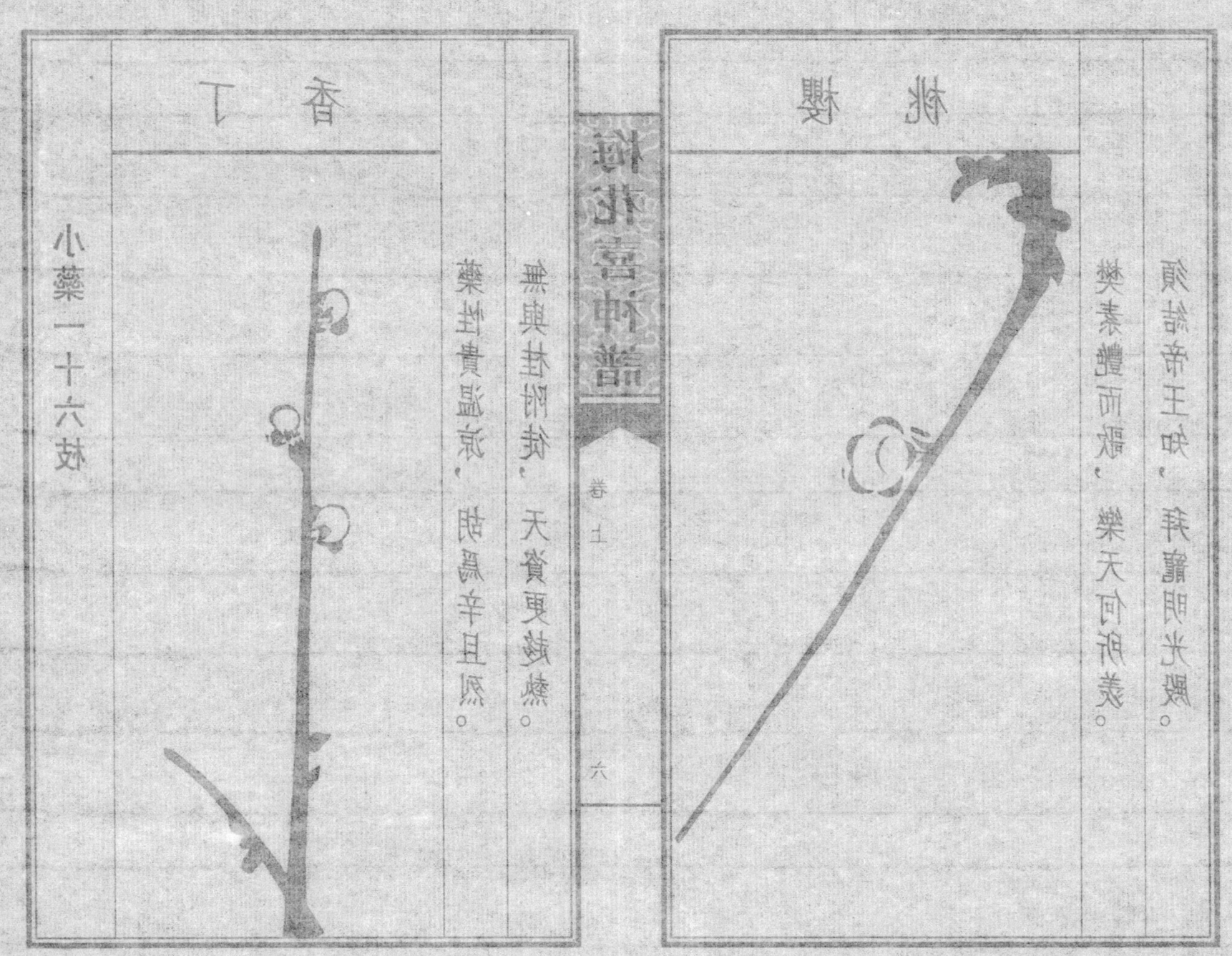

## 老人星

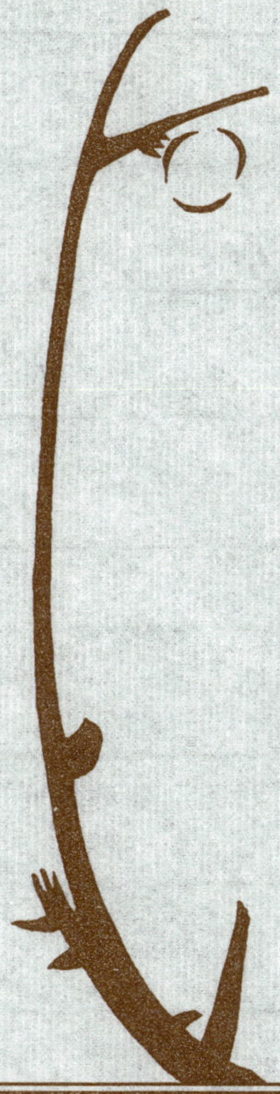

風掣五雲開，明星燦南極。
嘉祥自朝廷，何幸愚親識。

## 佛頂珠

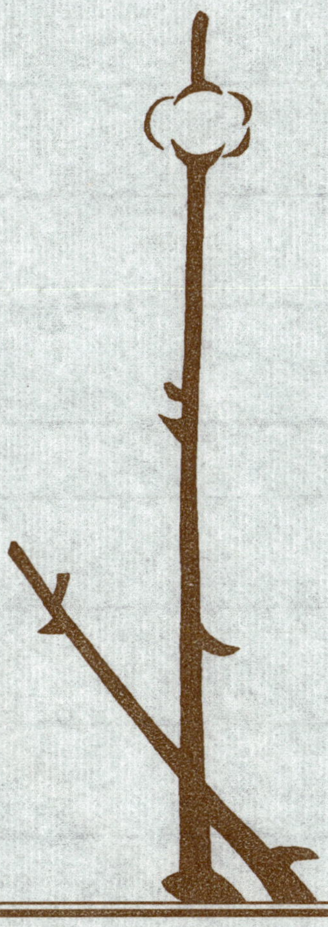

佛有光明臺，蚌胎奚足貴。
聊以矜俗人，徒爲寶所費。

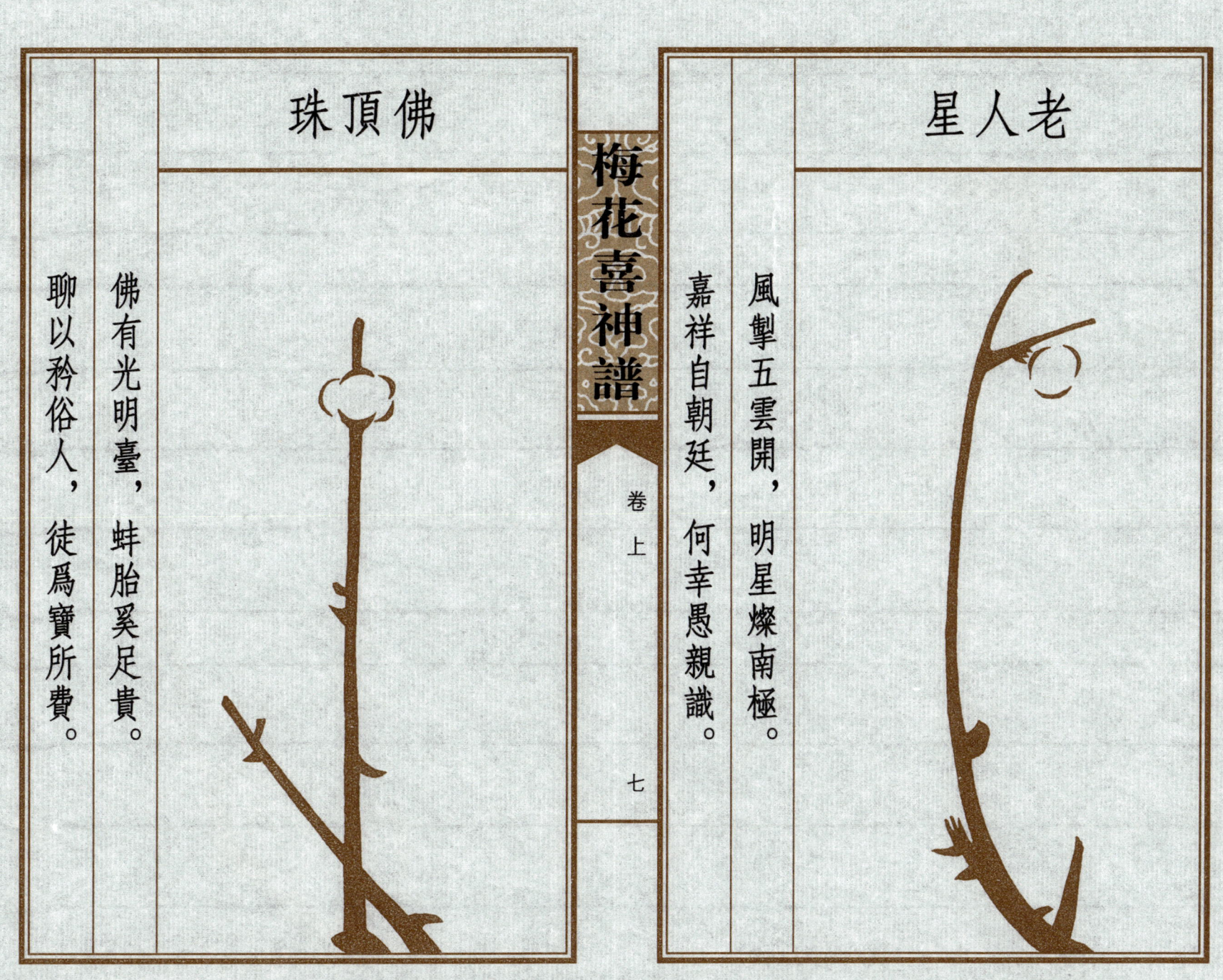

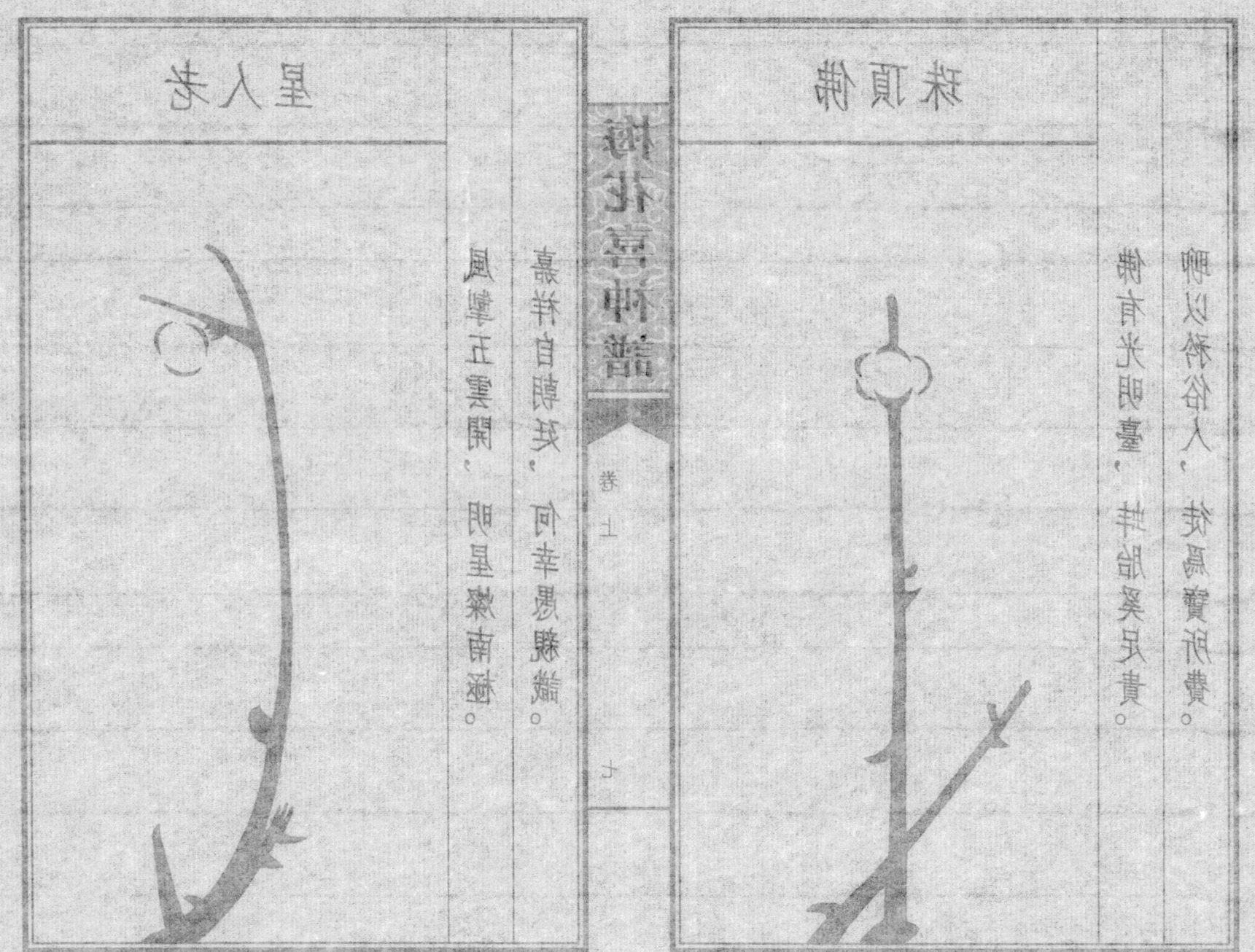

## 老人星

嘉祥自朝拜，何幸愚覩識。
風擁五雲開，明星臻南極。

## 佛頂珠

聊以矜俗人，徒為寶所費。
佛有光明臺，非居奚足貴。

## 古文錢

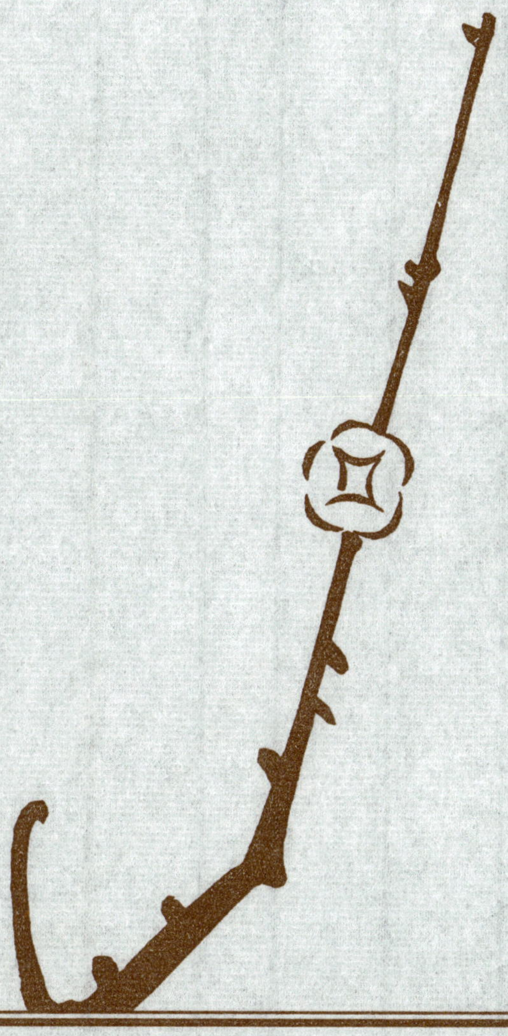

阿堵本何物，貫朽殊堪羞。
空囊留得一，千古欽清流。

## 鮑老眉

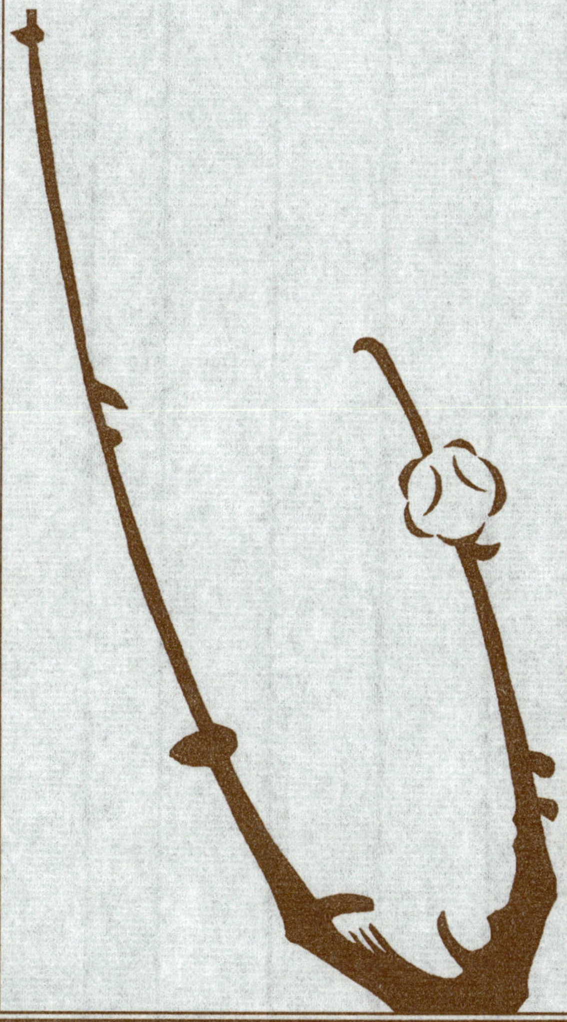

善舞幾當場，妖姿呈窈窕。
當場人自迷，郭郎未容笑。

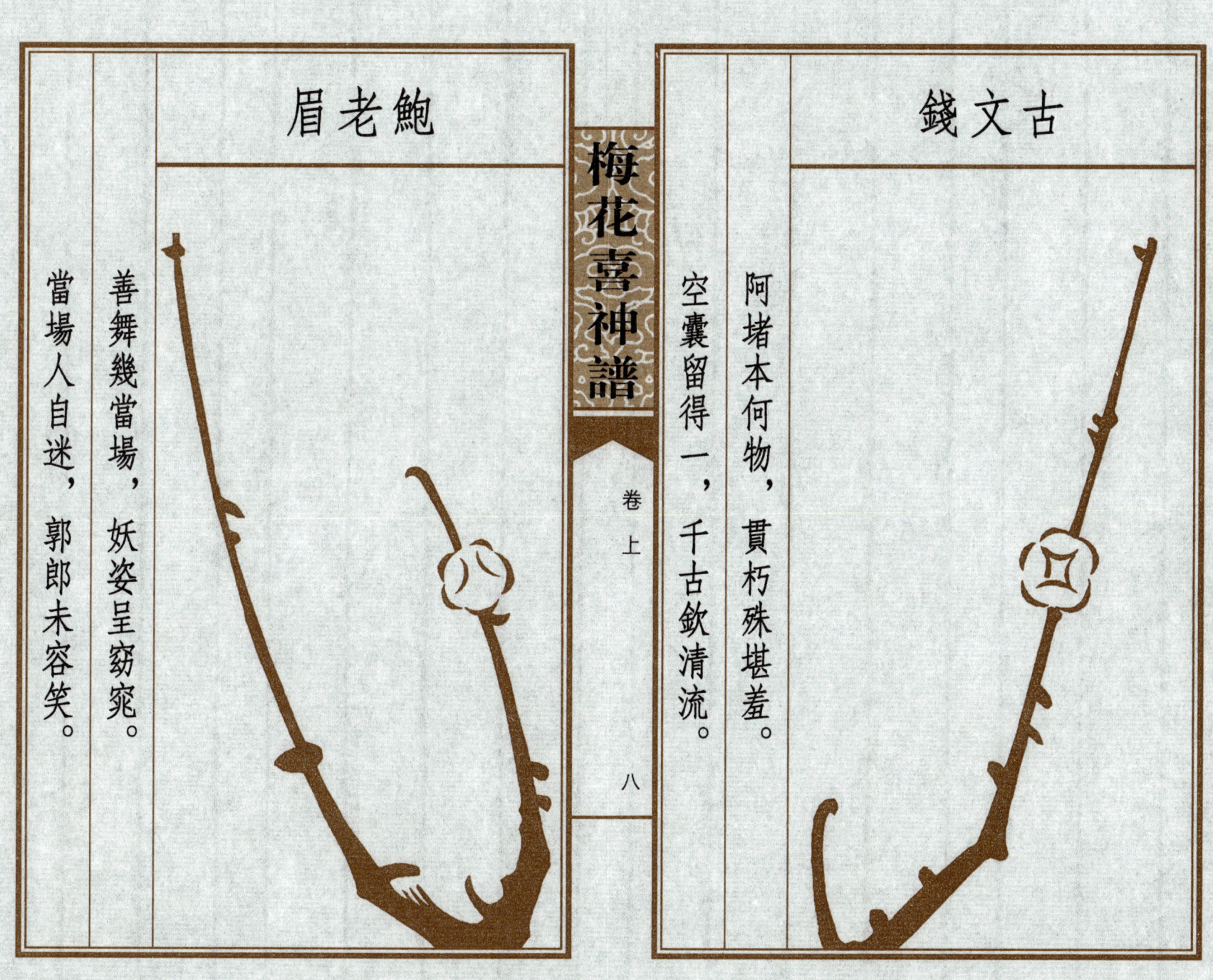

## 鮑老面

當場人自迷，郭郎未容笑。
善舞鮑當場，妖姿呈窈窕。

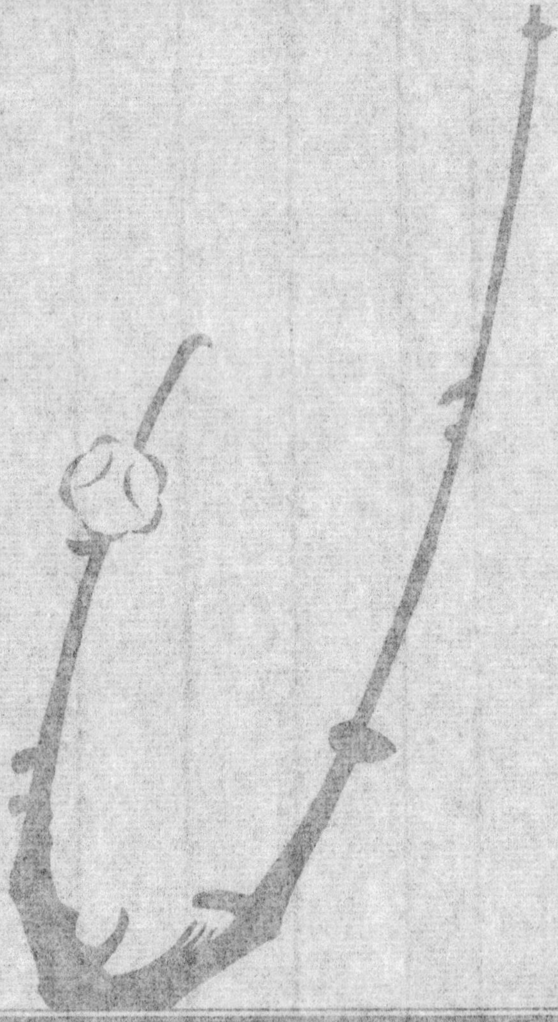

## 古文錢

空囊留得一，千古欽清流。
阿堵本何物，貫朽深堪羞。

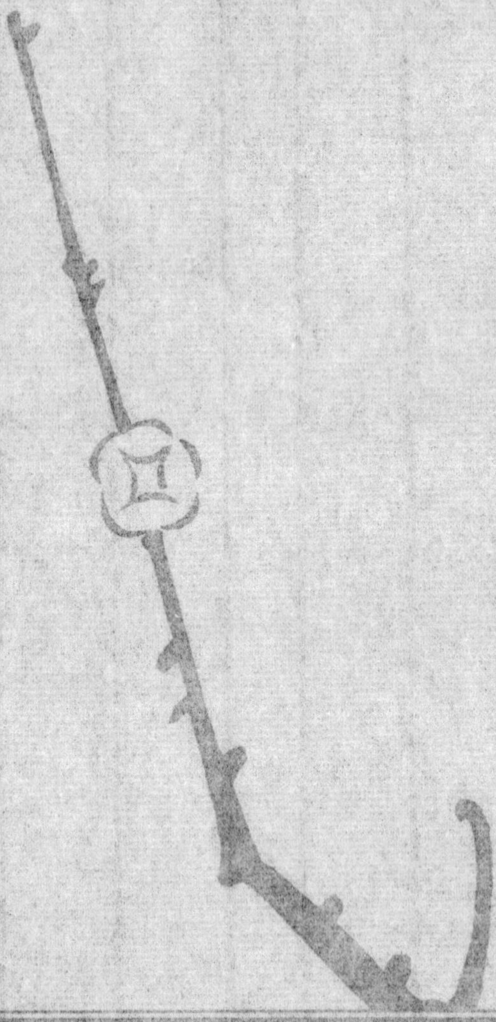

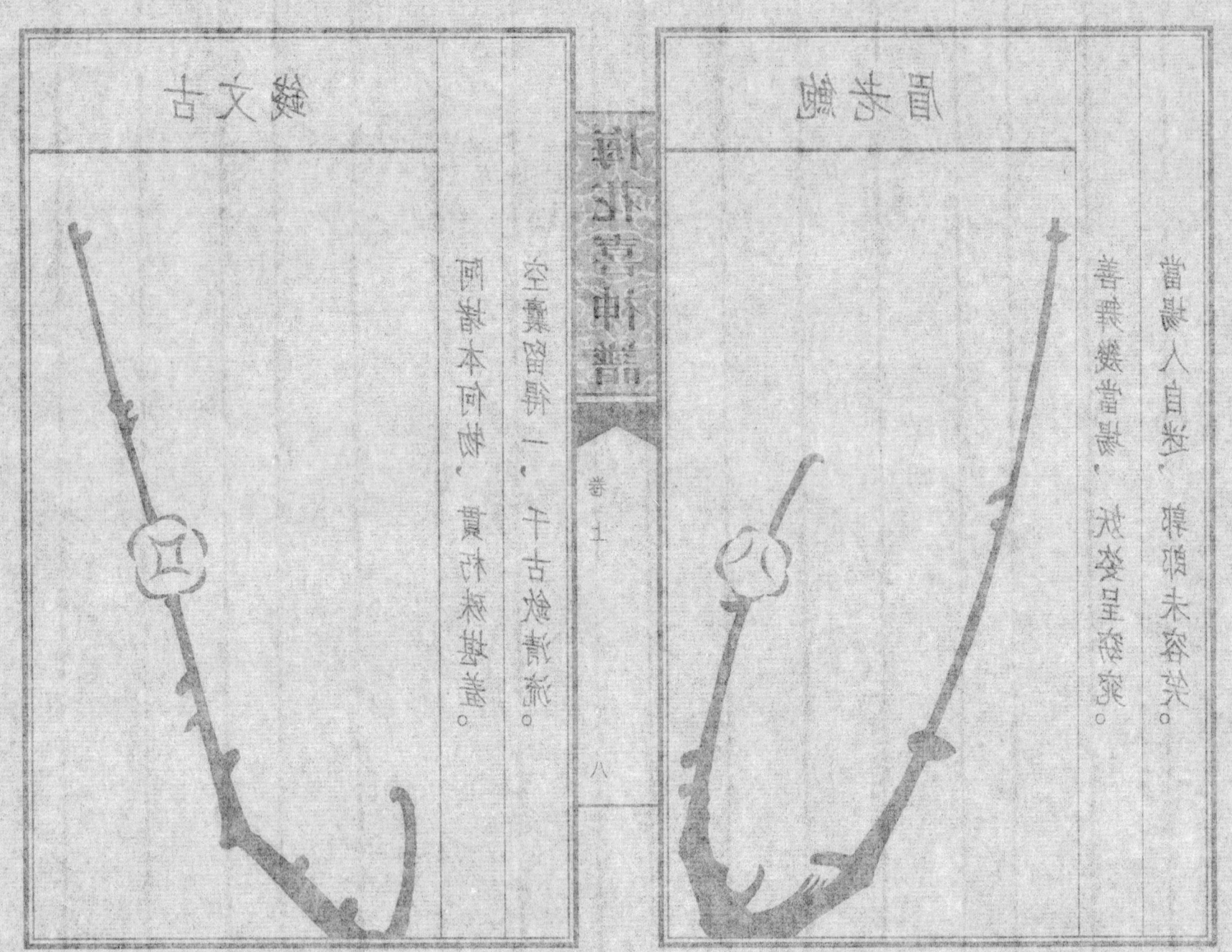

## 兔唇

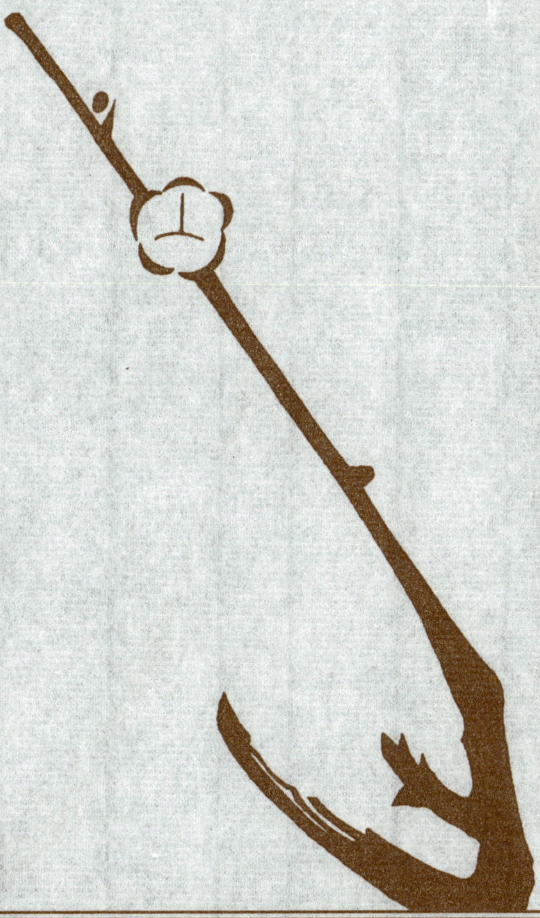

三窟不須營，蒙恬素心友。
識盡天下書，只要文章手。

## 虎跡

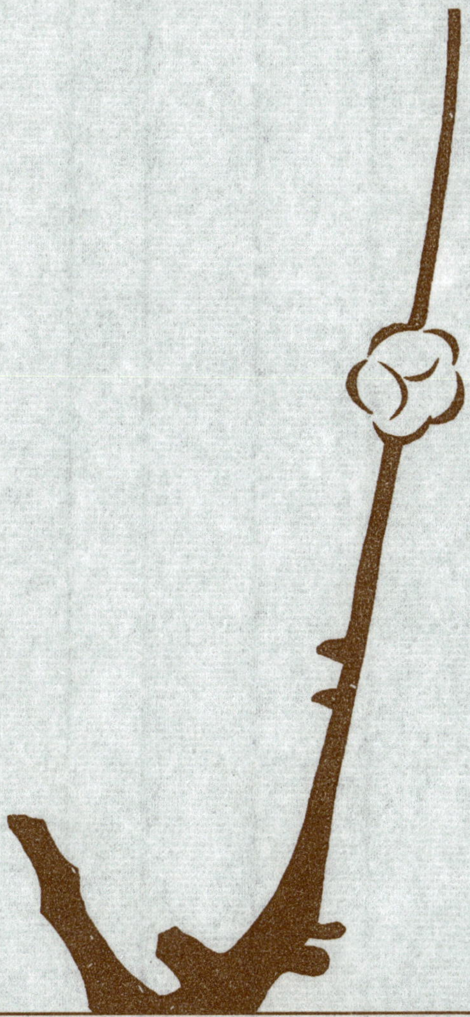

寒風偃枯草，掉尾來山巔。
出柙勢可畏，老鬚寧易編。

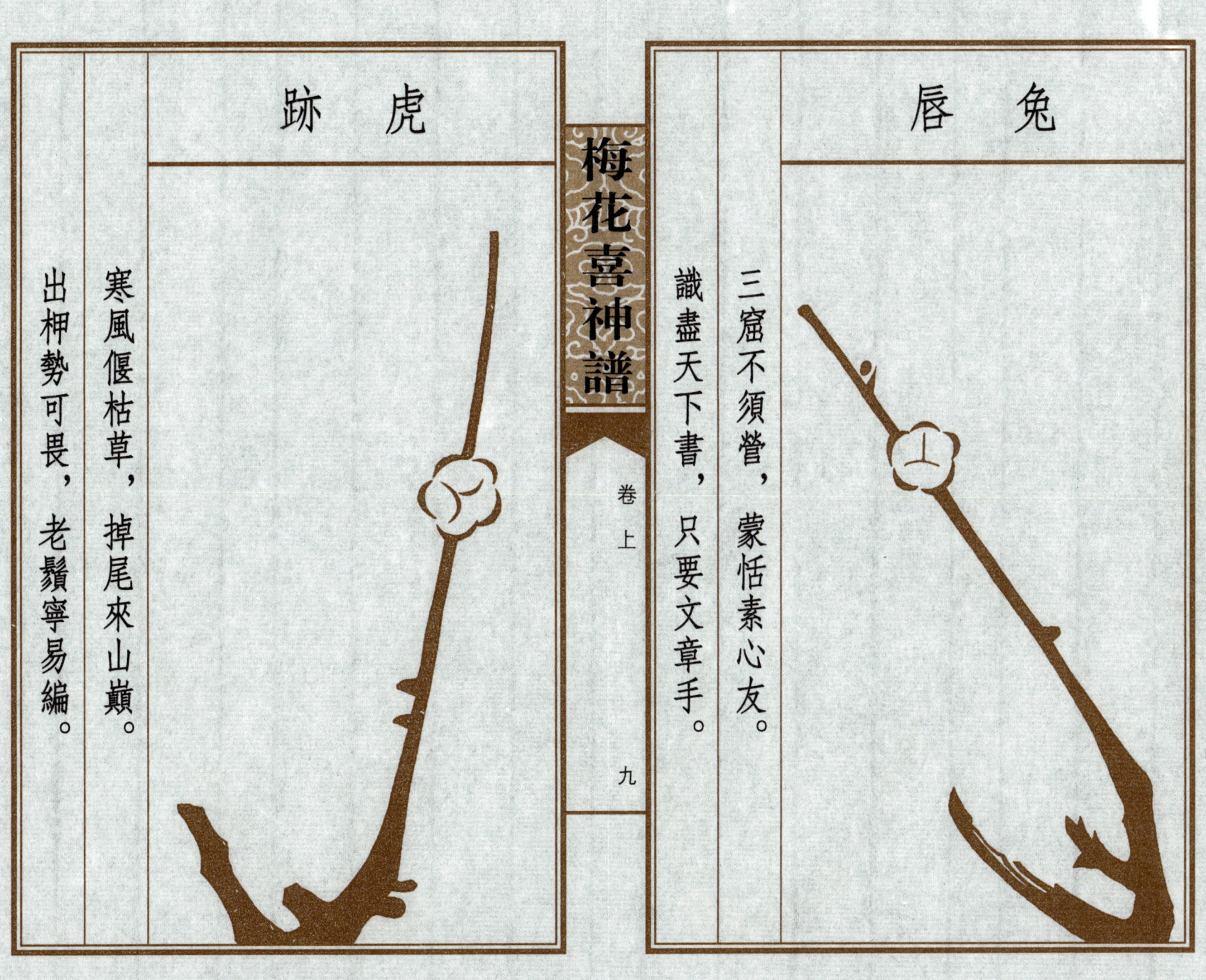

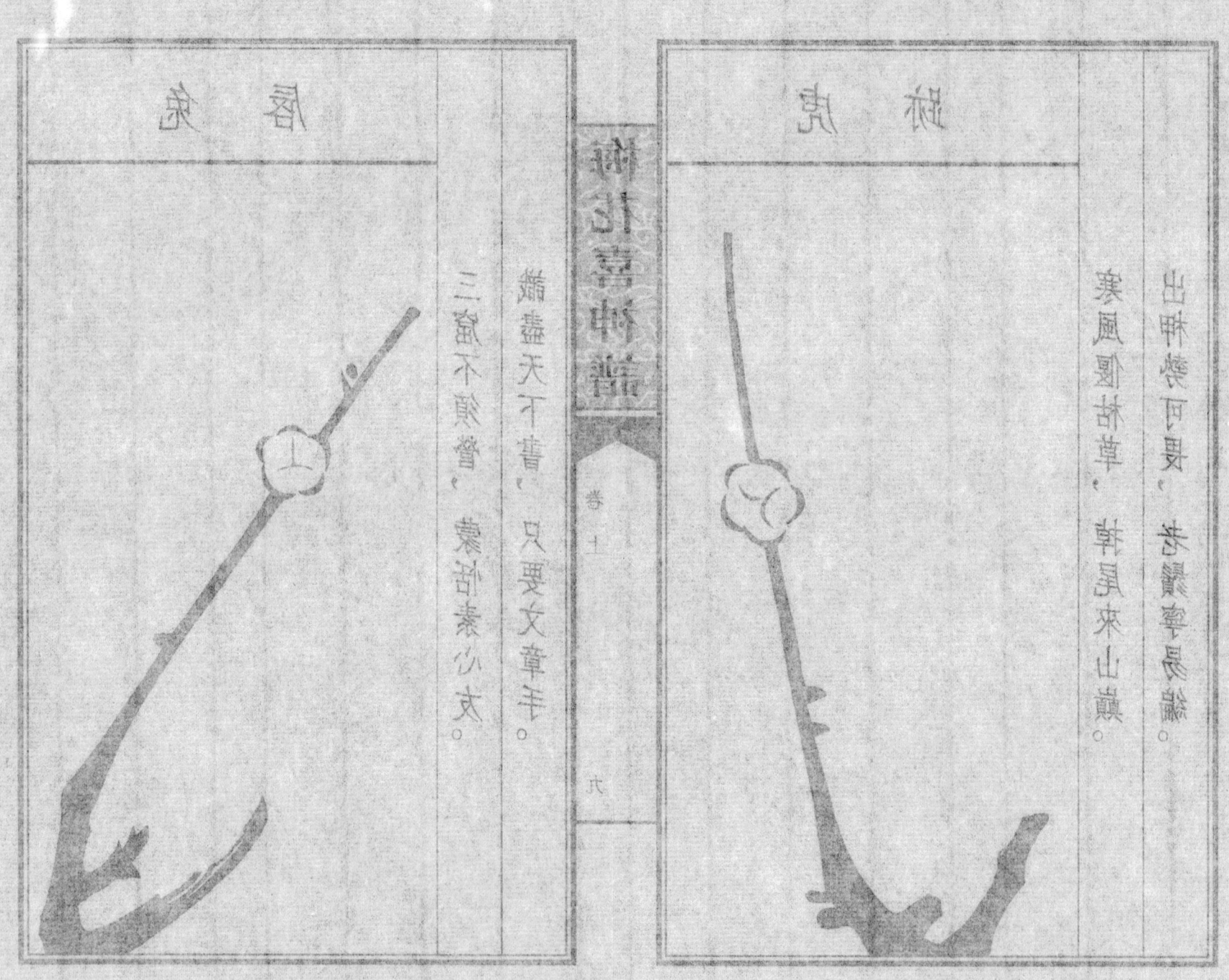

## 石榴

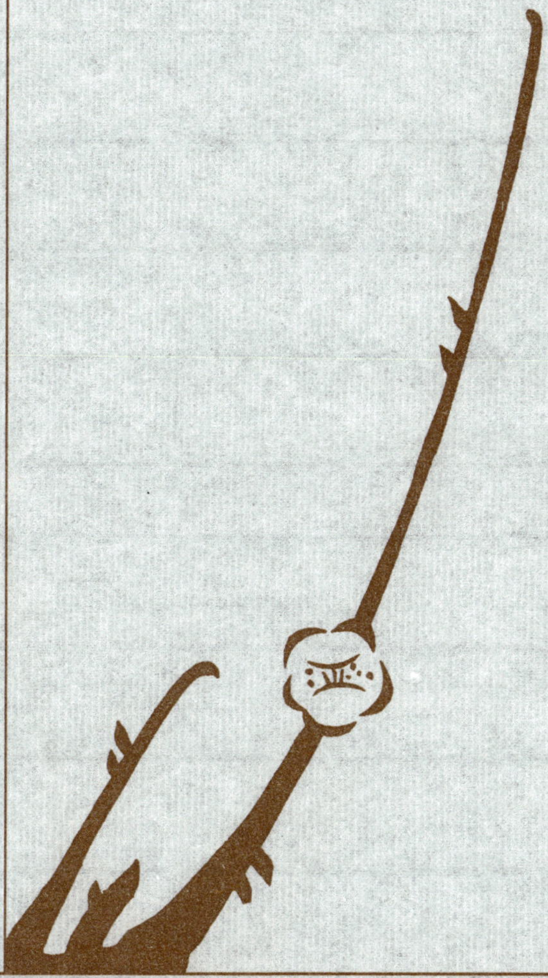

錦囊蘊珠璣，長養南風力。
當年東老家，曾代中書筆。

## 茈菰

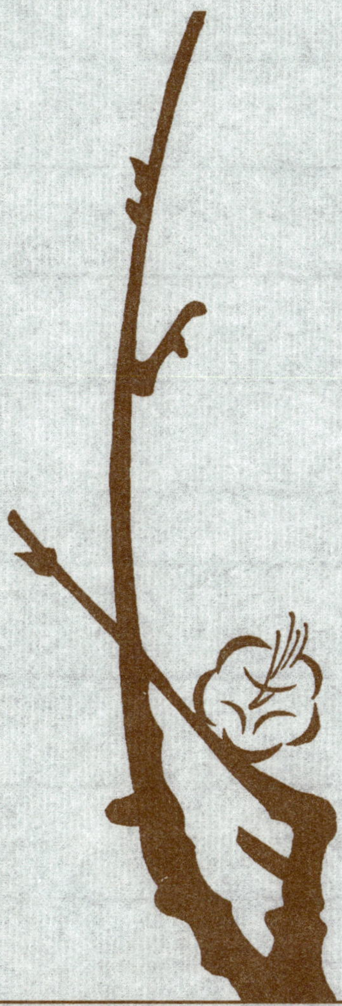

來自淤泥中，根苗何足取。
鬬飣上盤登，敢爲梨栗伍。

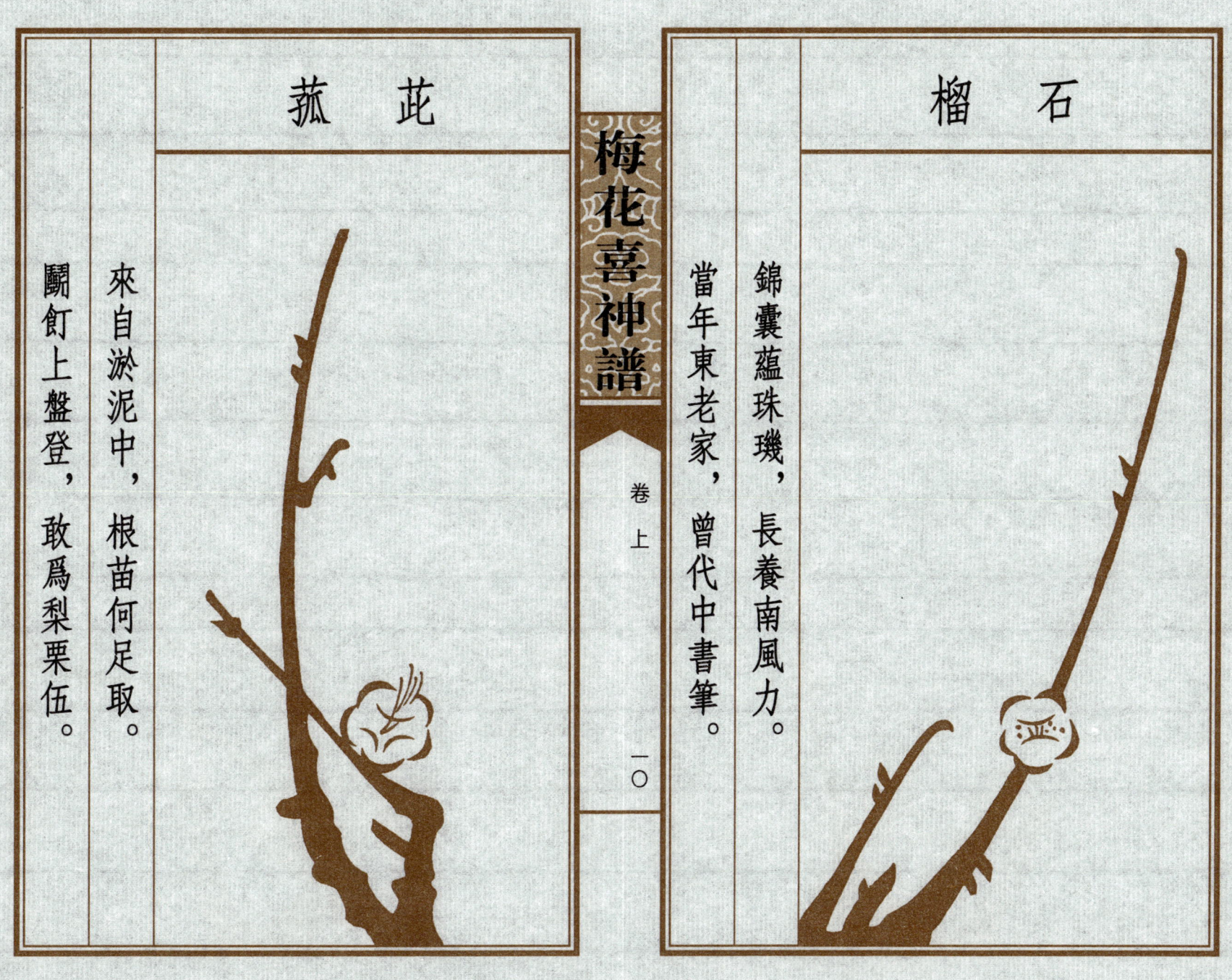

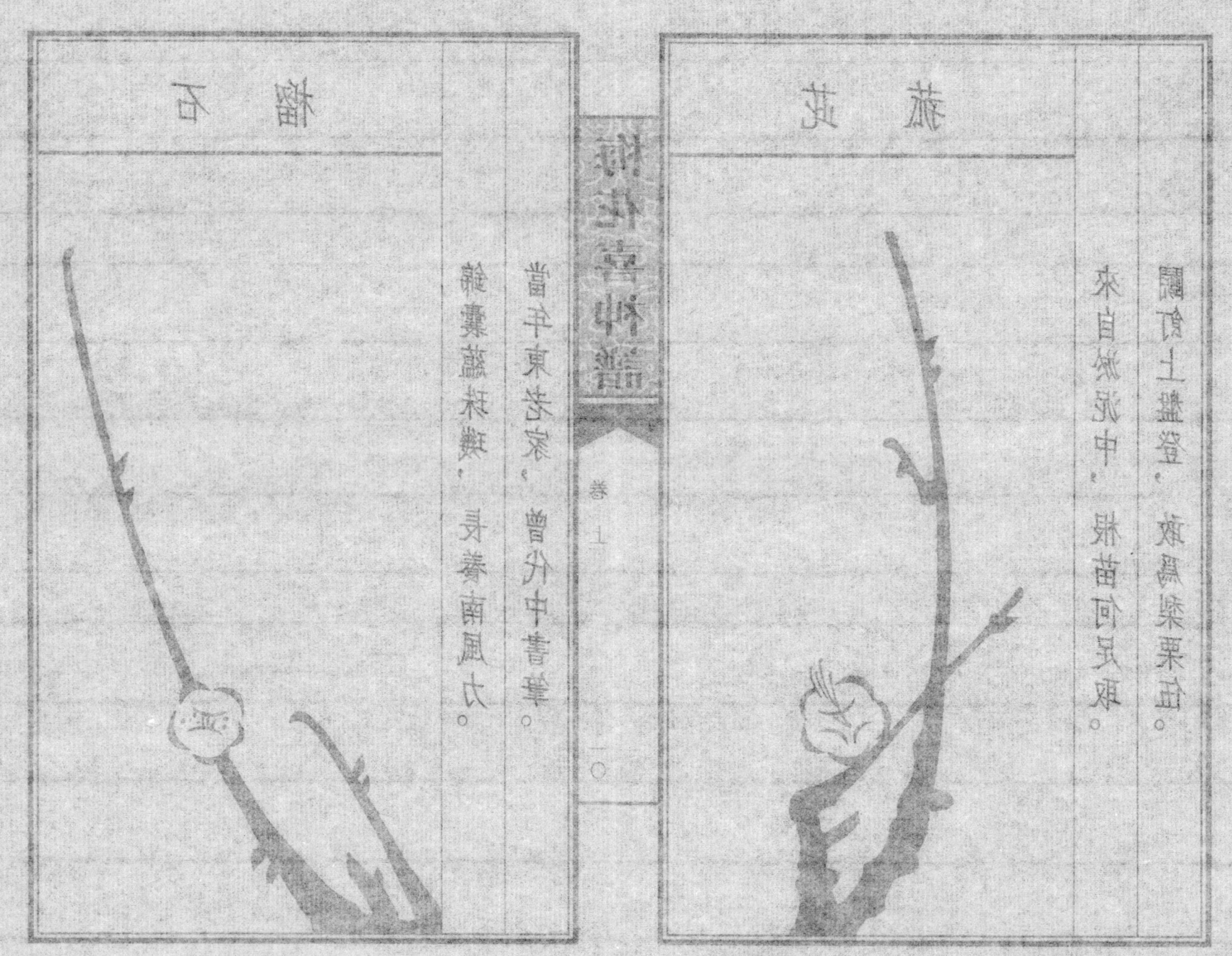

## 木瓜心

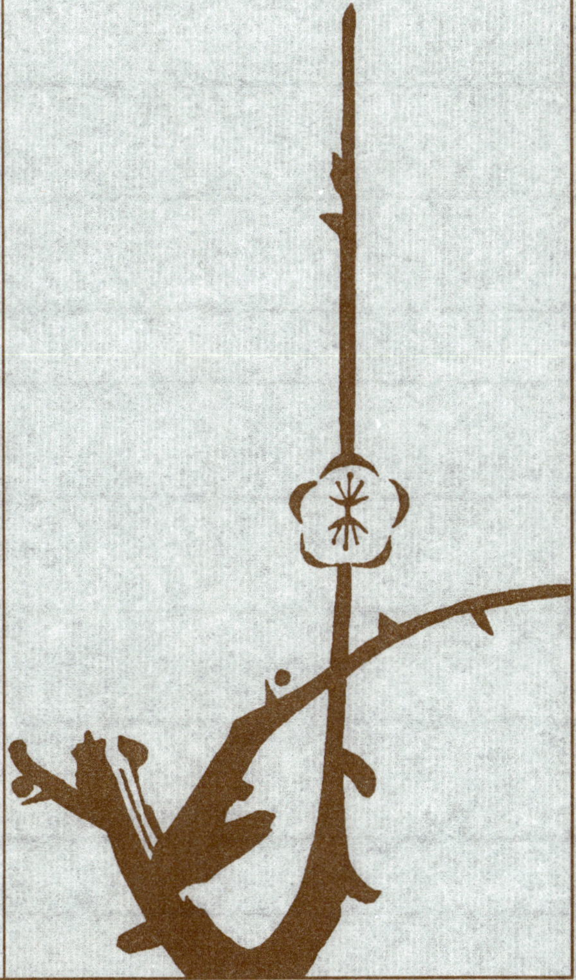

宛陵有靈根，圓紅珍可芼。
衛人感齊恩，瓊琚未容報。

## 孩兒面

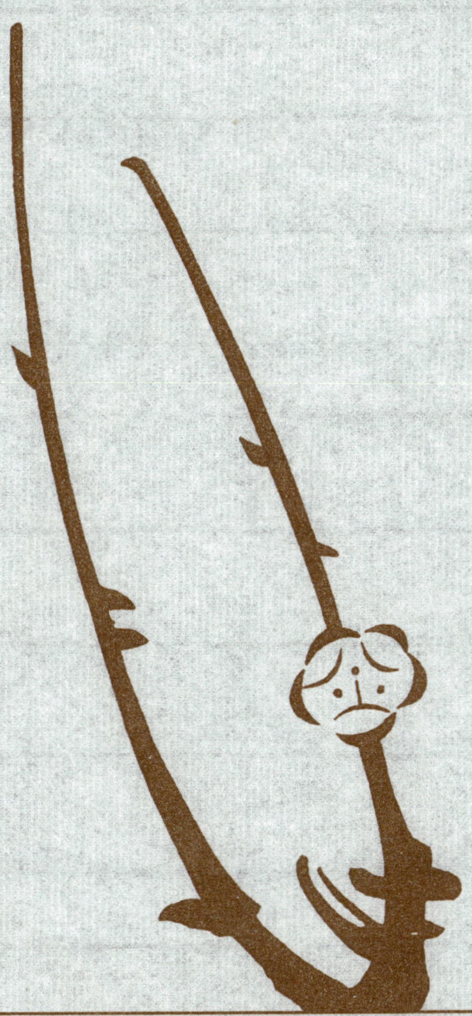

纔脱錦衣綳，童顔嬌可詫。
只恐妝鬼時，愛之還又怕。

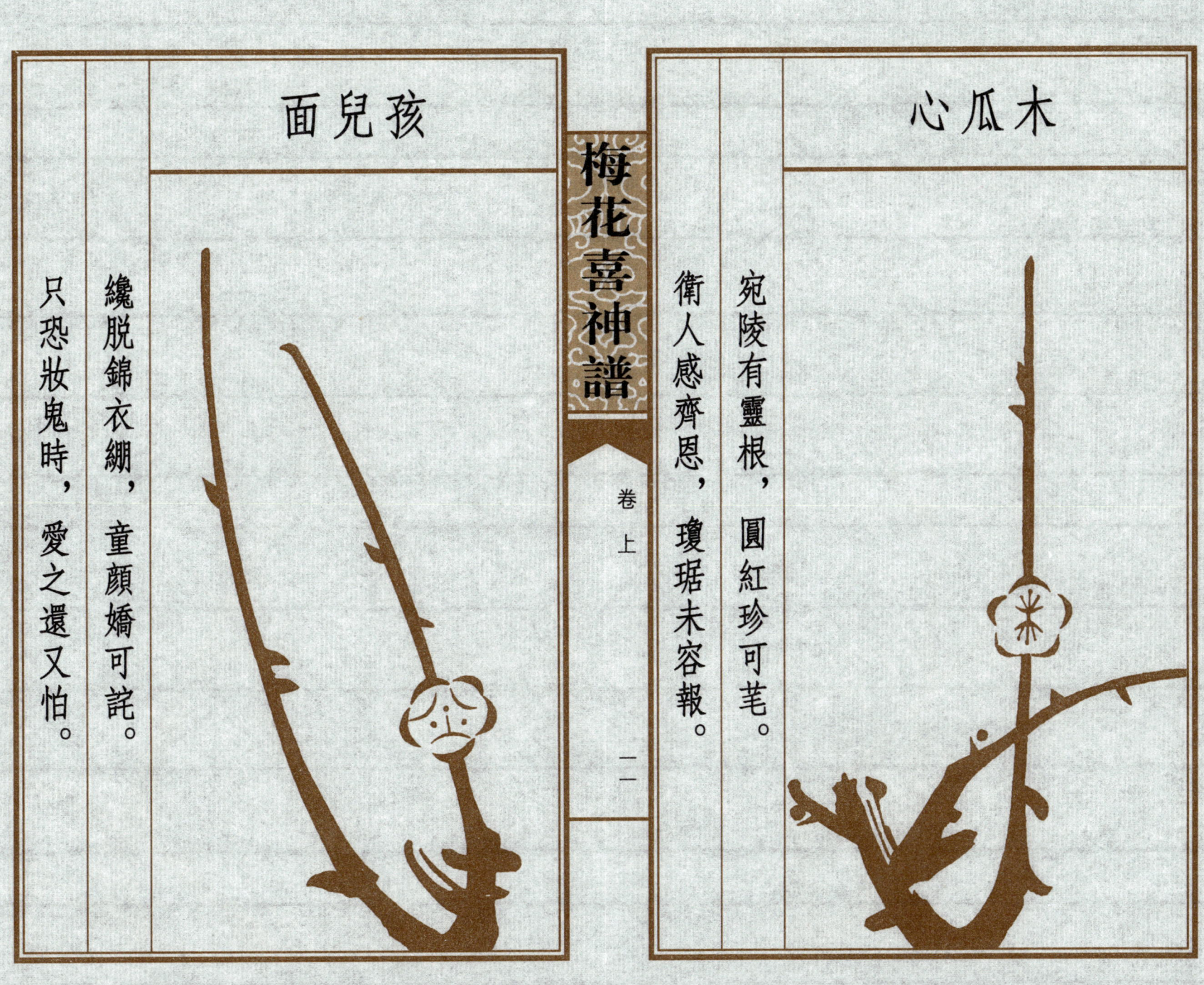

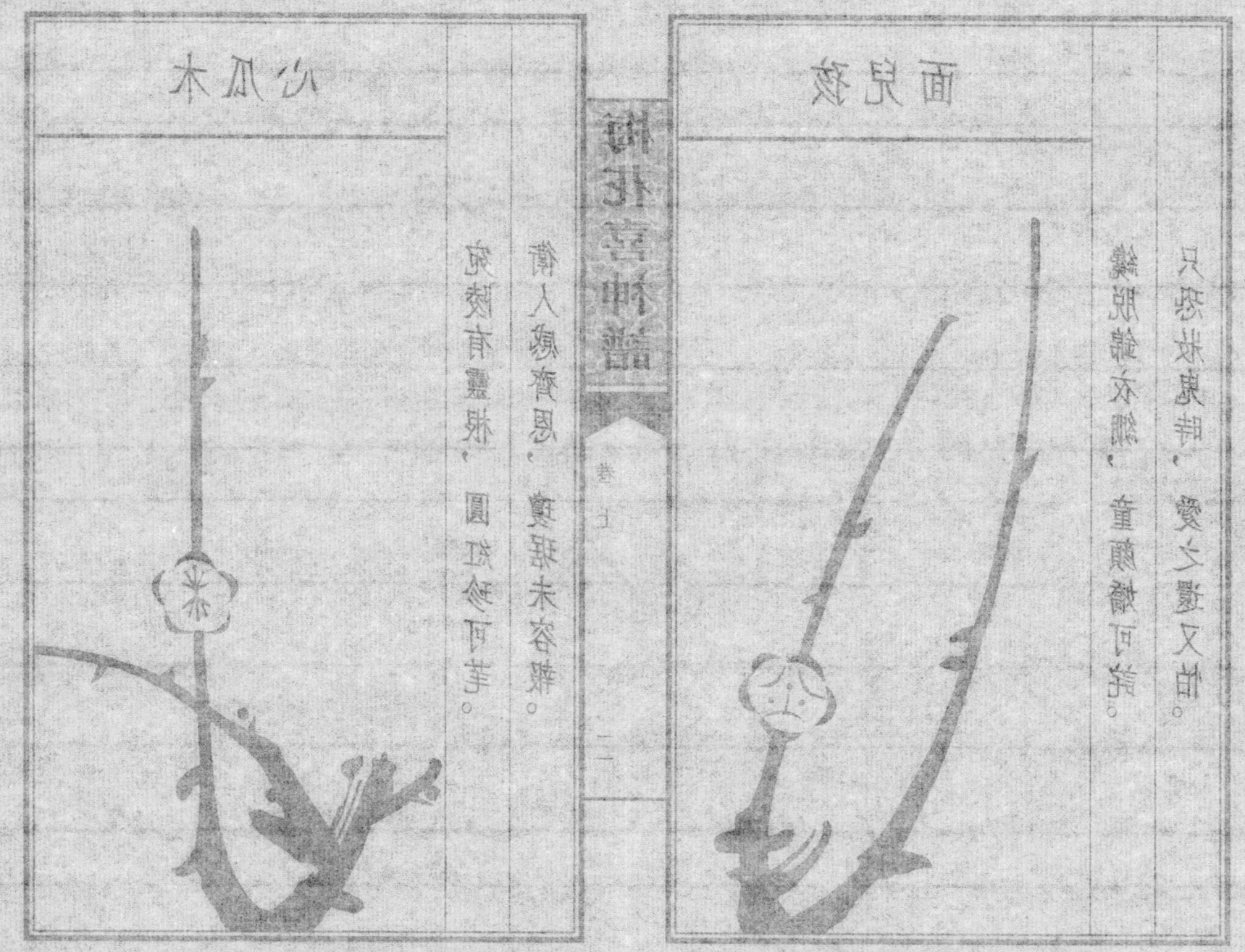

## 李

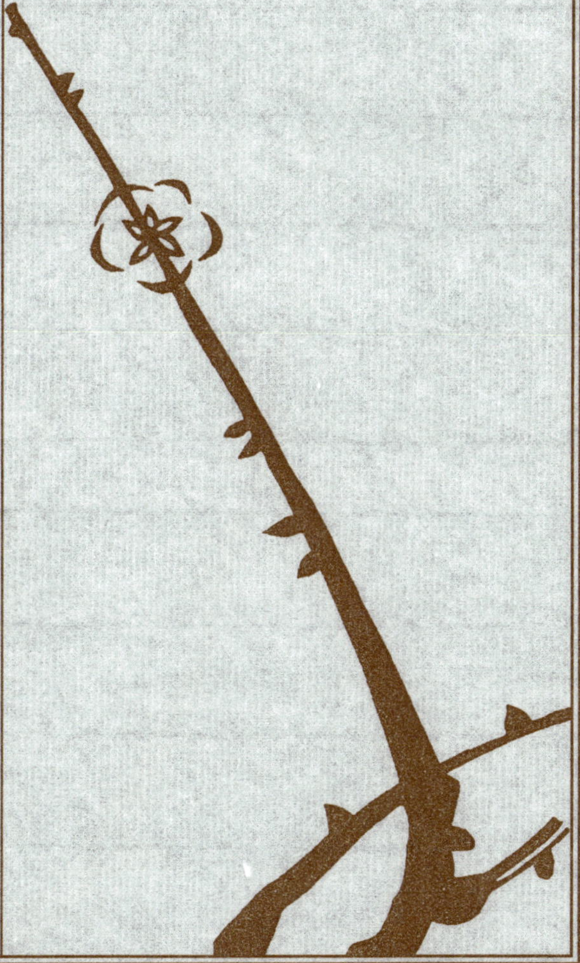

垂垂生井上，遊子休整冠。
道旁徒自苦，青眼誰能看。

## 瓜

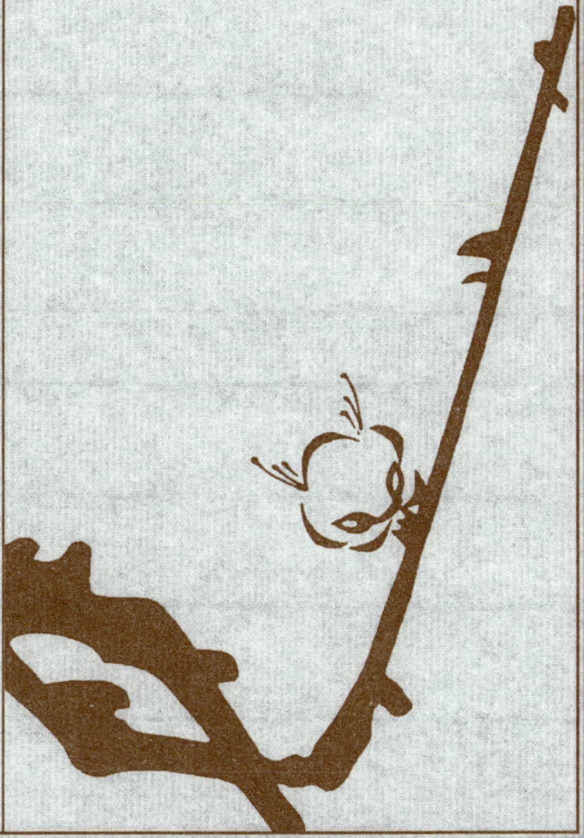

東陵人已仙，黯淡斜陽暮。
可慚名利心，孜孜問葵戌。

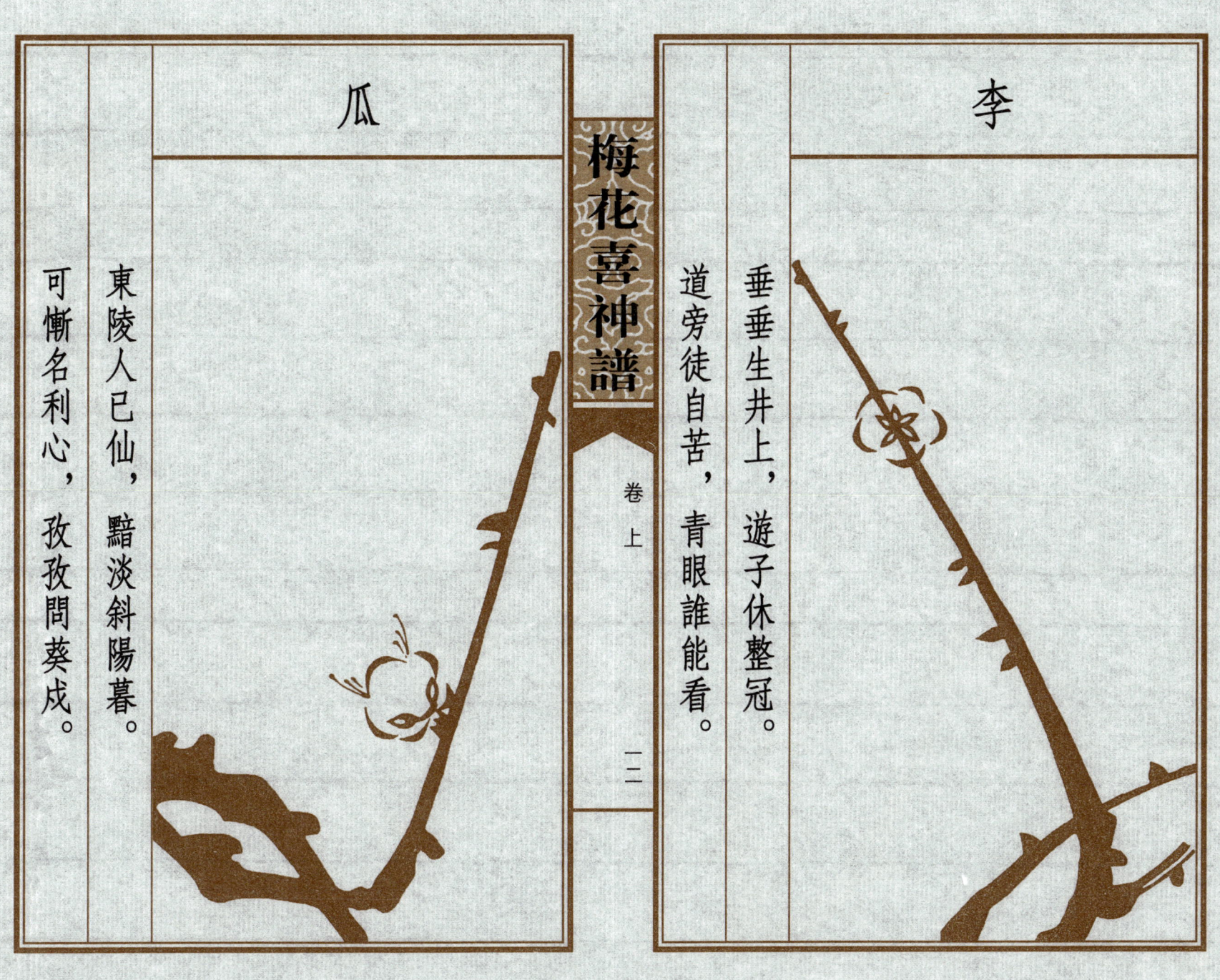

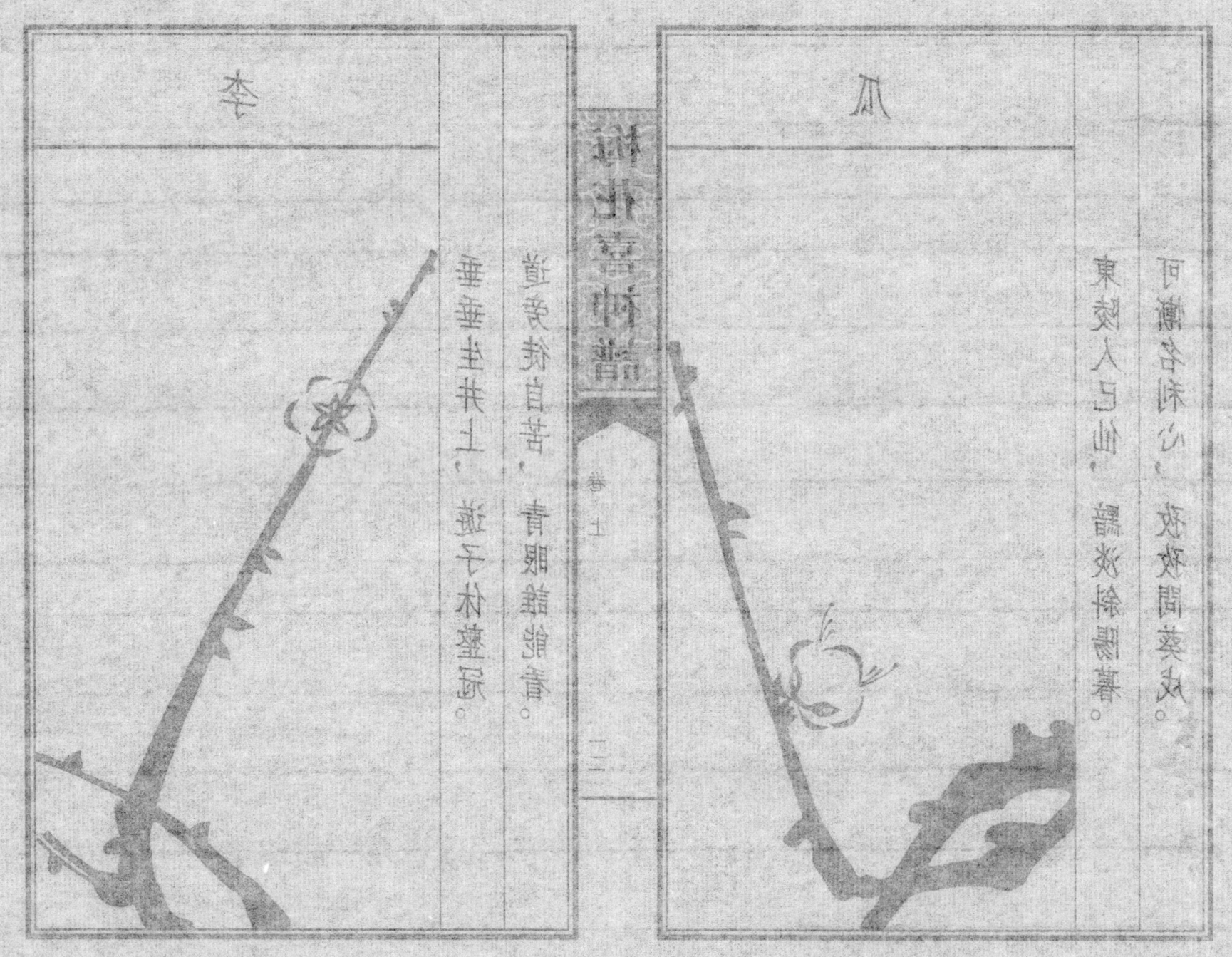

## 貝螺

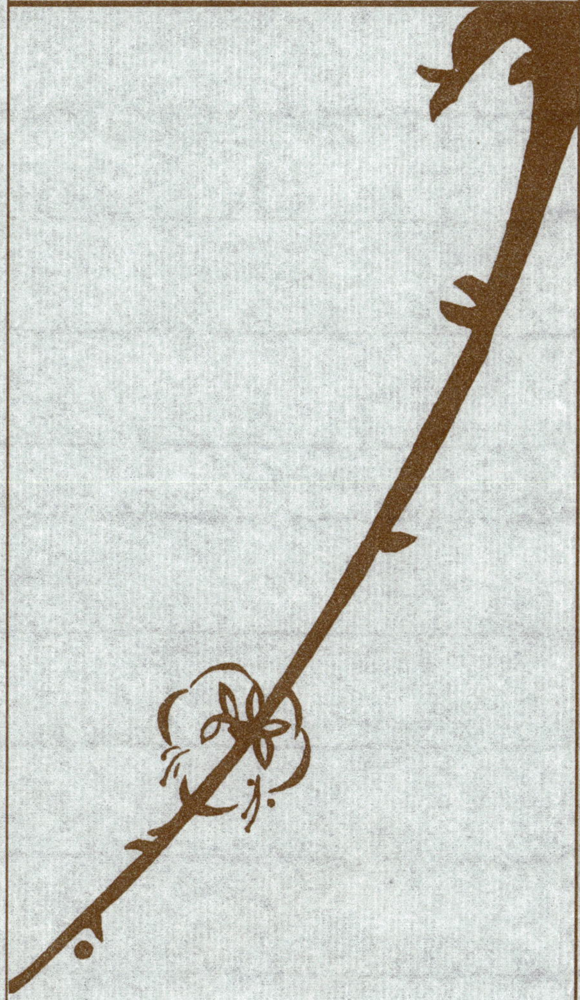

生長滄波中，收羅向書室。
剡藤無不平，祇恐無椽筆。

## 科斗

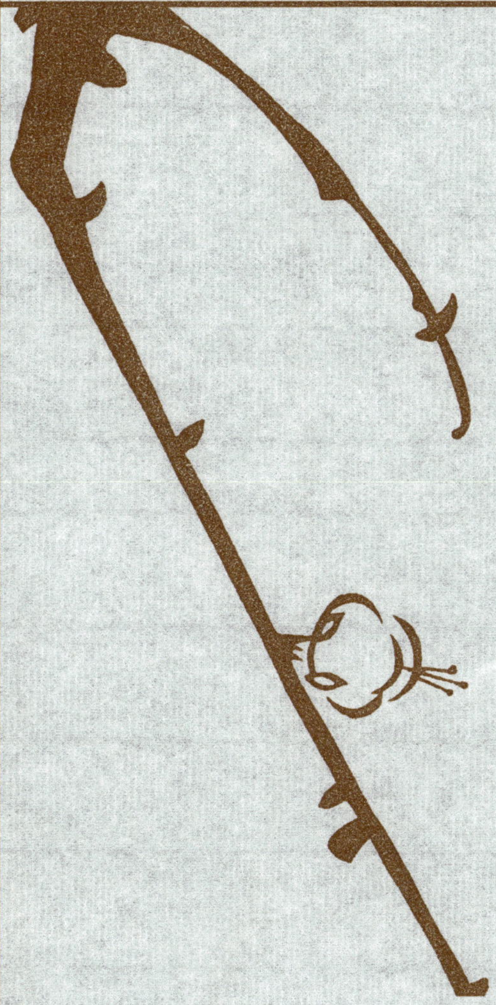

清波漾蛙子，古書形似之。
可惜書廢久，時人無能知。

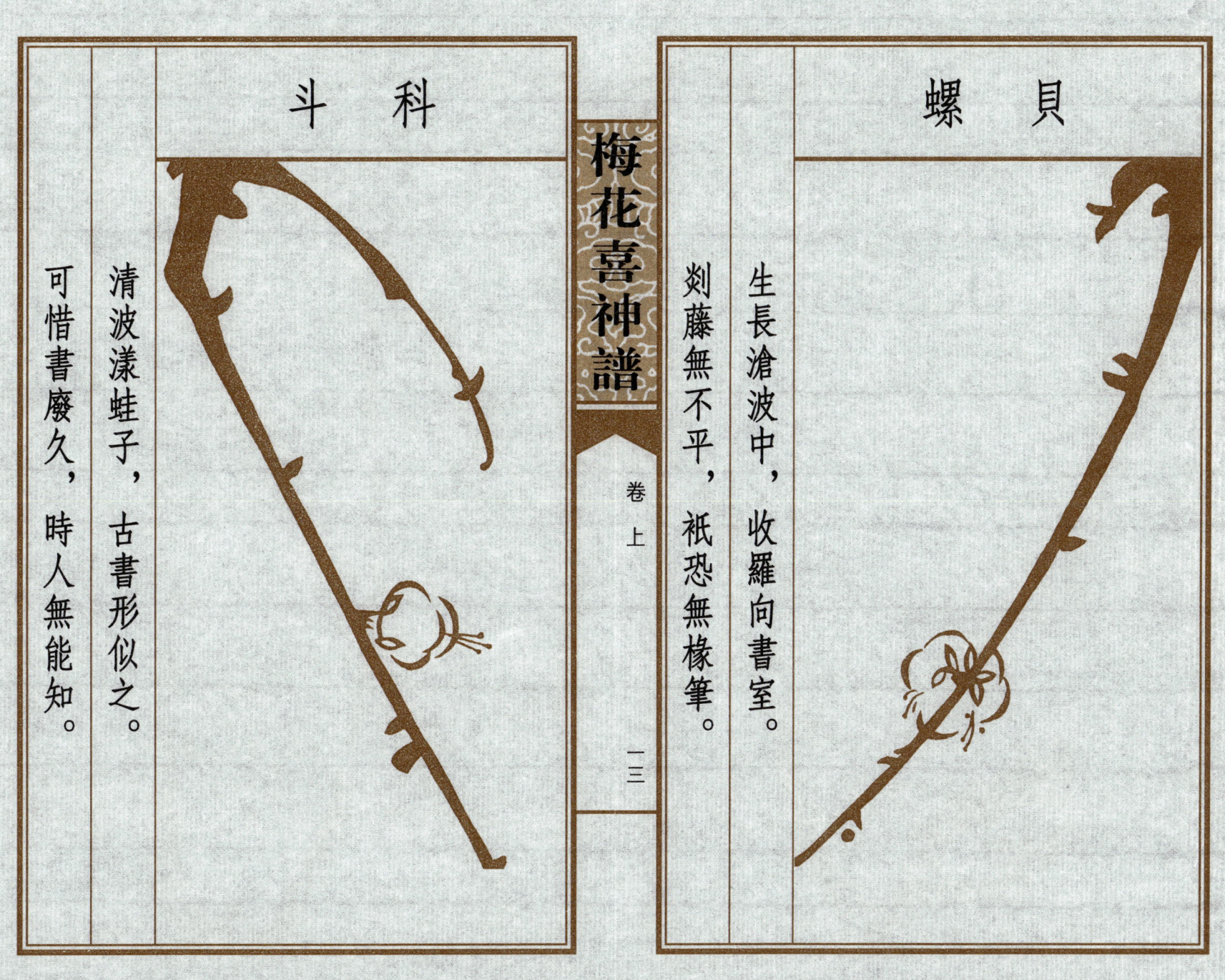

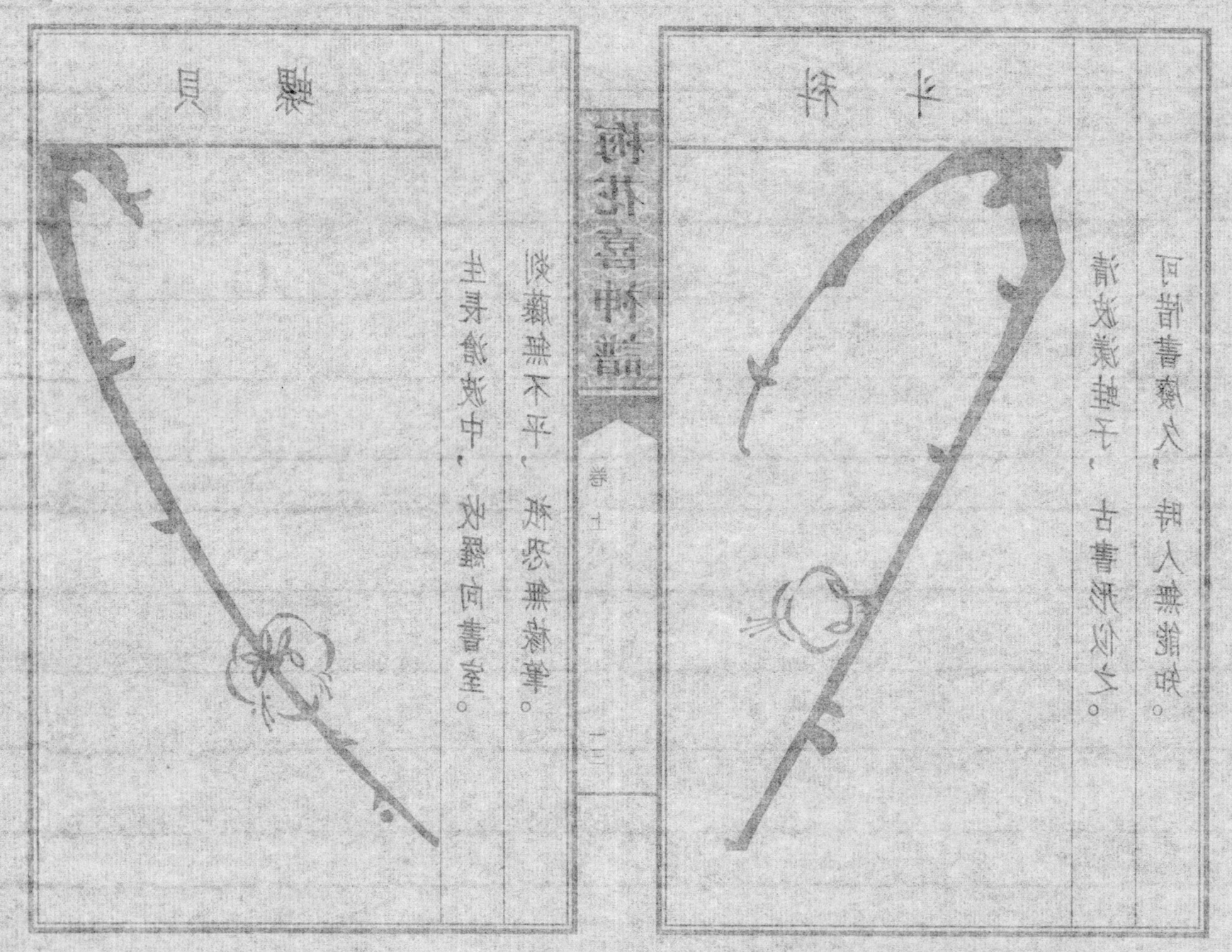

大蘂八枝

## 琴甲

高山流水音，泠泠生指下。
無與俗人彈，伯牙恐嘲罵。

## 藥杵

蟾宫有兔白，搗藥千萬年。
藥有長生術，世人無計傳。

藥杵

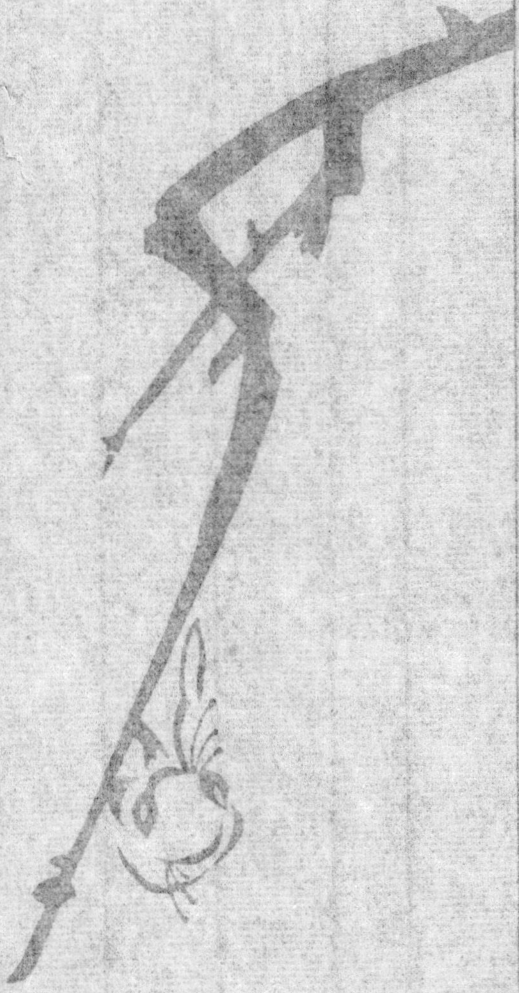

藥有長生術，世人無許傳。

嫦宮有兔白，搗藥千萬年。

琴甲

無與俗人彈，伯牙殁要聽。

高山流水音，泠泠生指下。

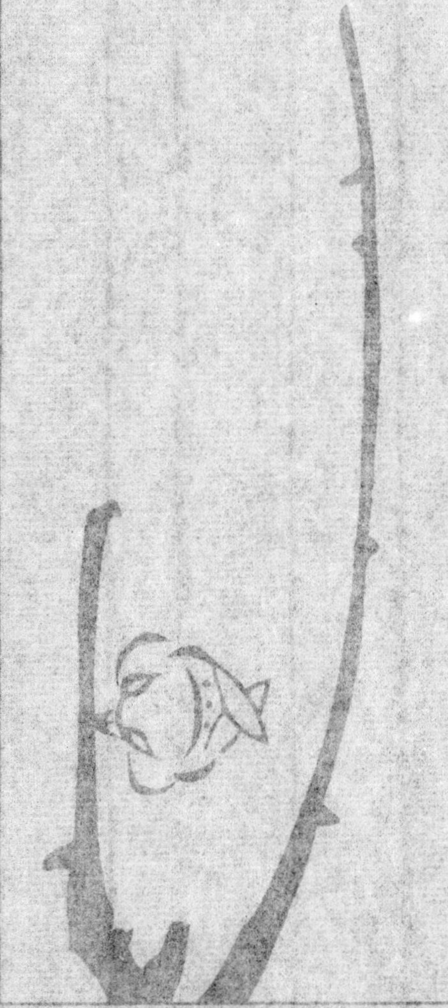

大蕊八枝

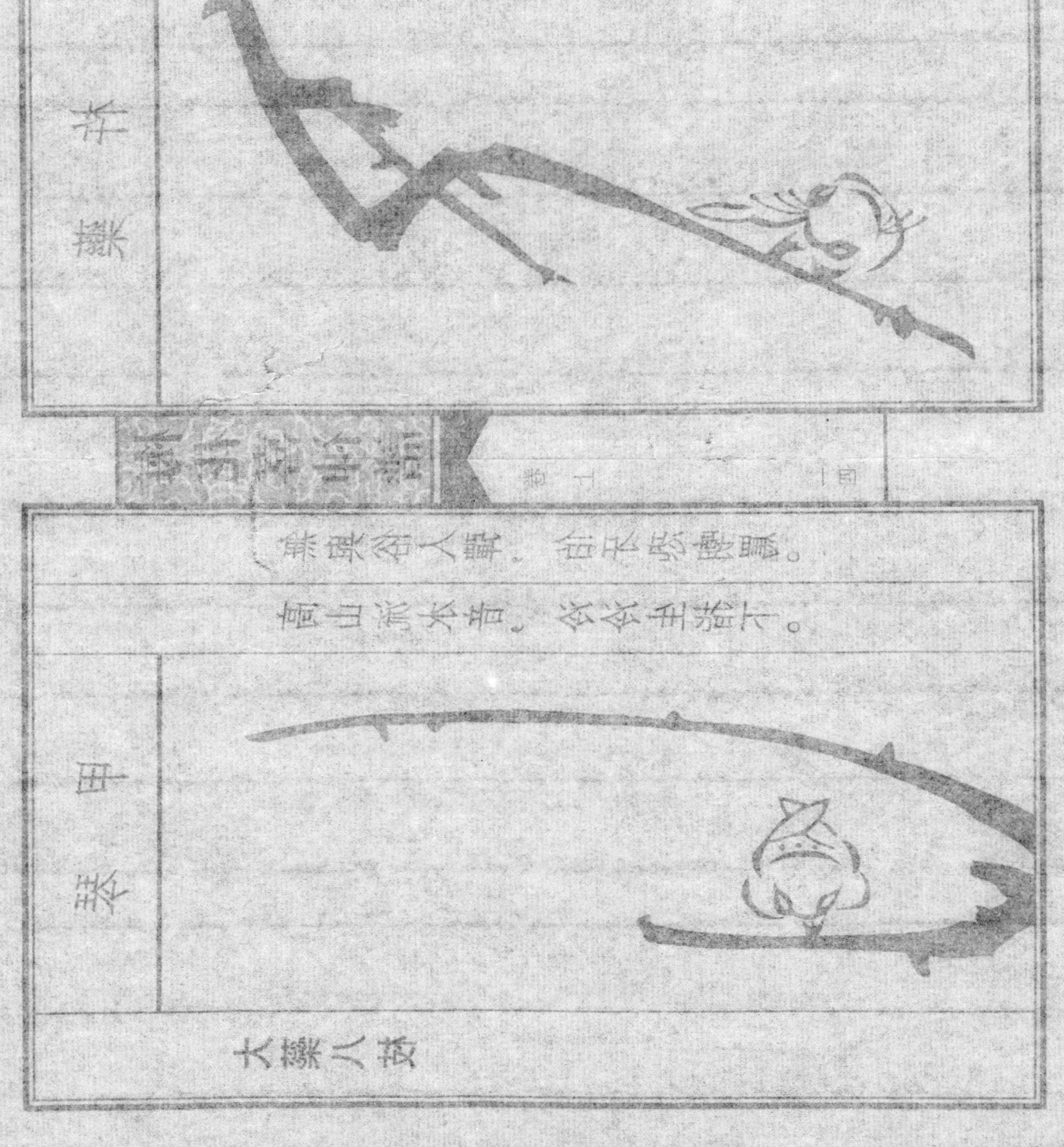

## 蚌殼

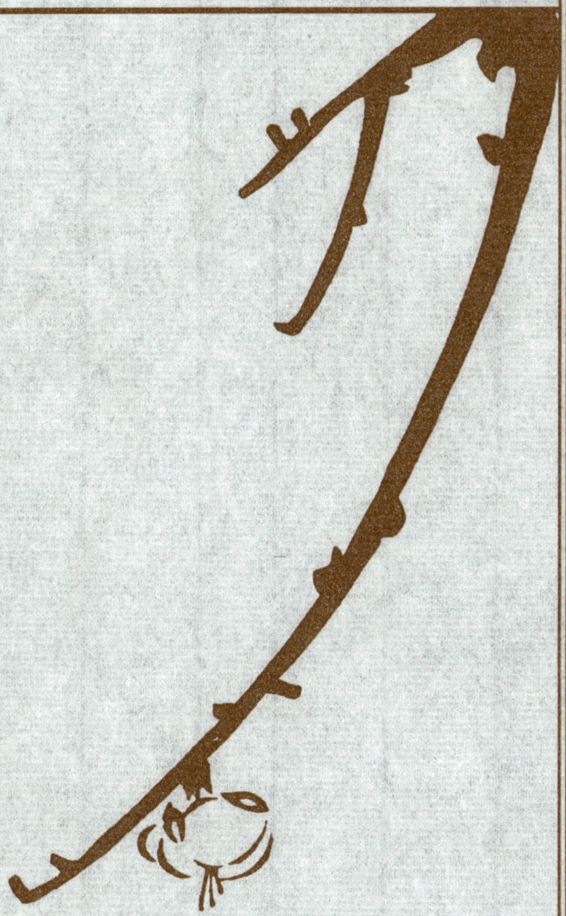

休與鷸相持，自有山川隔。
祝君無孕珠，恐非保身策。

## 鶴嘴

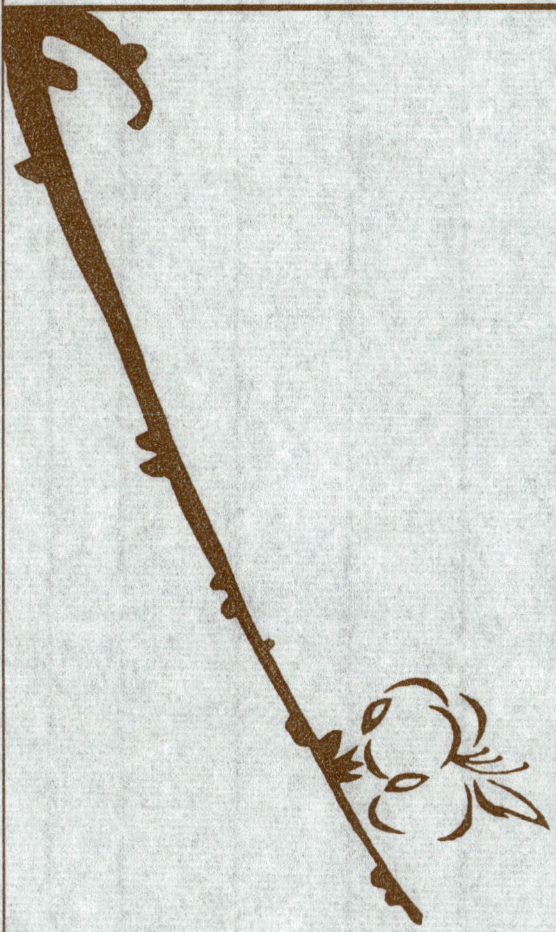

曳頸吟松梢，何異揚州鶴。
胡爲鶴未成，苦被玄裳錯。

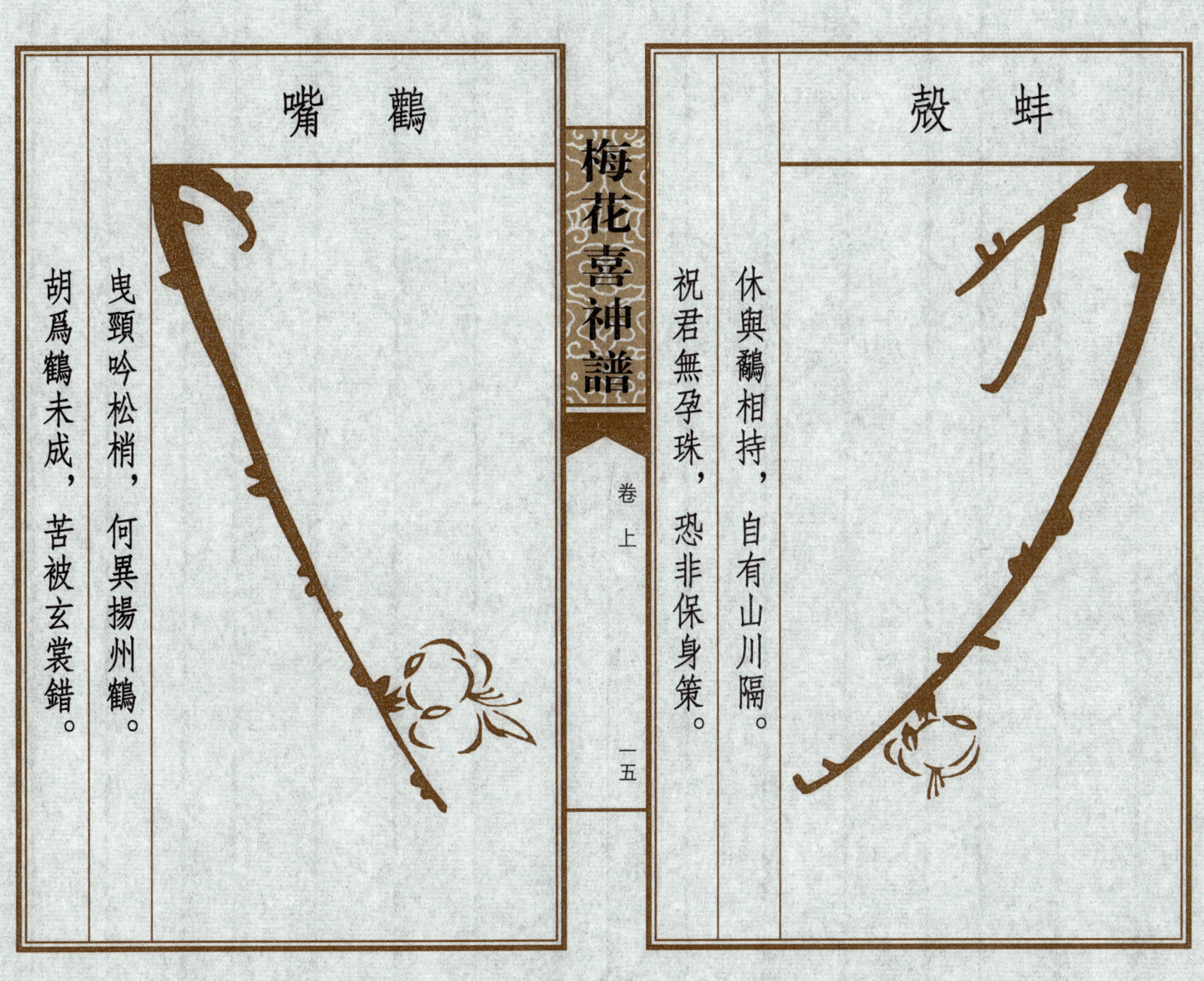

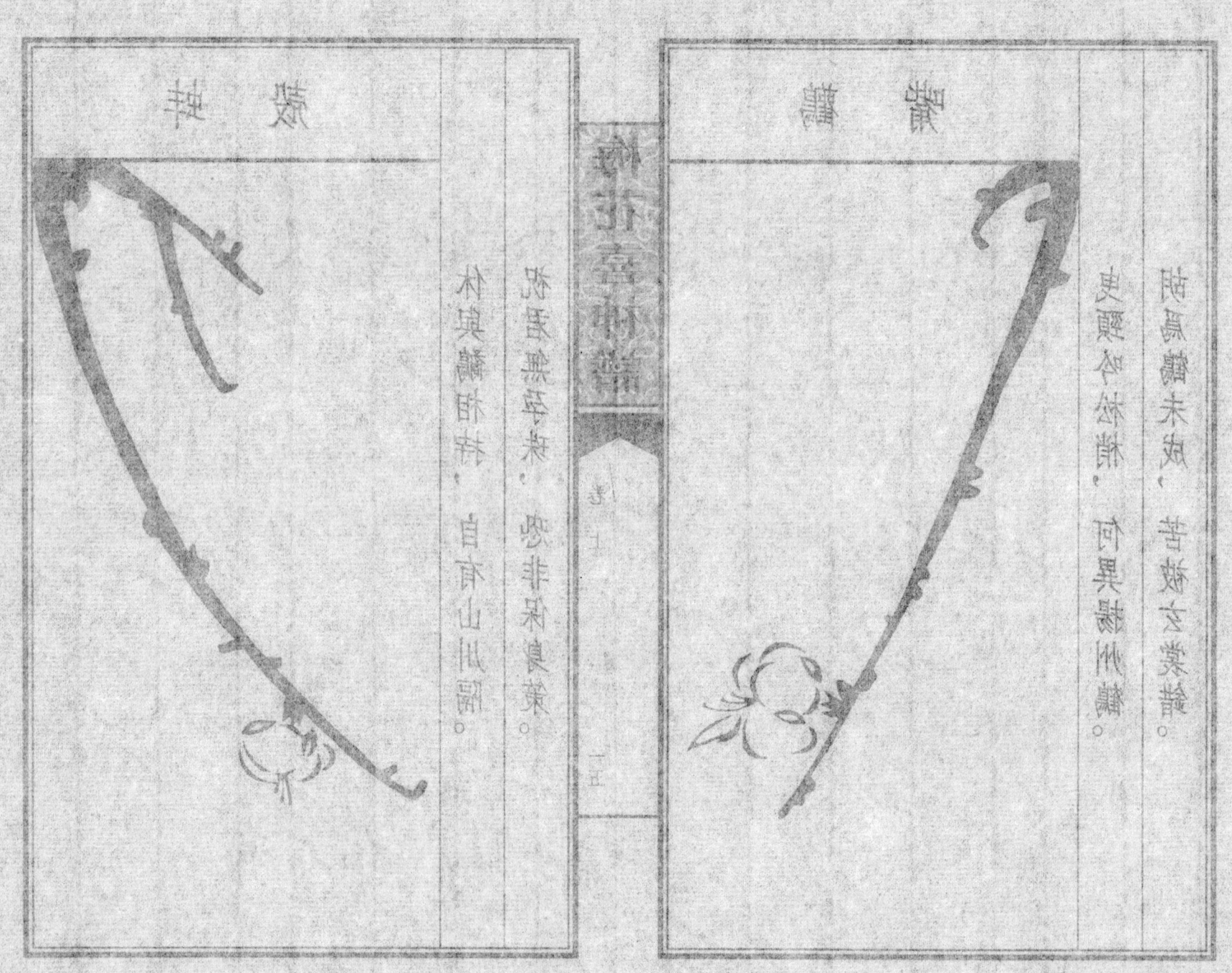

## 卣

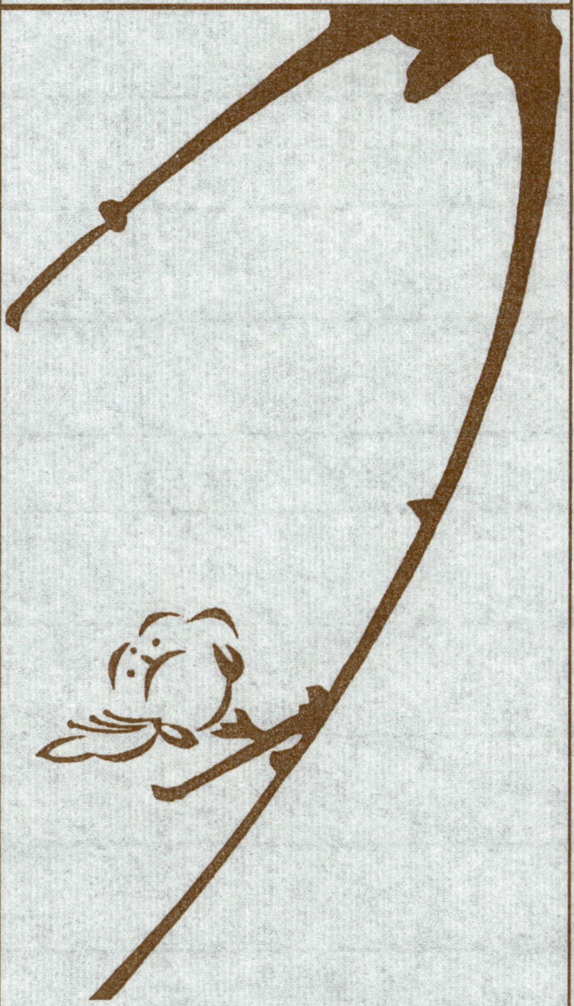

中尊嚴祀典，鬯未裸而實。
將裸而實彝，禮文知有秩。



## 柷

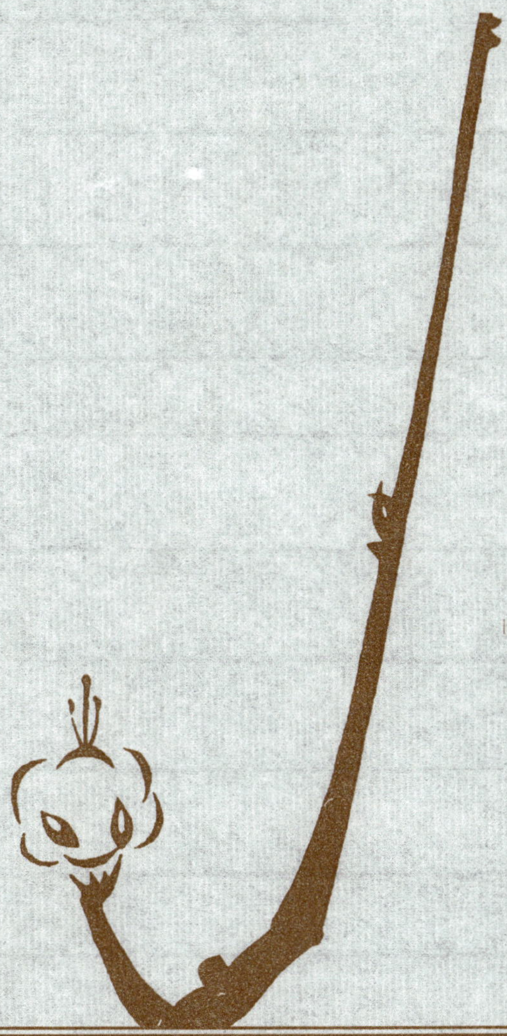

方深有制度，撞之以合樂。
止樂戛以敔，始終知所覺。

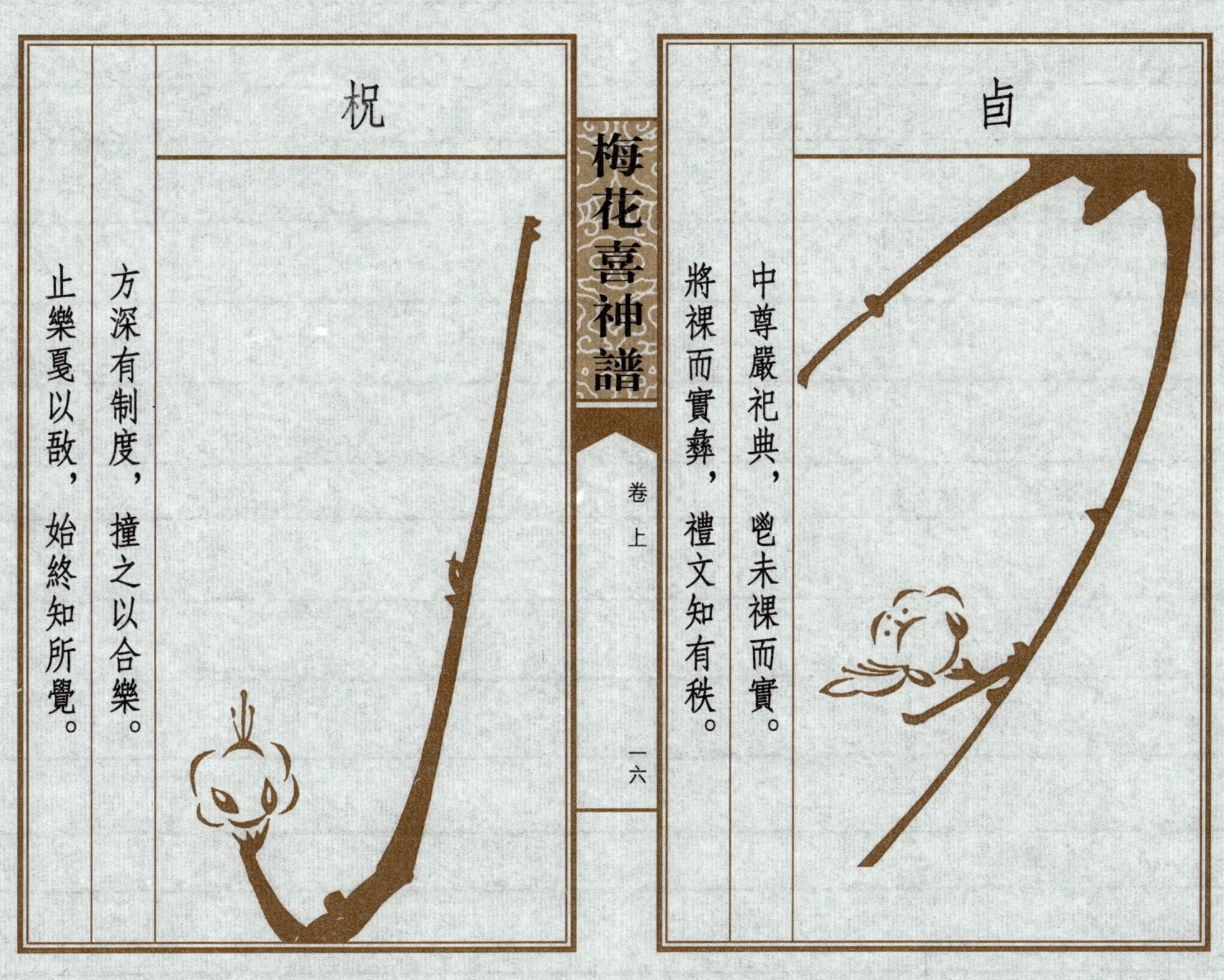

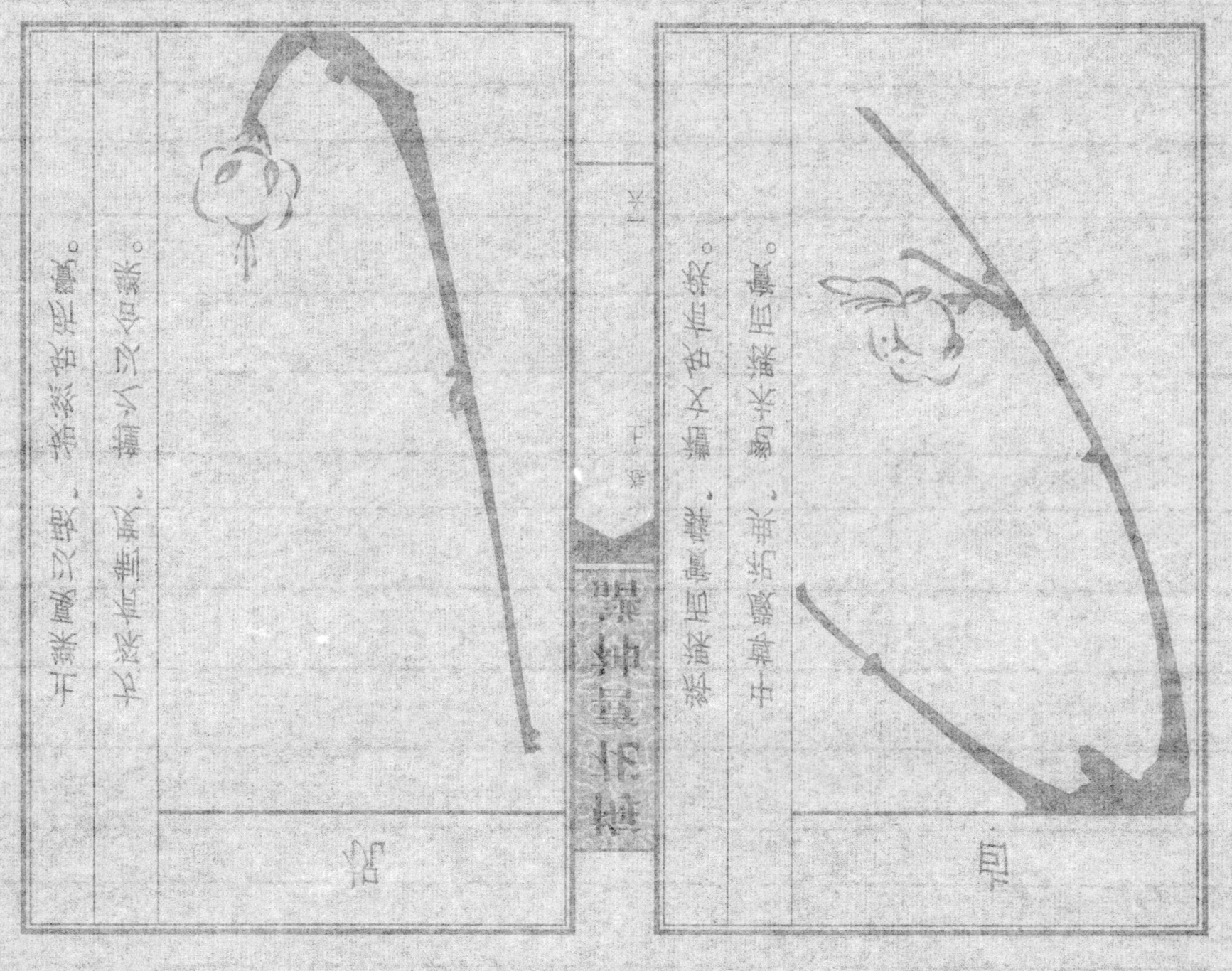

## 籩

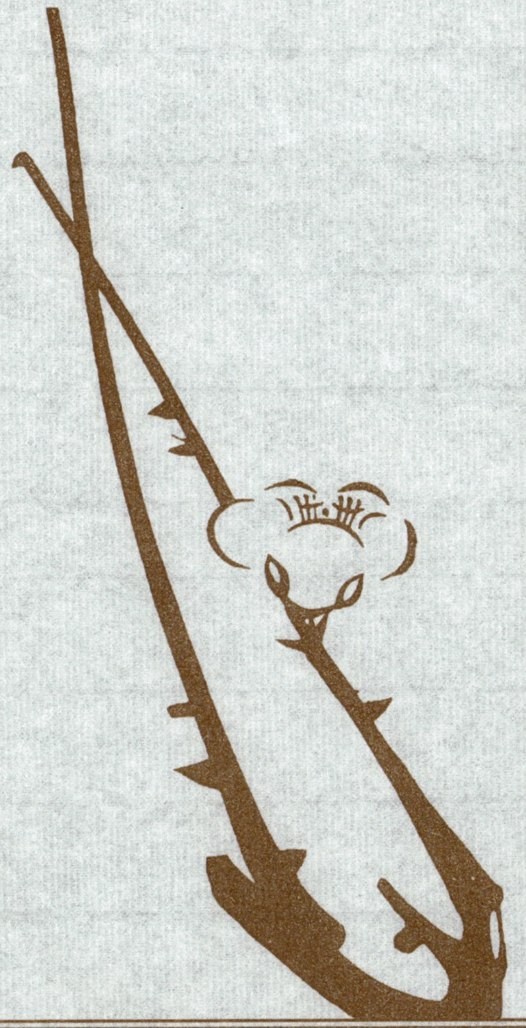

蒼竹緯琅玕，爲形有如豆。

遇祭何所容，乾桃與脩糗。

## 爵

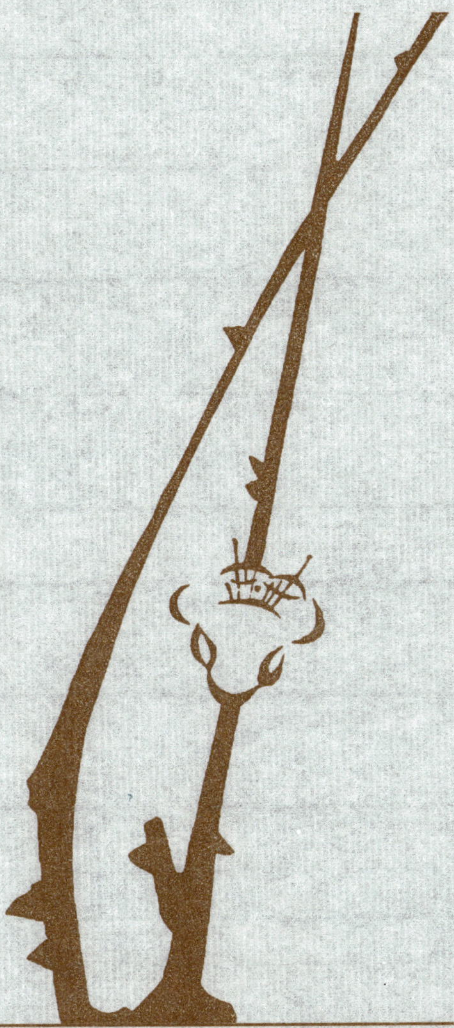

柱取飲不盡，量容惟一升。

足如戈示戒，君子當兢兢。

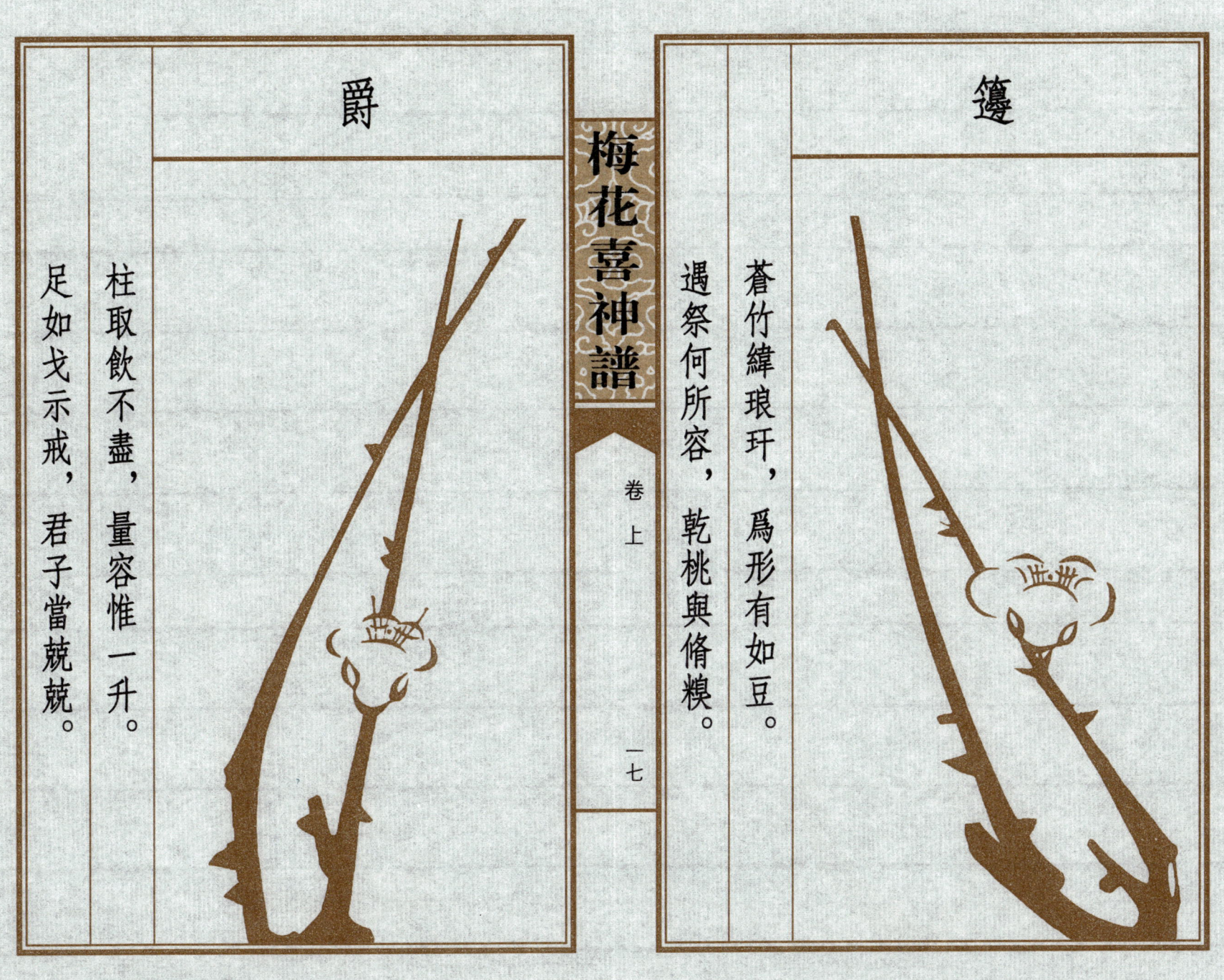

[illegible]

通緣何所容，乾坤與齊糓。
春行韓東升，爲形有如豆。

[illegible]

足如文示來，君子當識察。
柱取斂不盡，量容推一升。

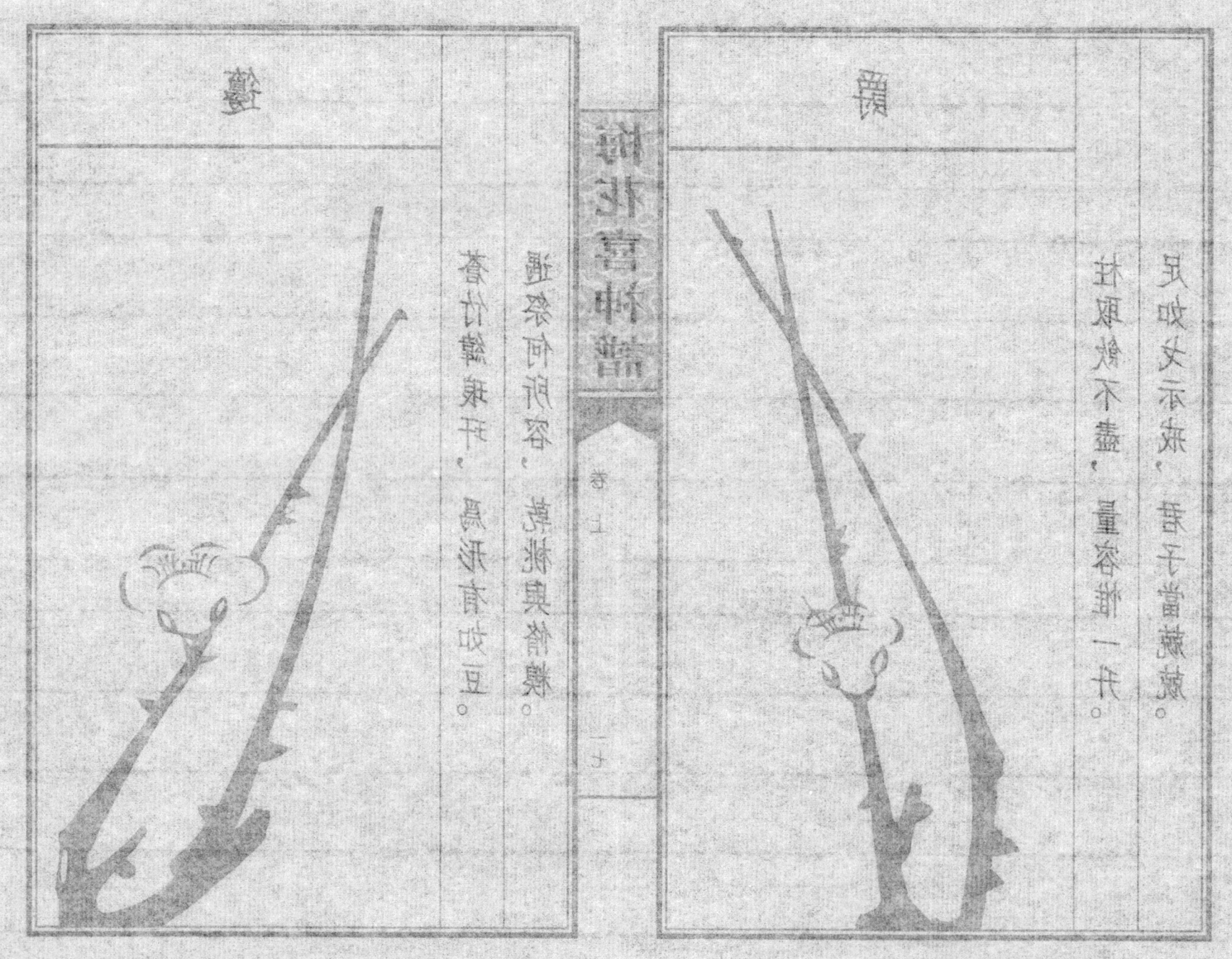

## 春甕浮香

欲開八枝

斗醉石亦醉，無量不及亂。
獨醒誰得知，憔悴滄江畔。

## 寒缸吐焰

燈火迫新涼，志士功名重。
十年窗下愁，會見金蓮寵。

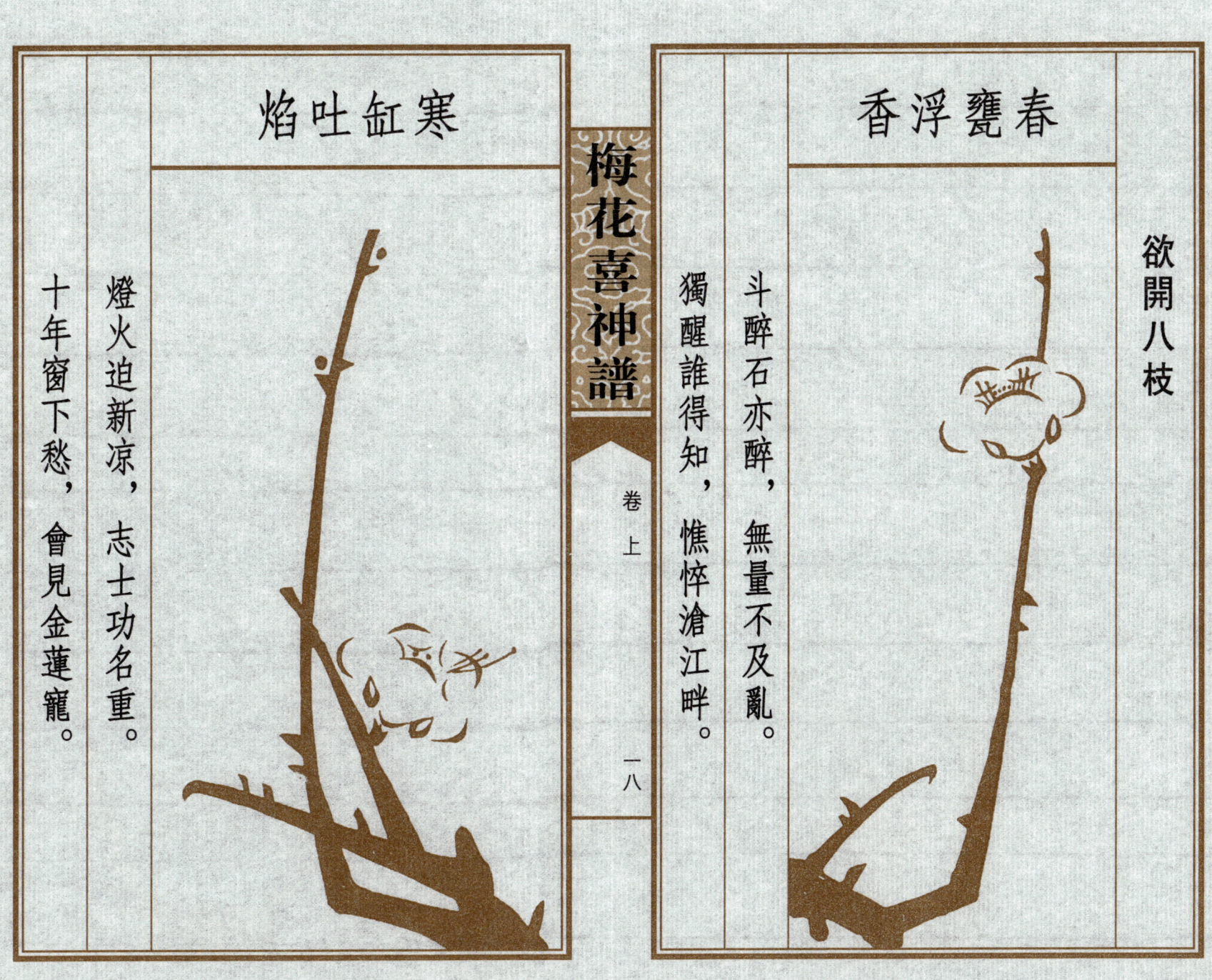

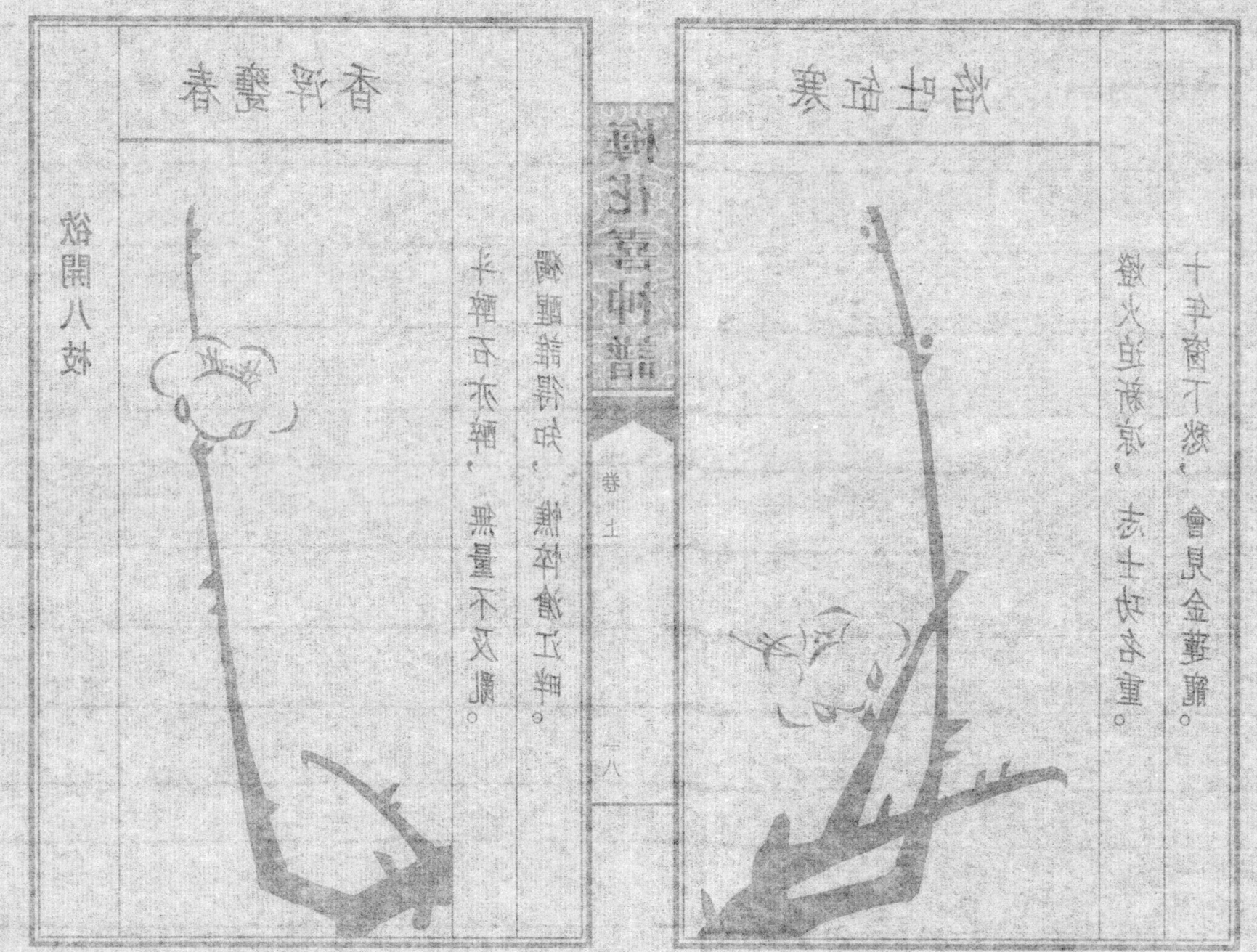

## 蝸角

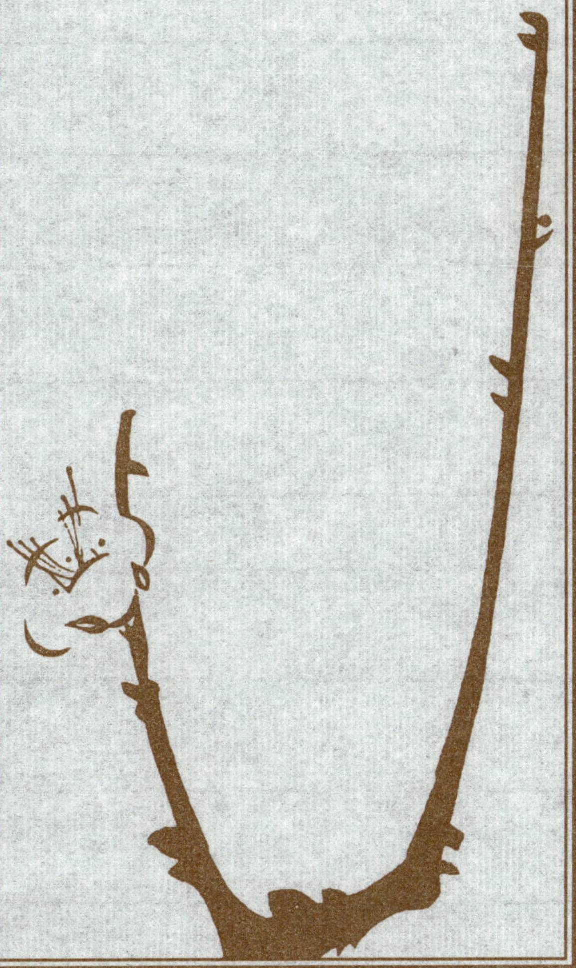

蠻觸國誰雄，戰爭猶未息。
由此奪虛名，費盡人間力。

## 馬耳

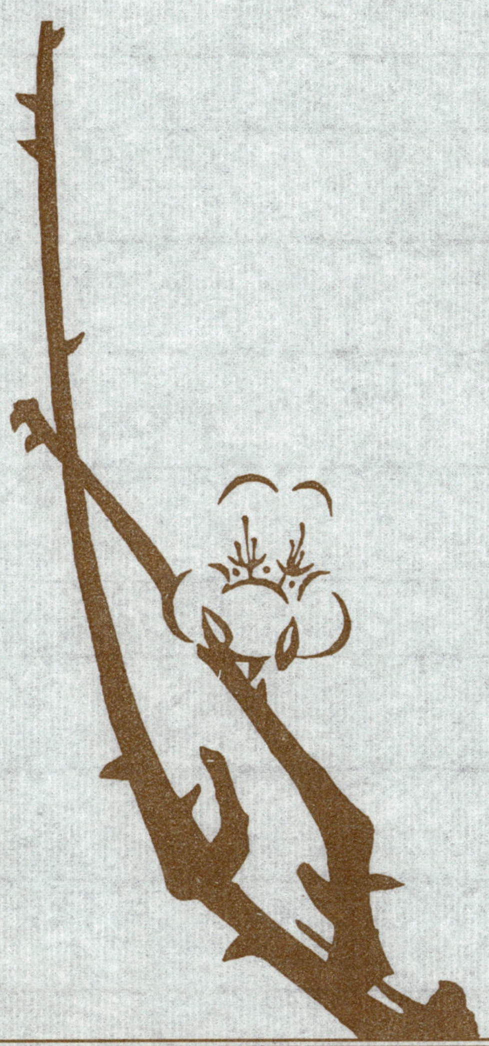

騏驥無伯樂，尖輕徒竹披。
北臺深雪裏，且讀坡仙詩。

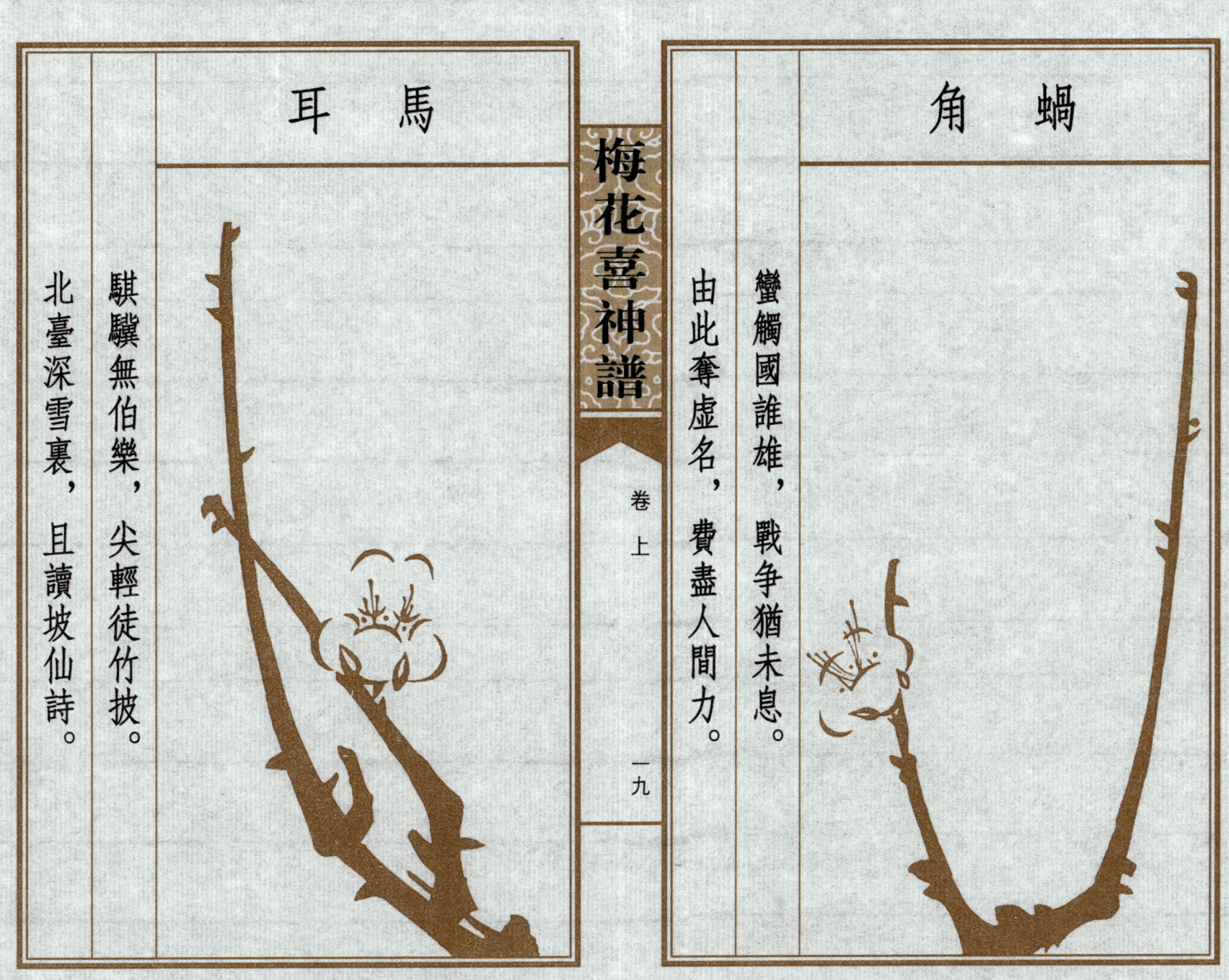

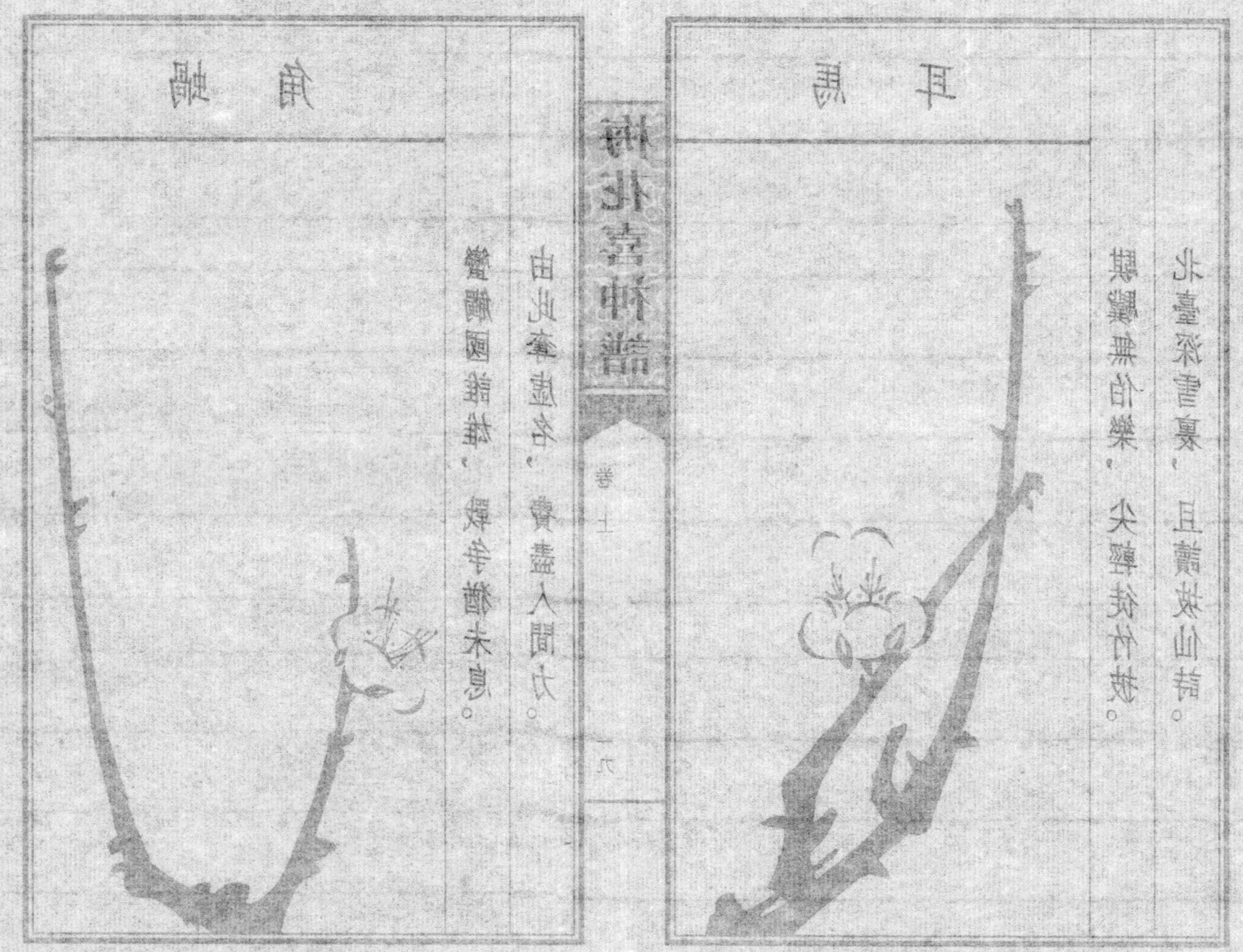

## 篚

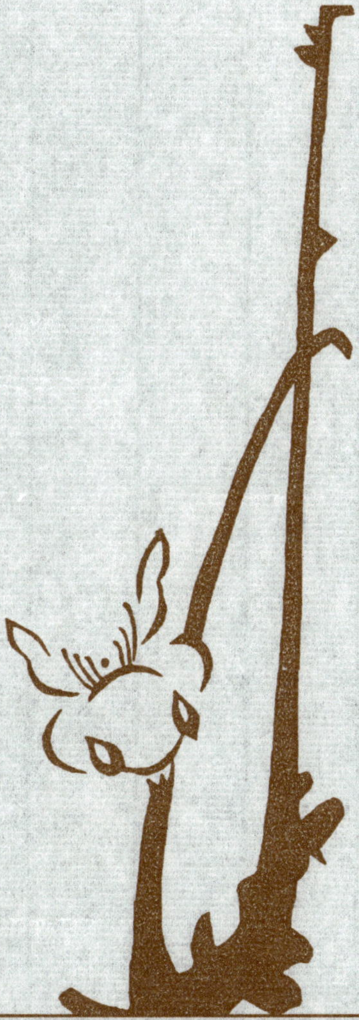

祭器古不輕，斯焉盛黍稷。
内方而外圓，無乃器之特。

## 瓚

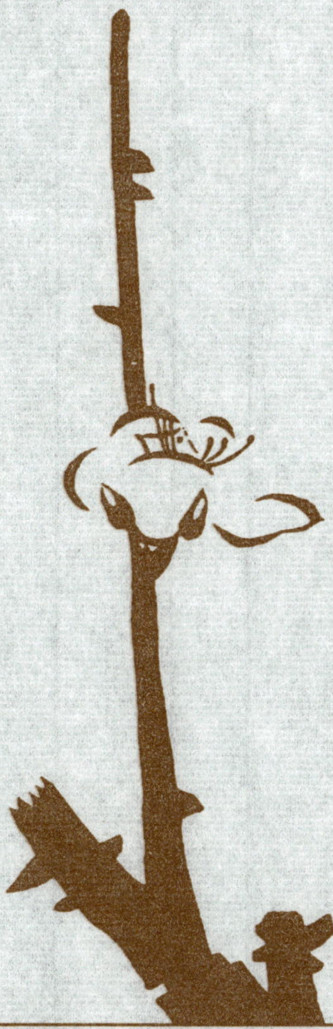

如盤而柄圭，崇裸以爲器。
秬鬯次第陳，豈容忘古意。

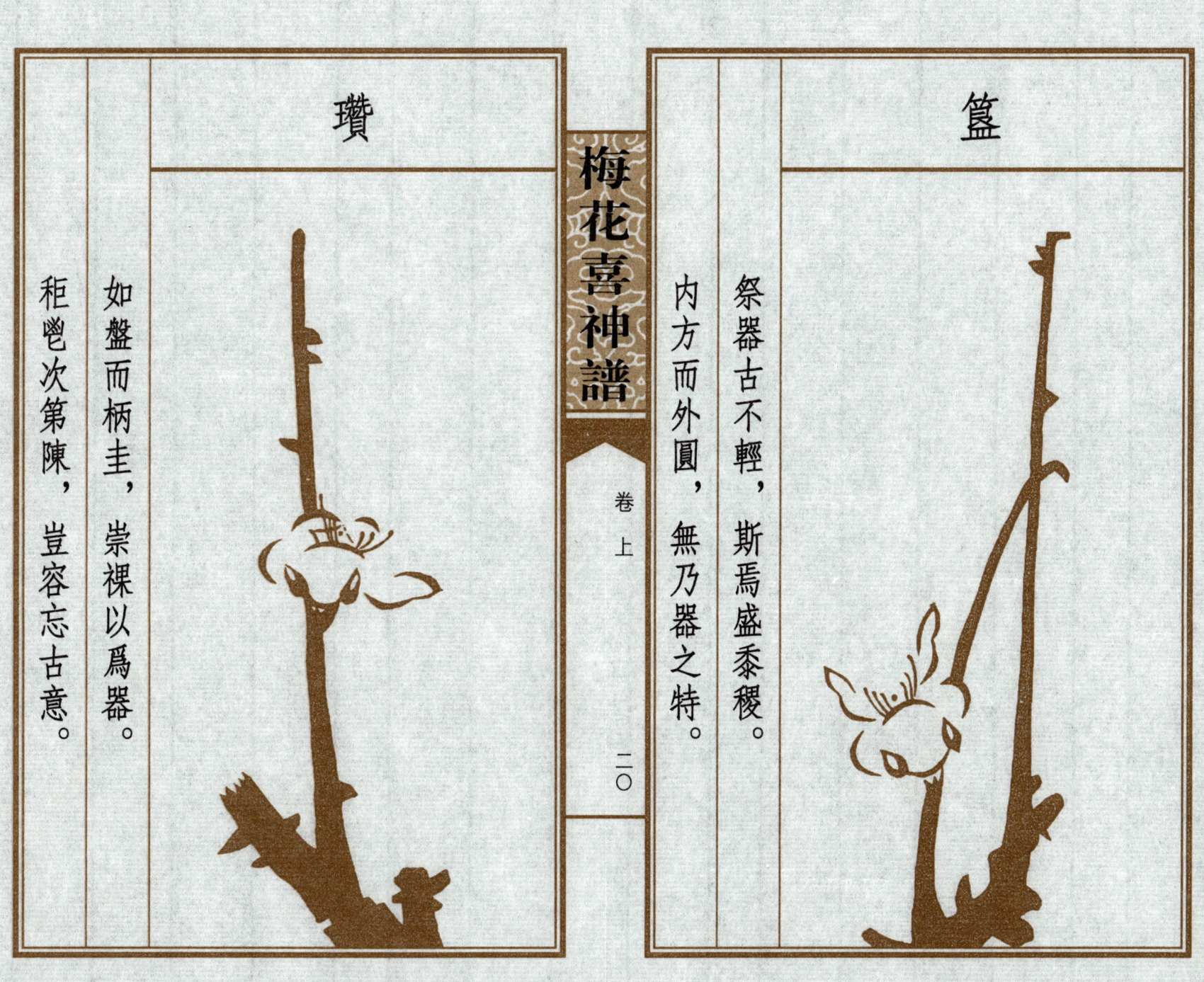

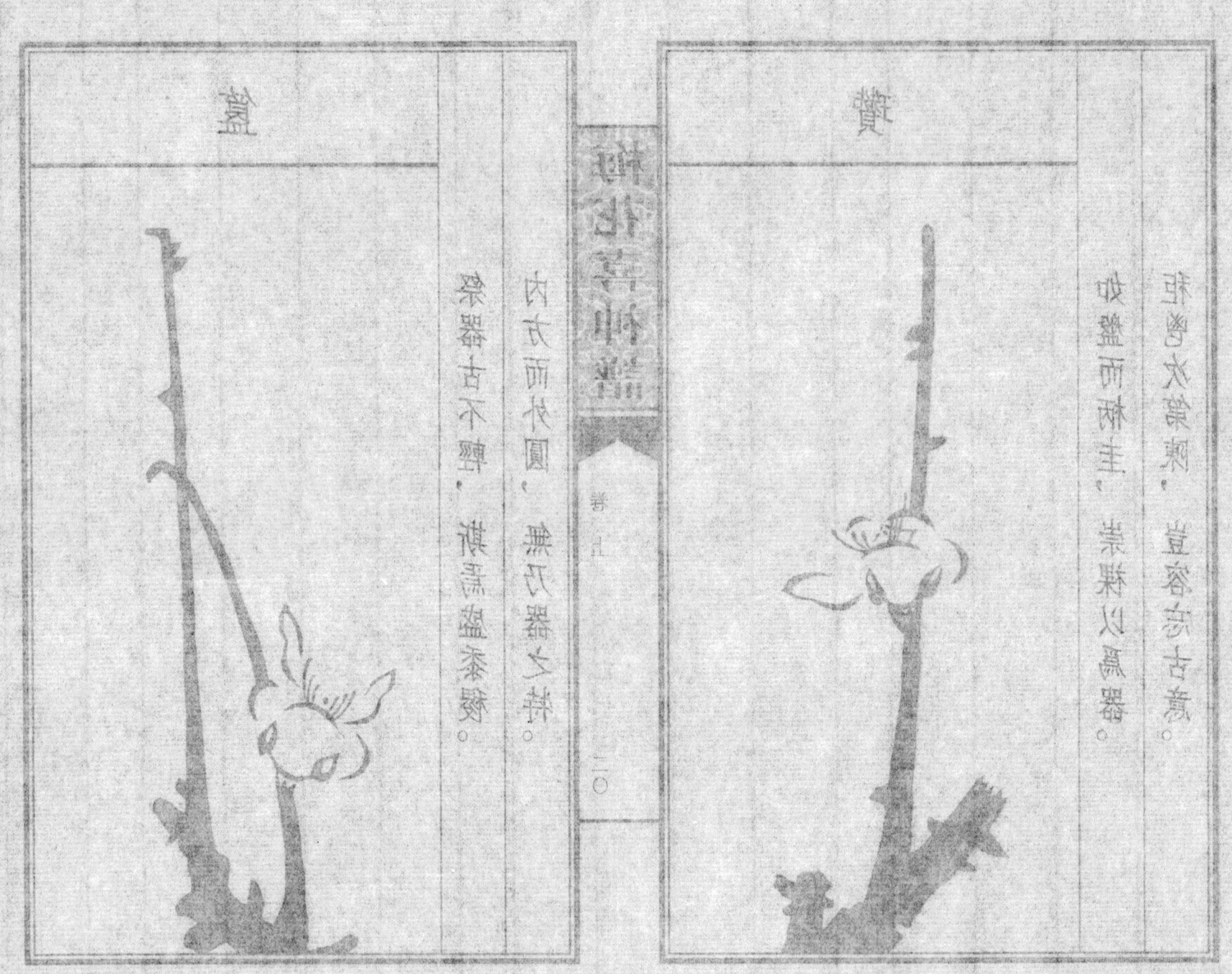

## 金印

蘇秦鞭疋馬，六國飽風煙。
纍纍懸肘下，郭外慚無田。

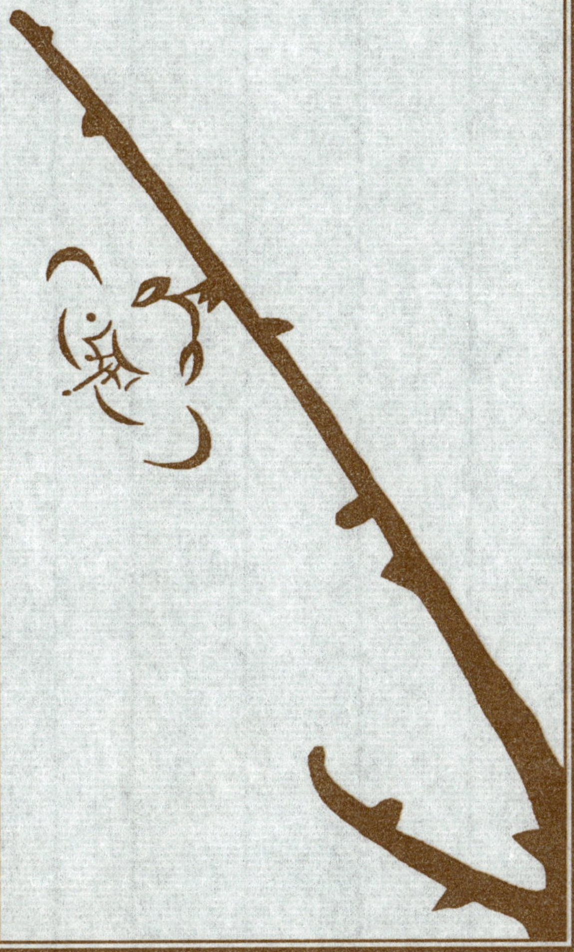

## 玉斗

鴻門罷樽酒，舞劍事還差。
范增徒怒撞，漢業成劉家。

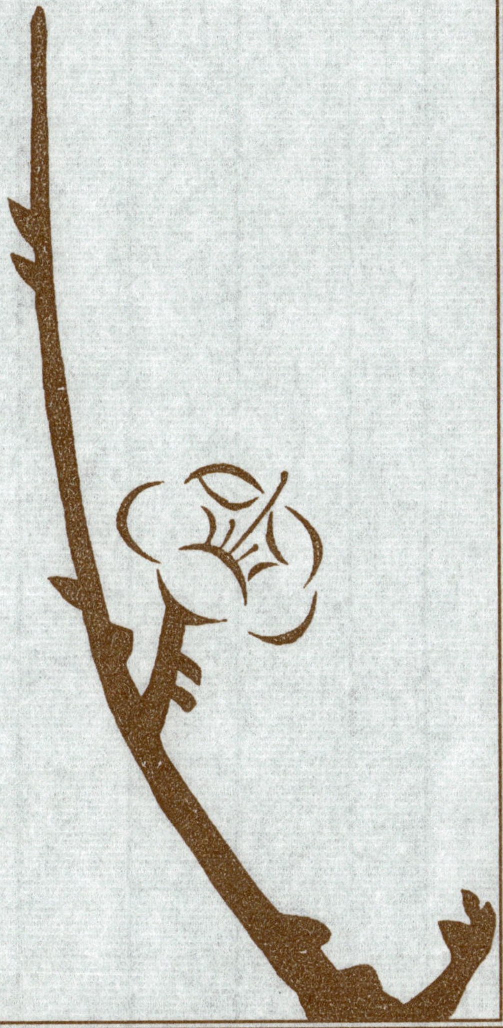

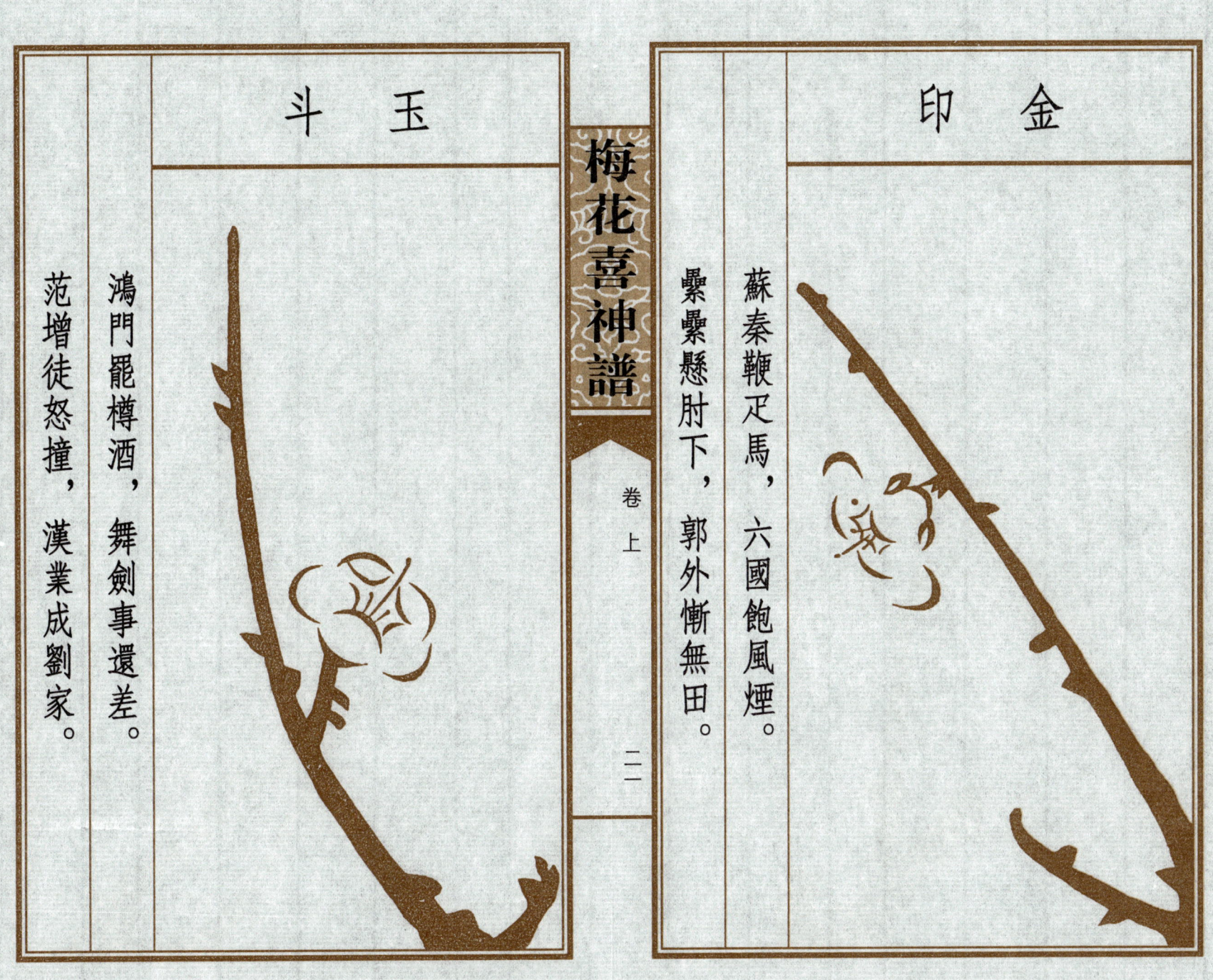

## 金印

纍纍綬附下，郭外[illegible]無田。
蘇秦輟五馬，六國飾風煙。

## 王斗

范增徒忿懥，漢業成劉家。
鴻門能樽酒，舞劍事還差。

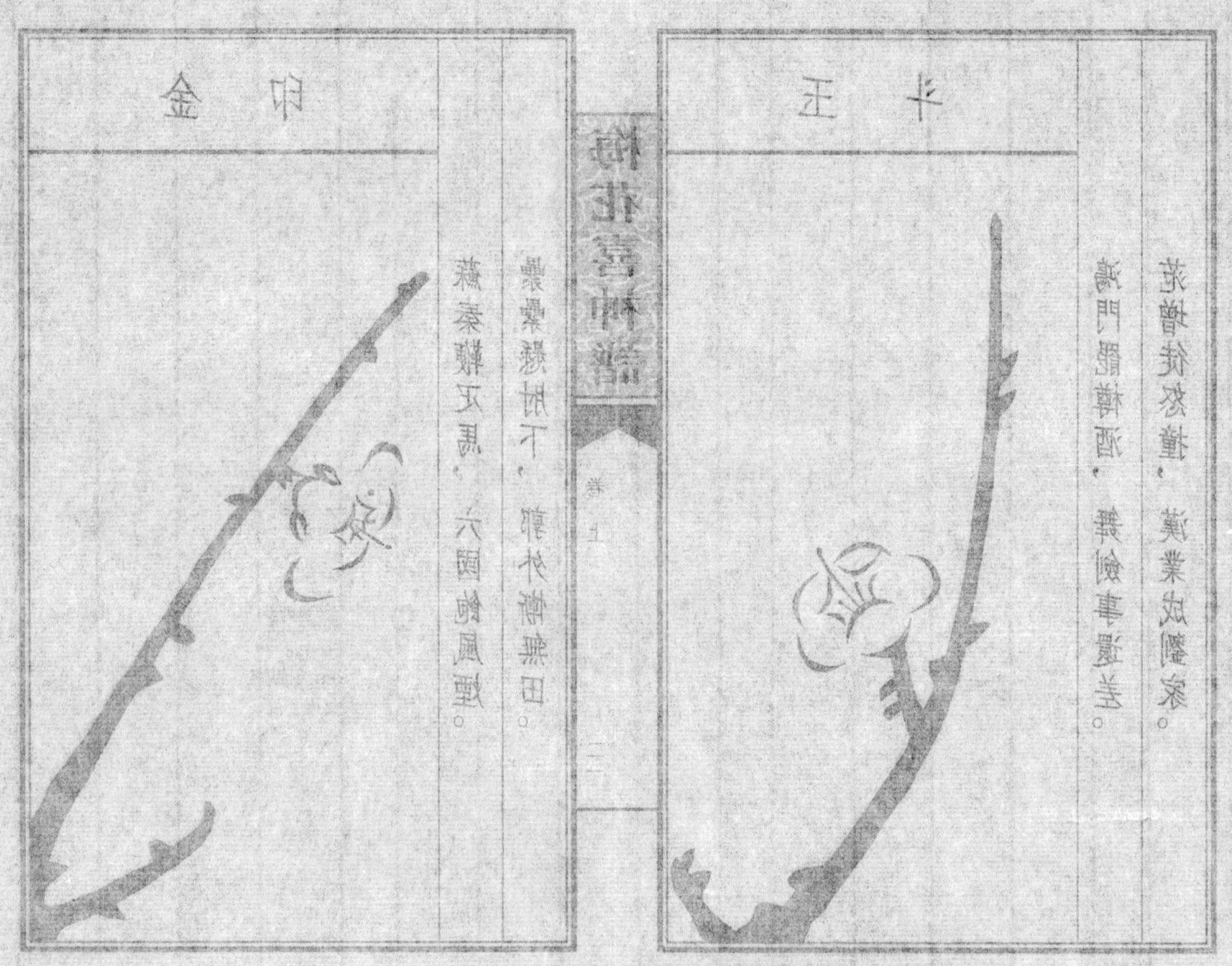

大開一十四枝

## 彝

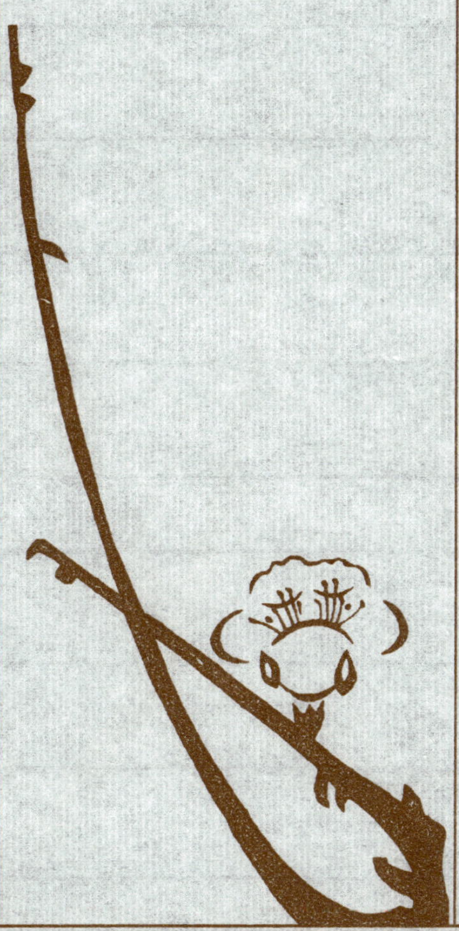

五采會章服，汝明以垂教。
虎蜼宗廟器，于以象其孝。

## 黼

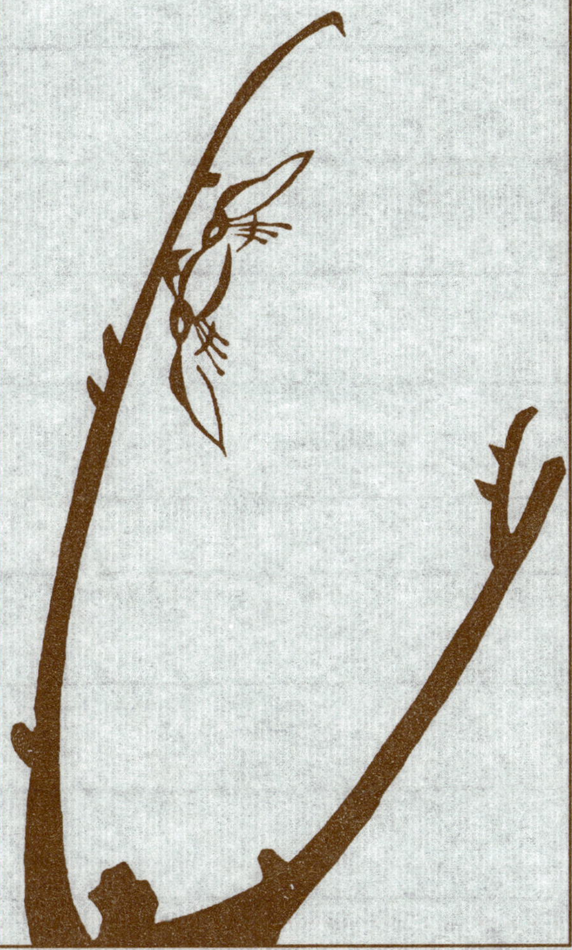

象明十二章，斧形不可玩。
黻以取其辨，斯以取其斷。

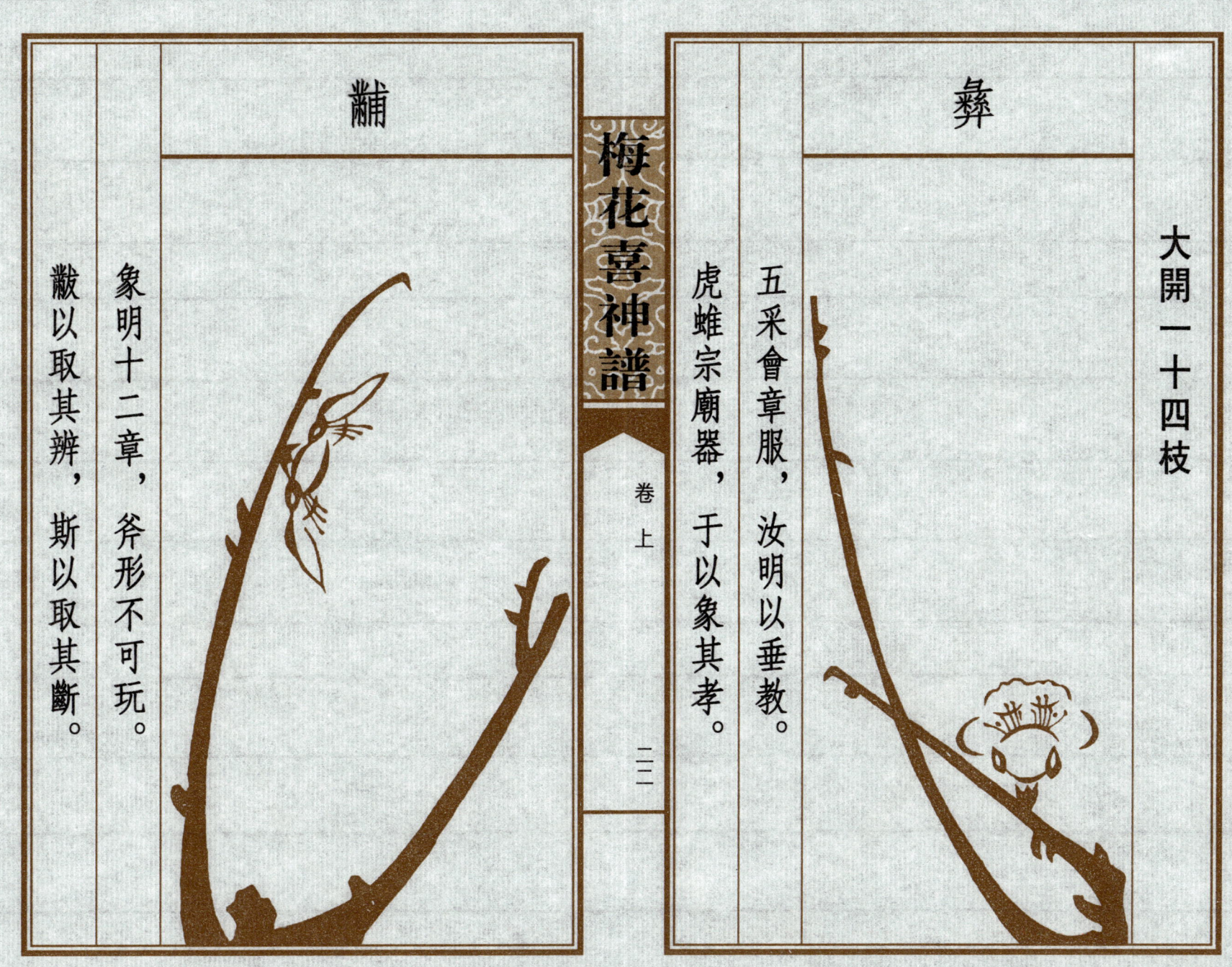

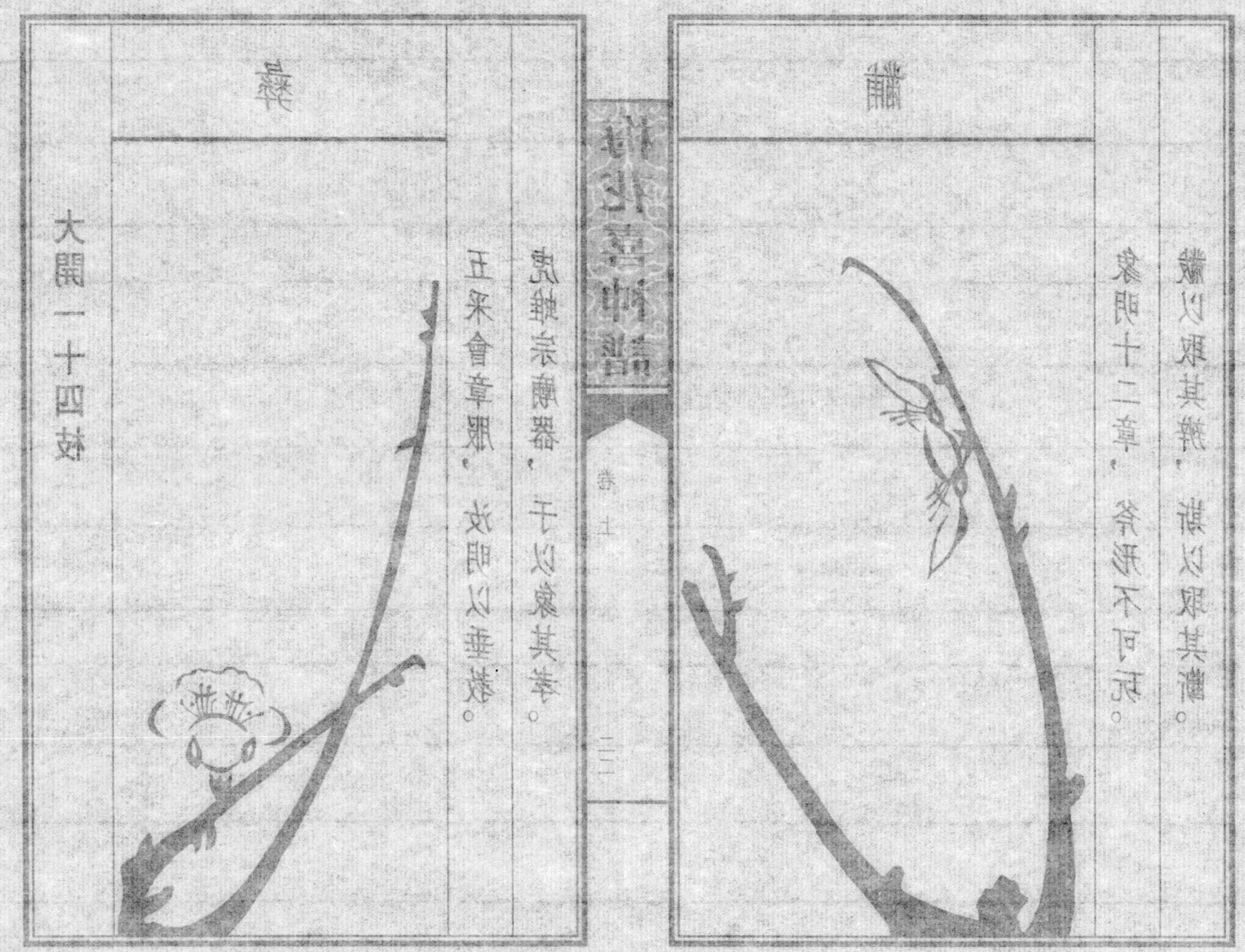

## 欹器

溢滿而覆虛，盈虧俱有病。
萬事得于中，烏乎云不正。

## 懸鍾

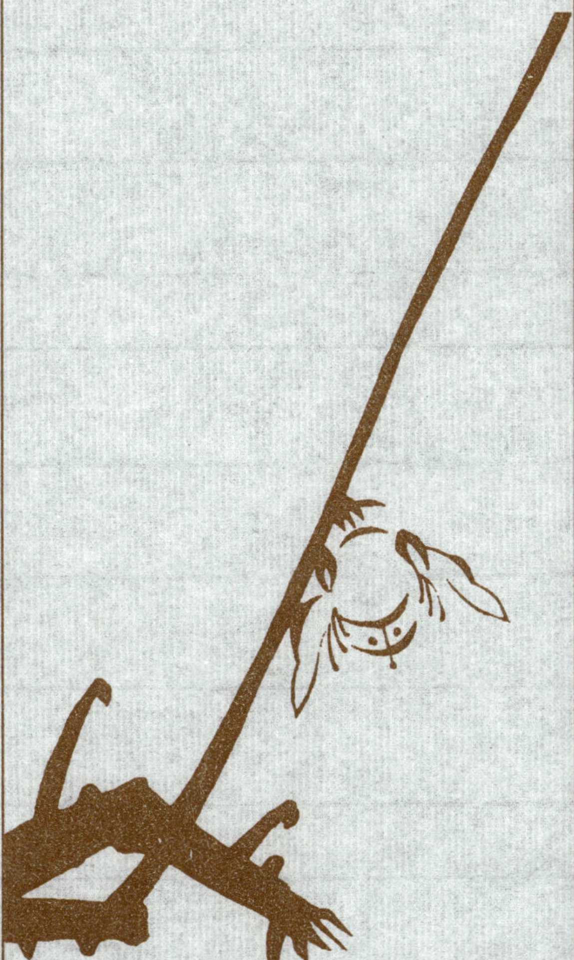

五更山外鳴，斗低殘月小。
喚起利名人，僕僕渾無了。

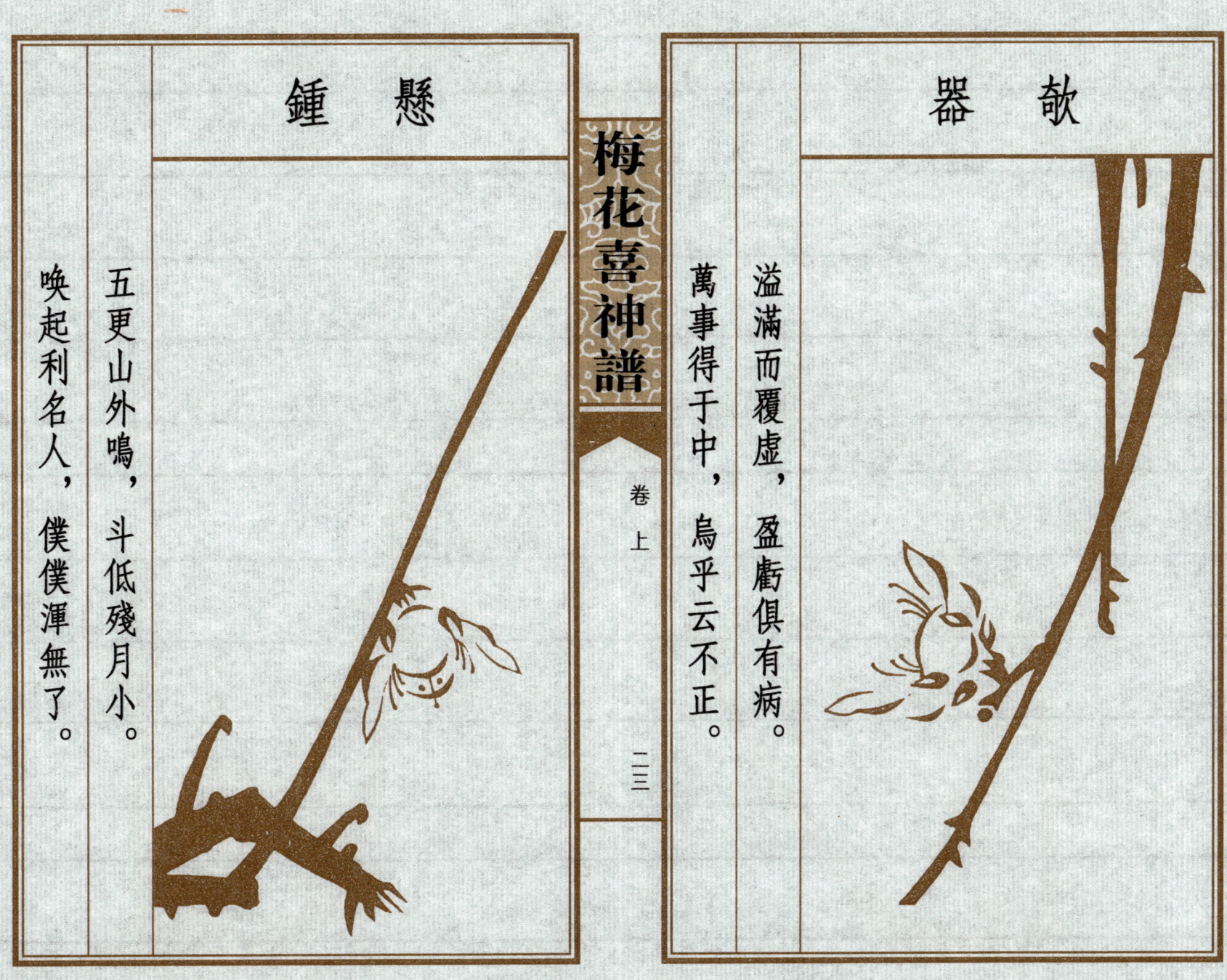

## 欹器

溢滿而覆虛，盈虧須有病。
萬事得于中，高平云不正。

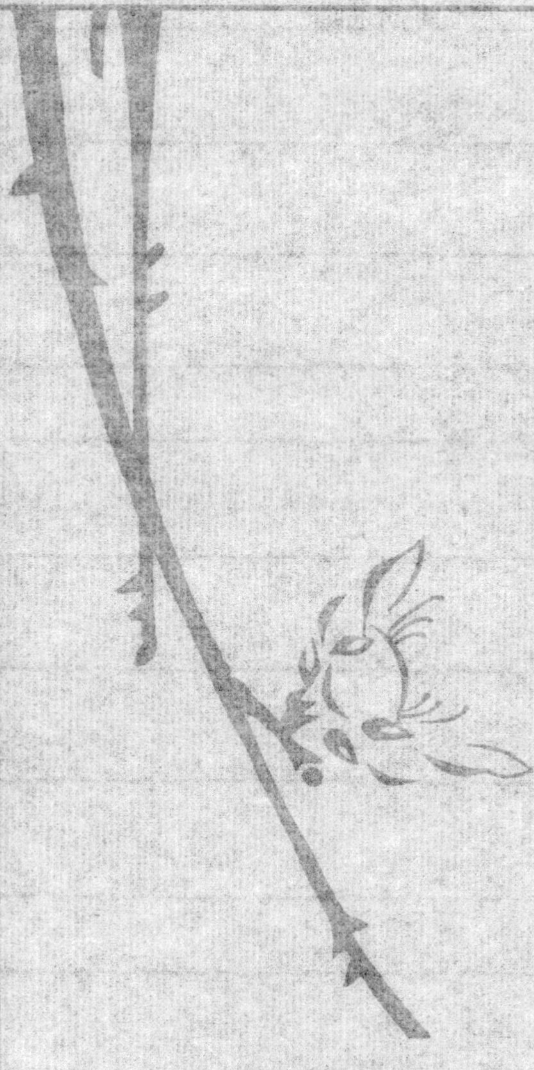



## 懸鐘

五更山外鳴，半依殘月小。
喚起利名人，僕僕渾無了。

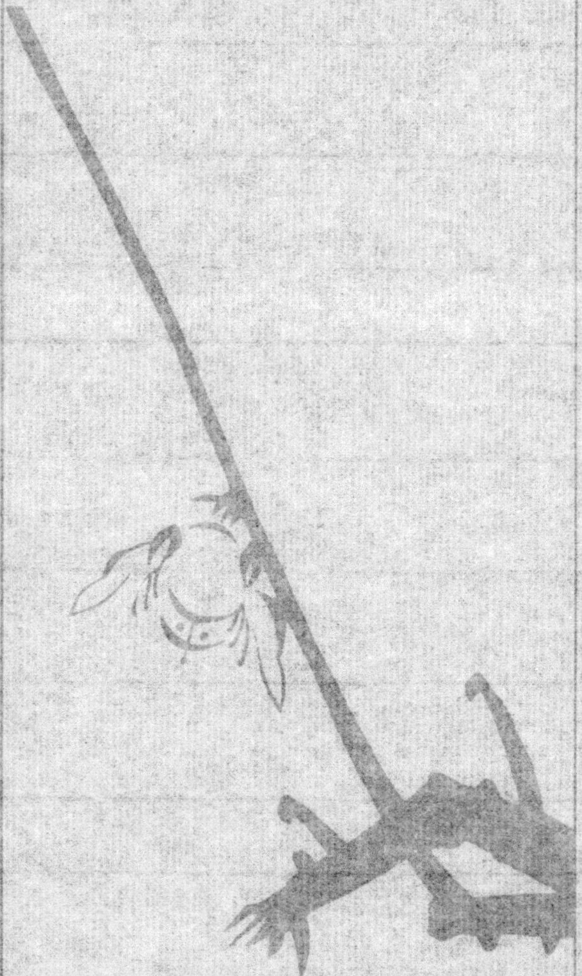

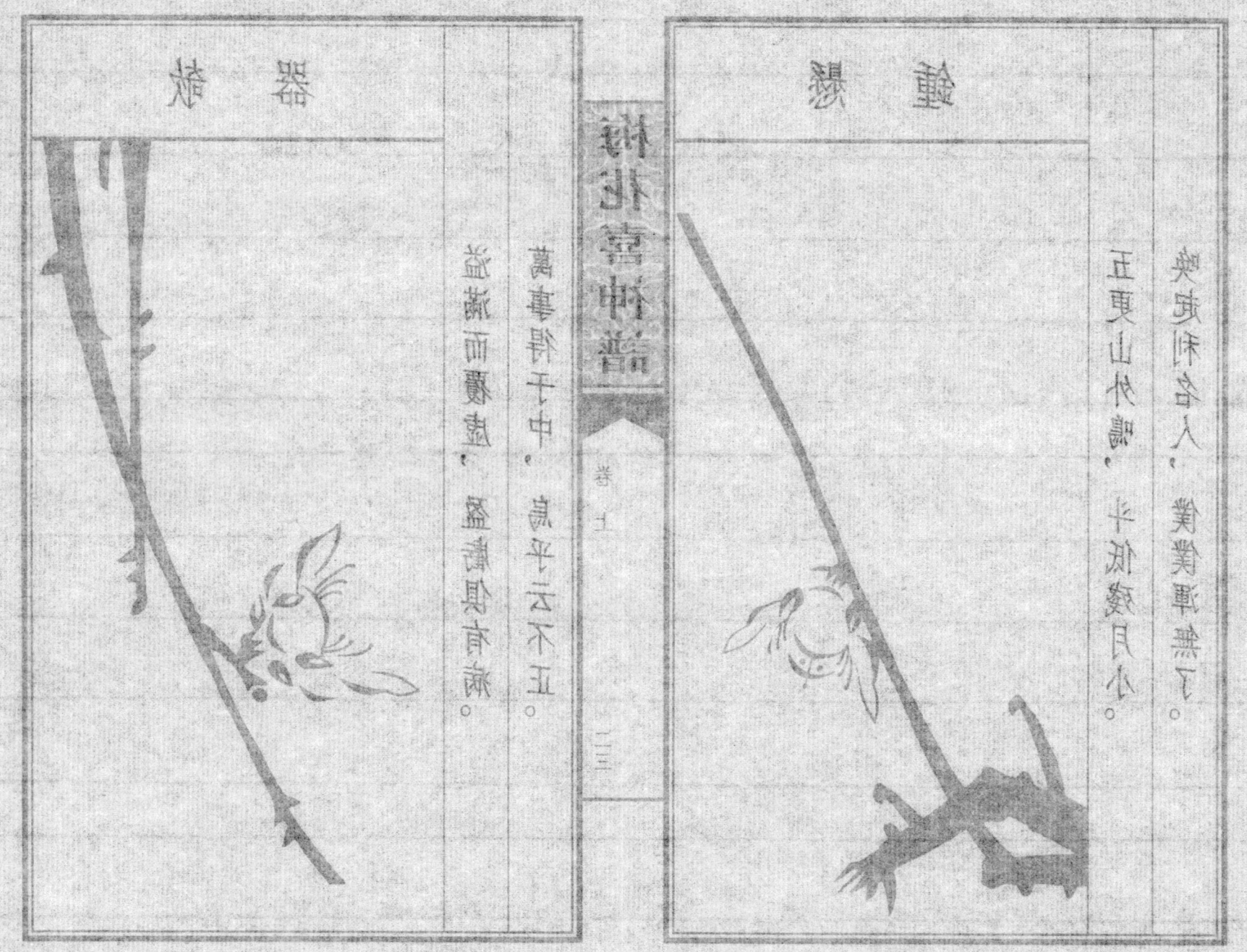

## 扇

九華并六角，流傳名不同。
無如慰黎庶，爲我揚仁風。

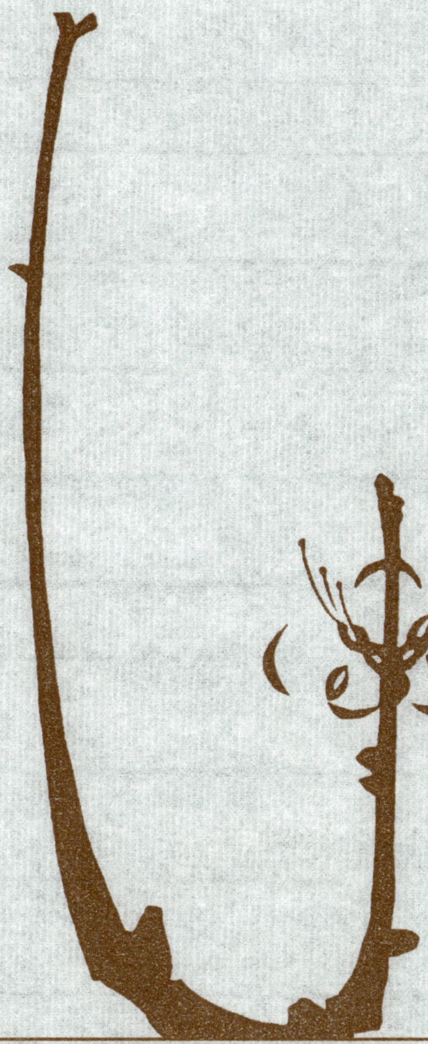

## 盤

水精行素鱗，琉璃走夜光。
銘垂日日新，萬古稽商湯。

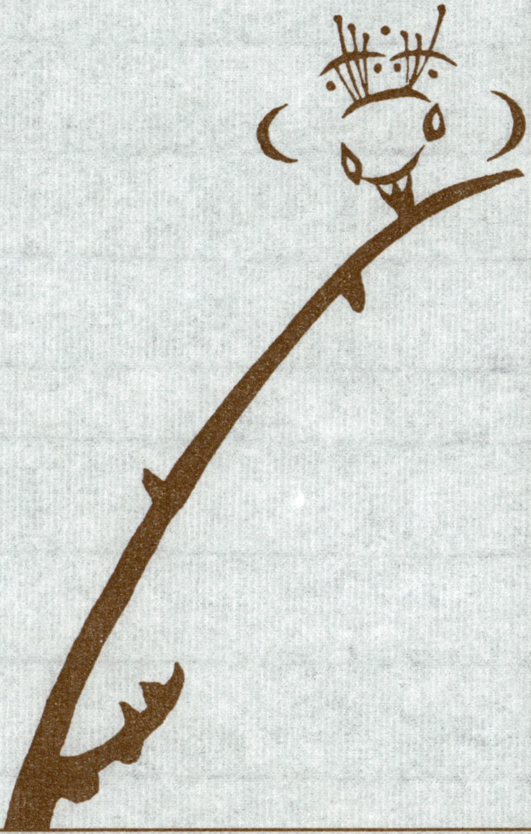

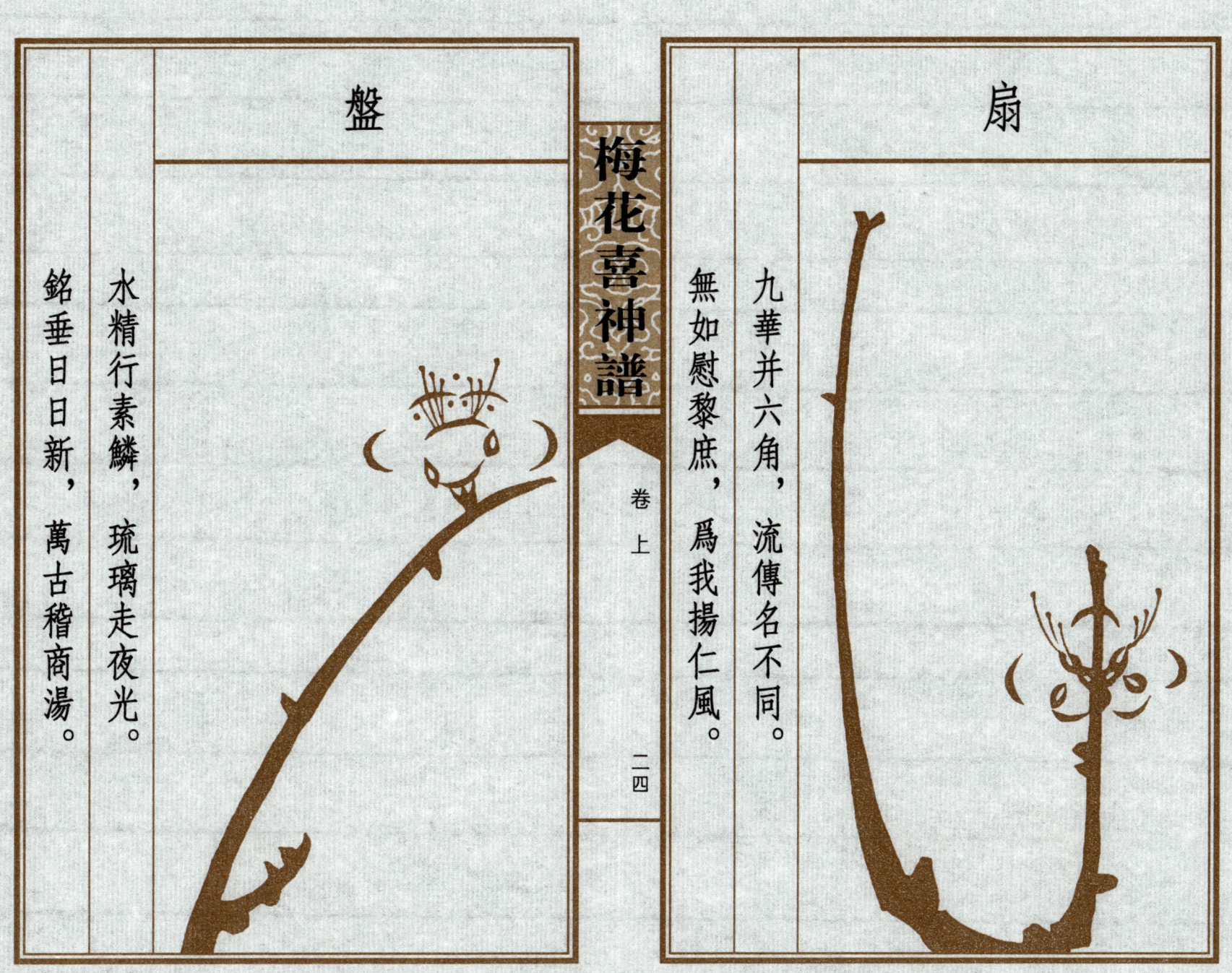

# 鼎

九華并六角，流傳各不同。
無如殷彝鼎，爲我鑄仁風。

# 盤

水精行素鱗，瑪瑙失效光。
銘垂日日新，萬古播商盤。

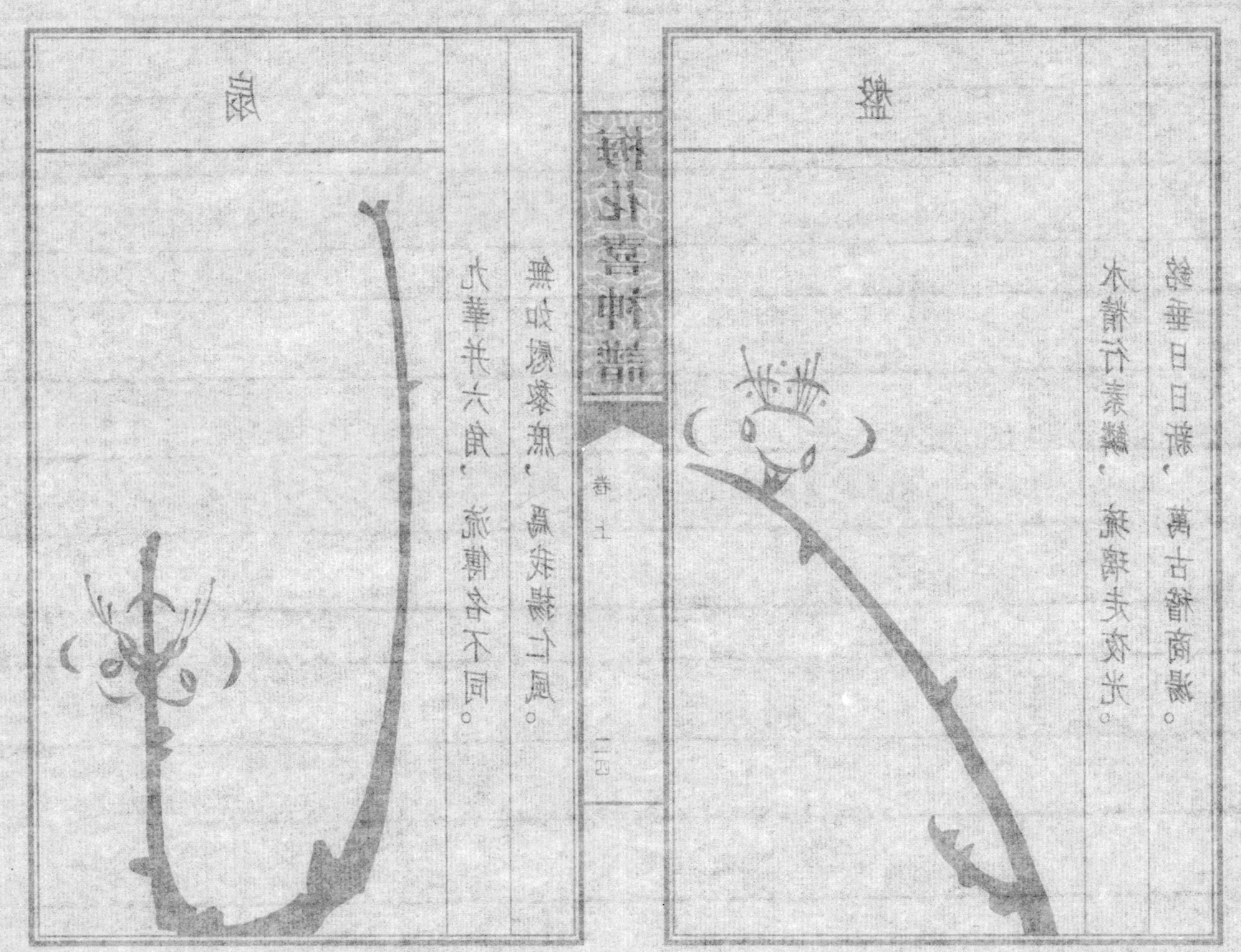

## 向日

舉頭見長安，志士欣有託。
葵藿一生心，豈容天負却。

## 擎露

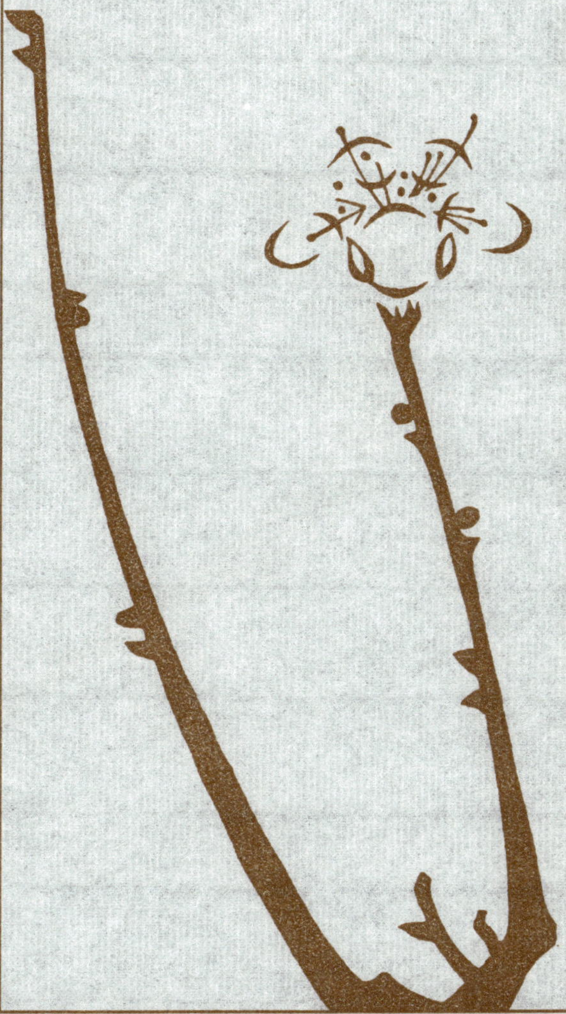

仙掌在何處，徒成千載羞。
唯有故園菊，沾濡當九秋。

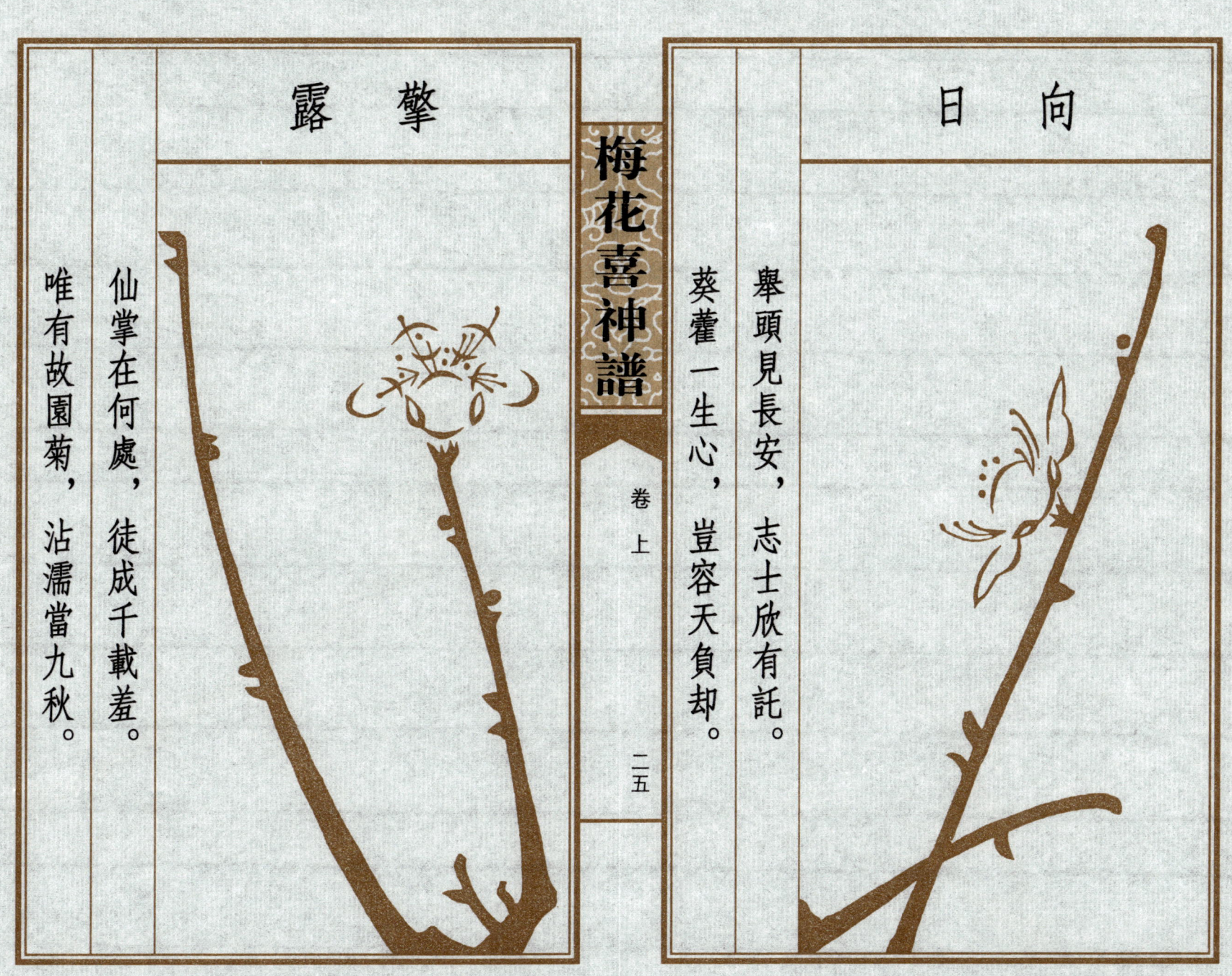

向日

葵藿一生心，豈容天負却。
舉頭見長安，志士欣有託。

露掌

[illegible]有故園菊，沾濡當九秋。
仙掌在何處，徒成千載羞。

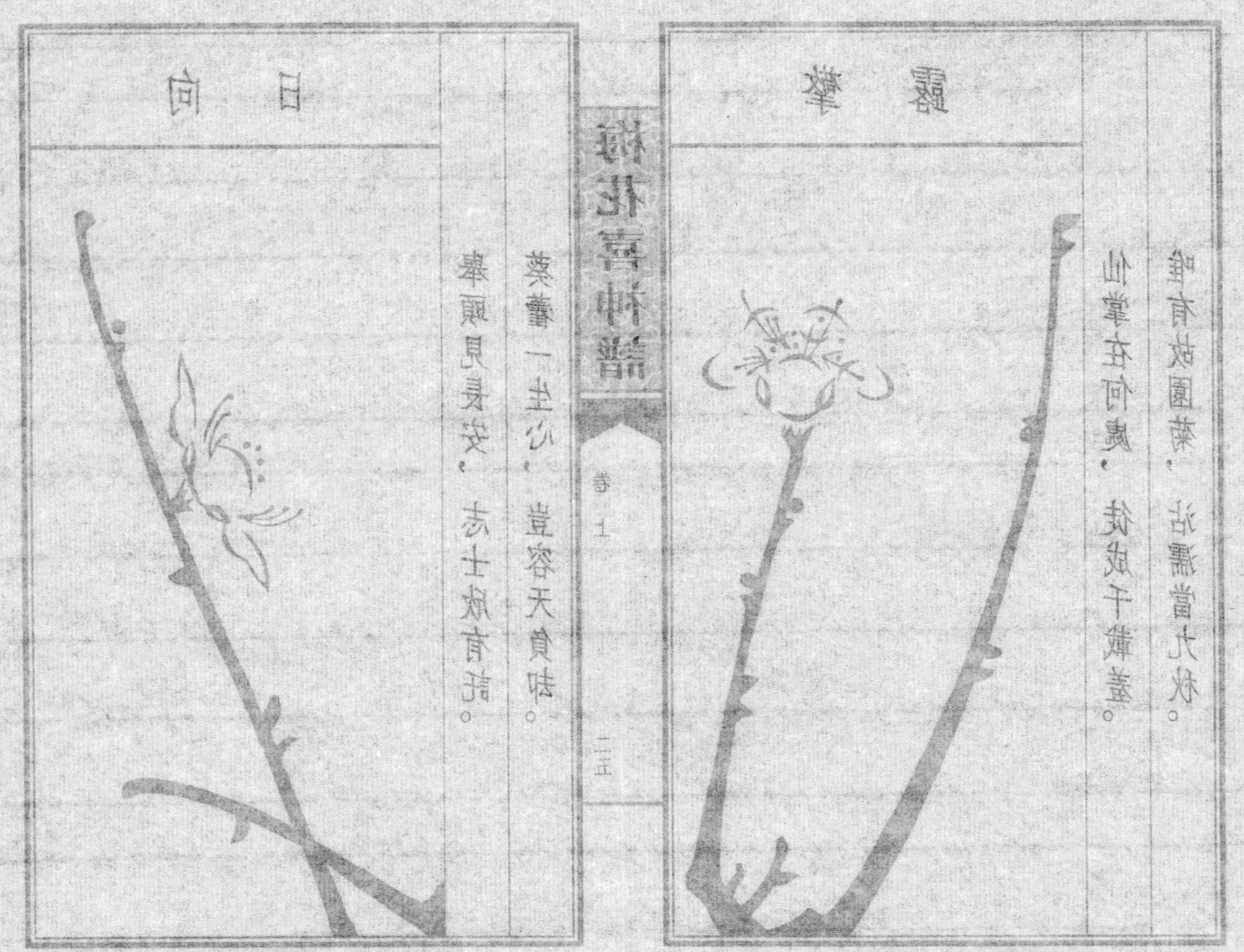

鼎

鄰郿至汾陰，重名垂不朽。
天下望調羹，有誰能着手。

鏞

堂下維簴虡，如鍾而罄腹。
夫子聞於齊，三月不知肉。

## 鏞

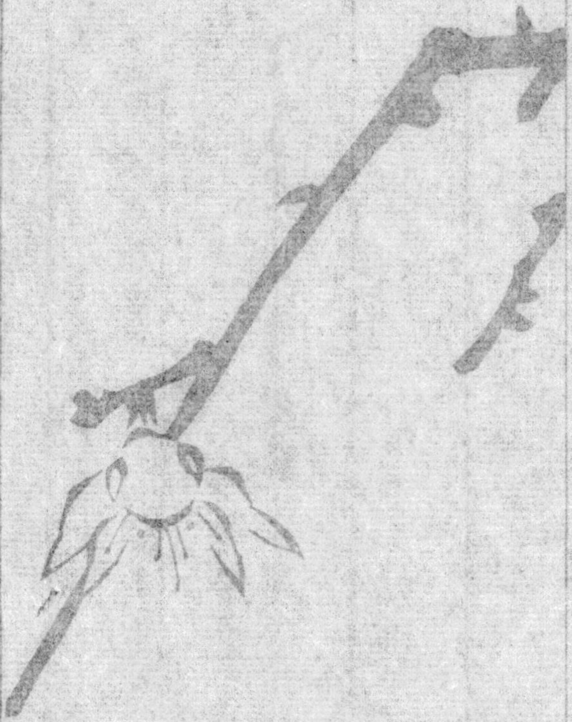

夫子聞於齊，三月不知肉。

堂下雜簴簨，如鏞而奏韶。



## 鼎

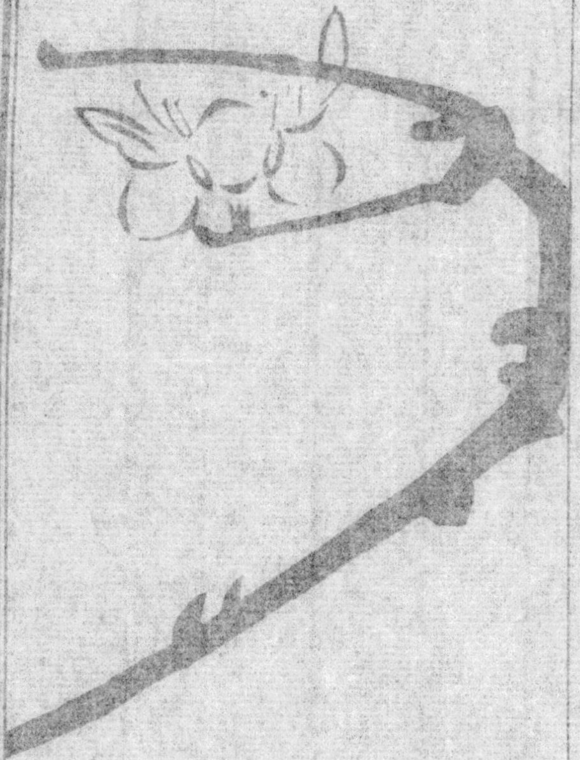

天下望調羹，有誰能着手。

郟鄏至於今，重名垂不朽。

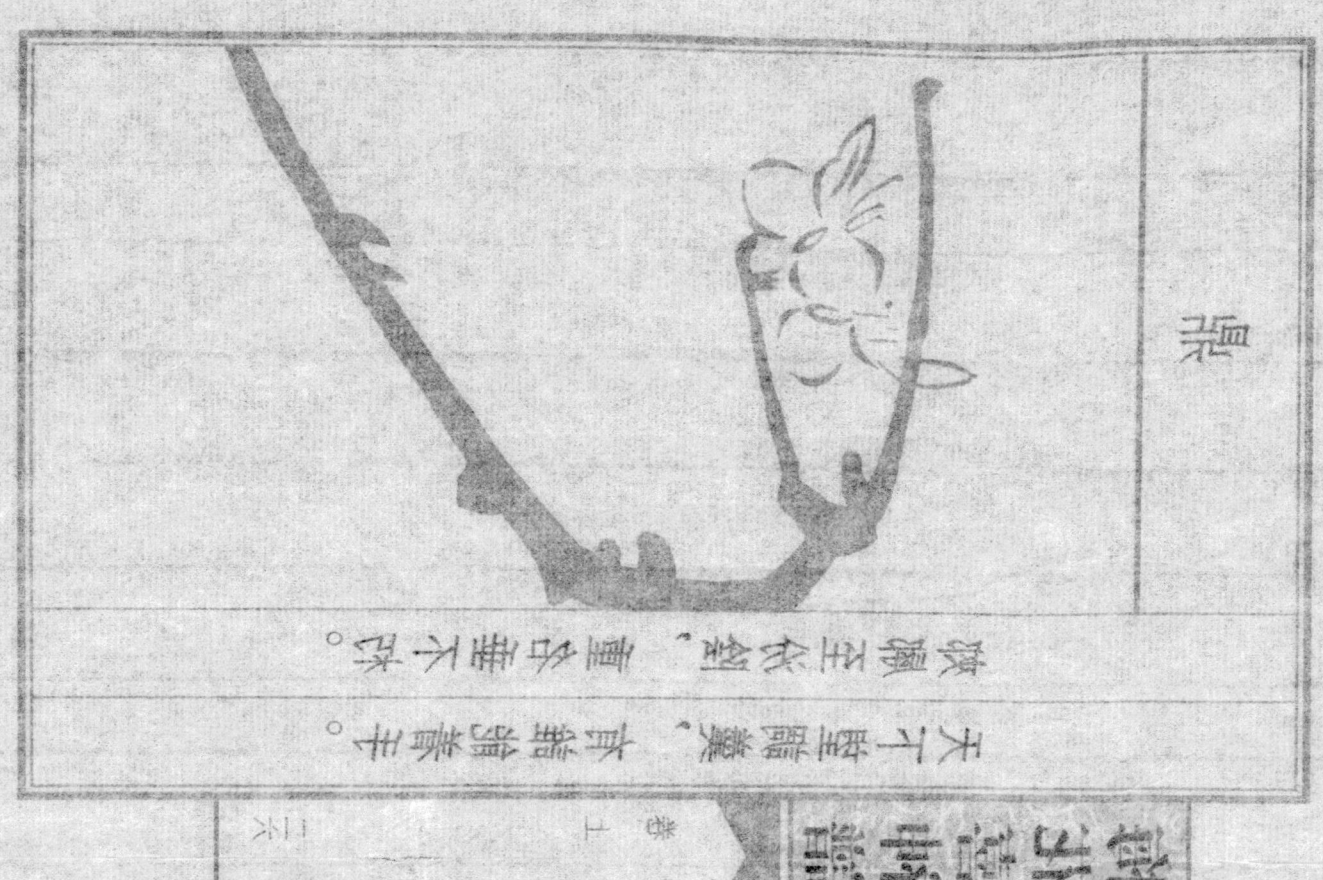

## 麋角

麀鹿同呦呦，山林風雨秋。
姑蘇臺上月，子胥曾約遊。

## 猿臂

一聲長嘯處，霜月淒林扉。
與鶴每相問，貴人胡未歸。

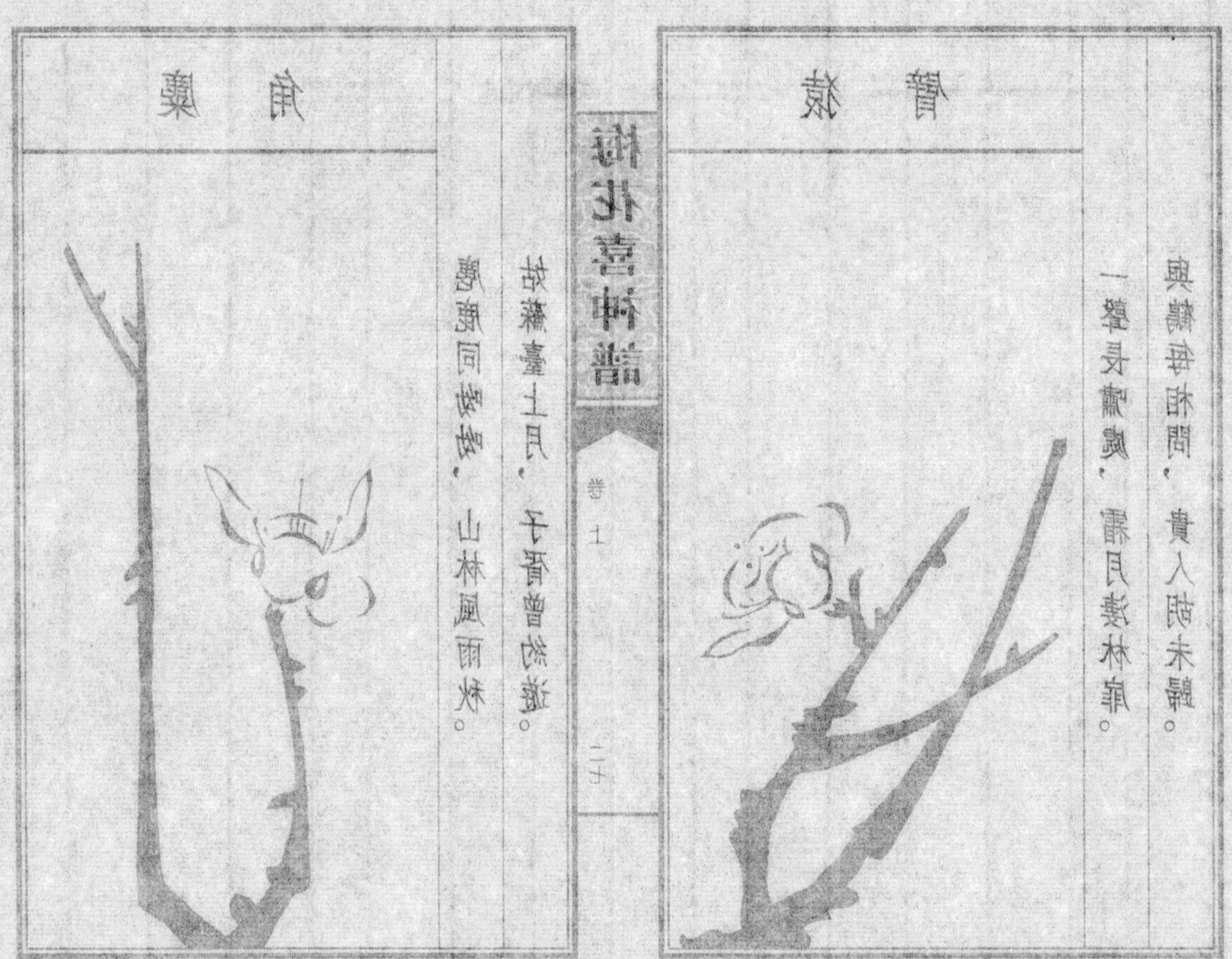

## 顰眉

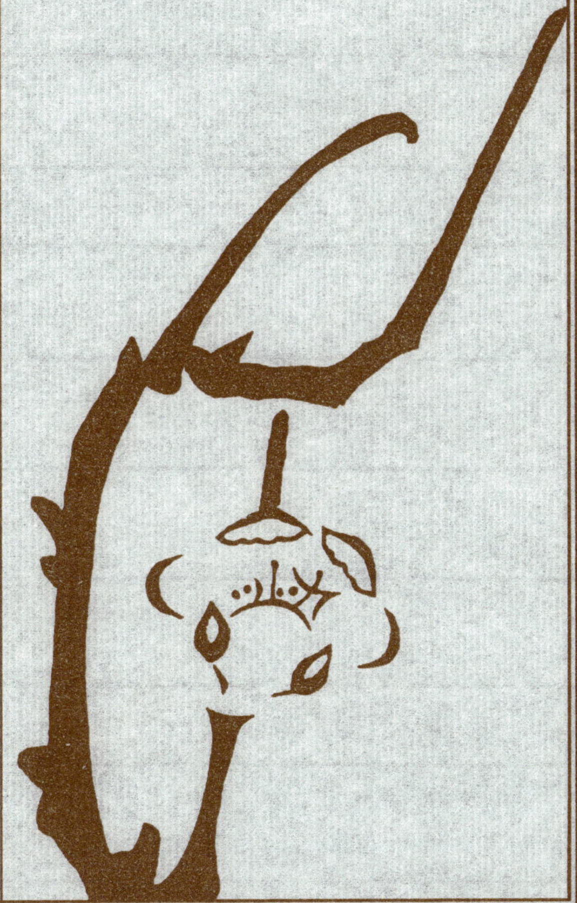

西施無限愁，後人何必傚。
只好笑呵呵，不損紅妝貌。

## 側面

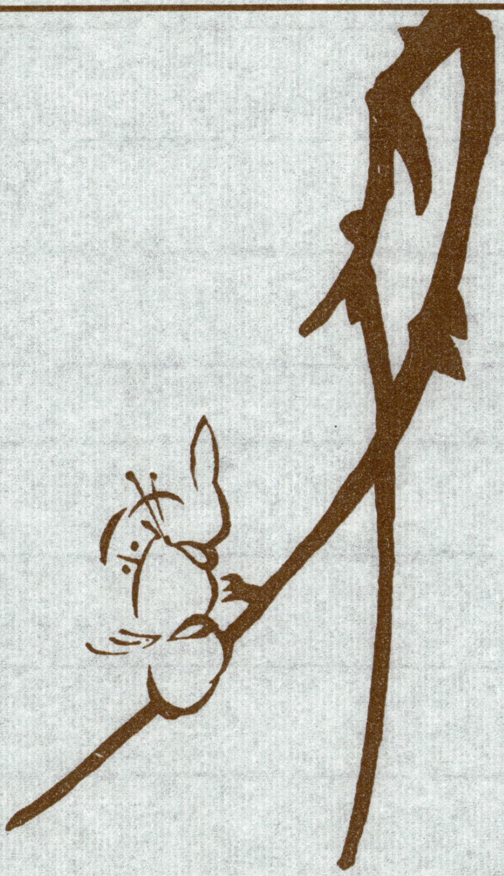

相見是非多，但旁觀便了。
庶無人共知，鼻孔長多少。

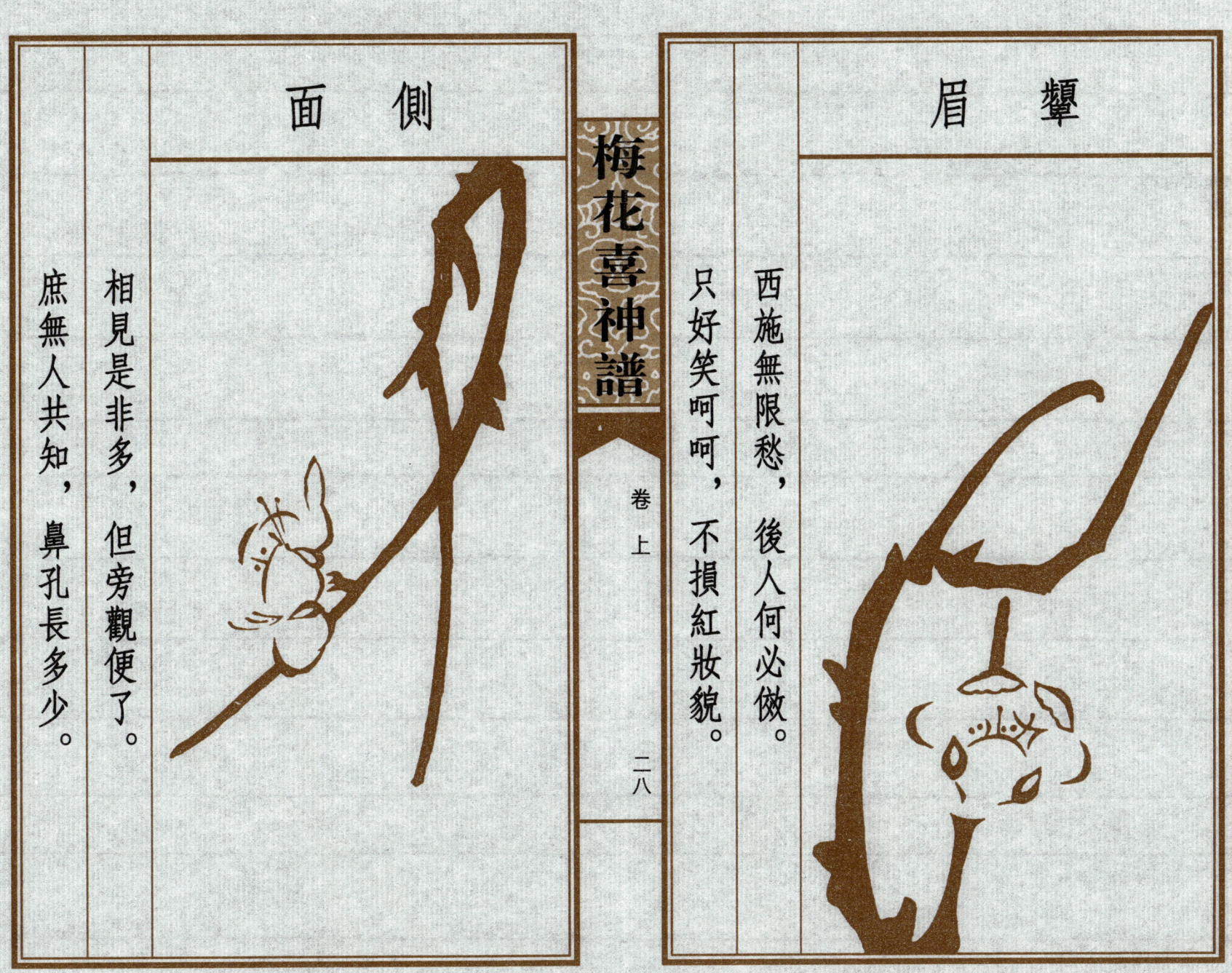

## 攢眉

只好笑呵呵，不損紅粧靚。
西施無限態，後人何必效。

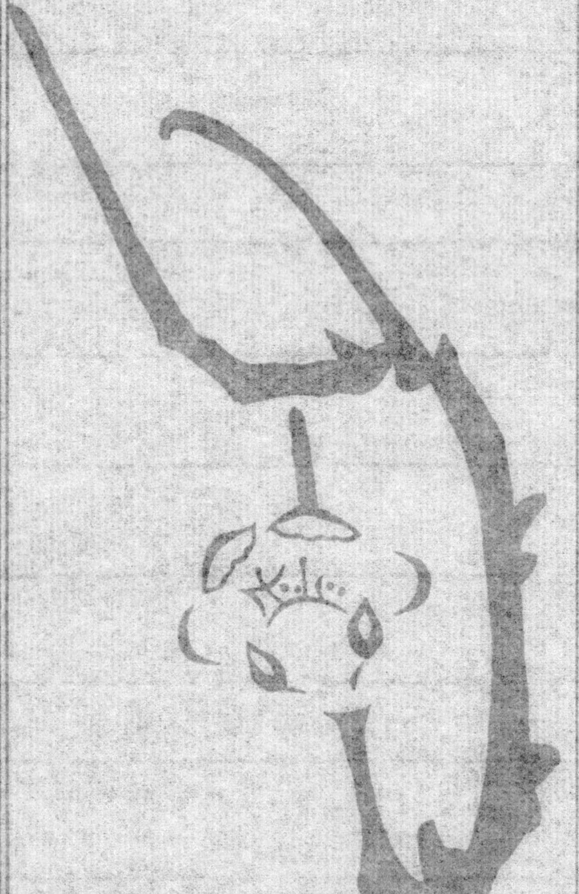



## 側面

無人共知，鼻孔長多少。
相見是非多，何曾覷便了。

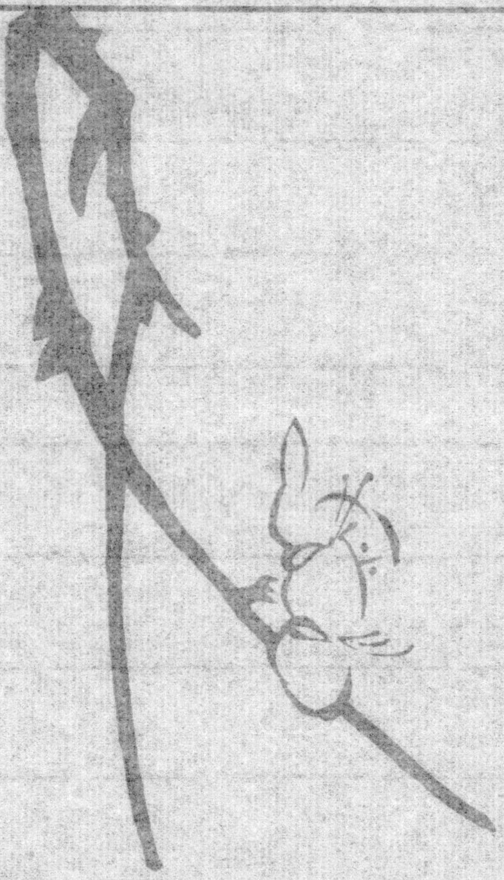

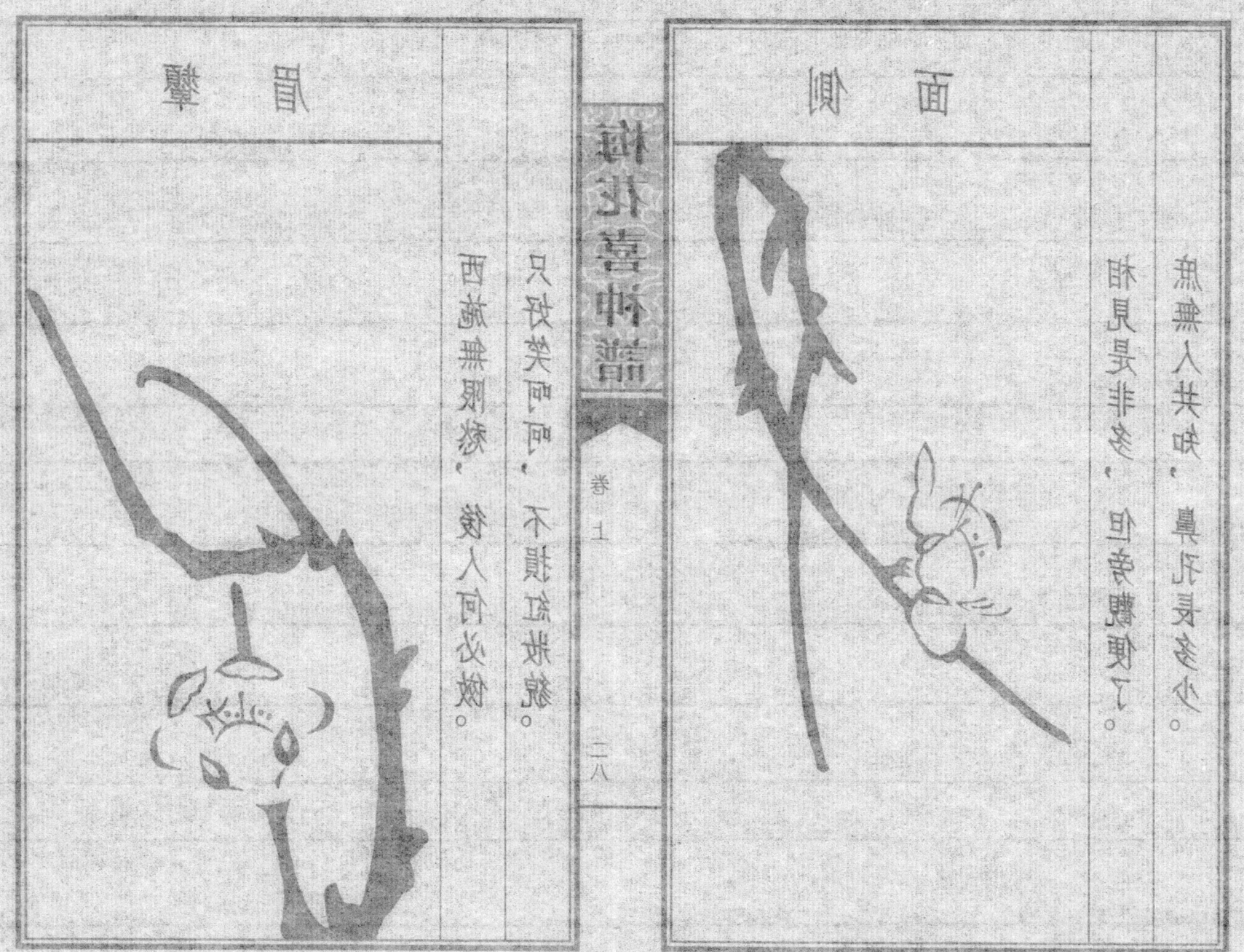

卷下

## 爛熳二十八枝

### 開鏡

塵匣啓菱花，醜妍無不識。
羞殺幾英雄，霜髯太煎逼。

### 覆杯

誰嘆月娟娟，霜天閑却手。
醉者未能醒，不必重斟酒。

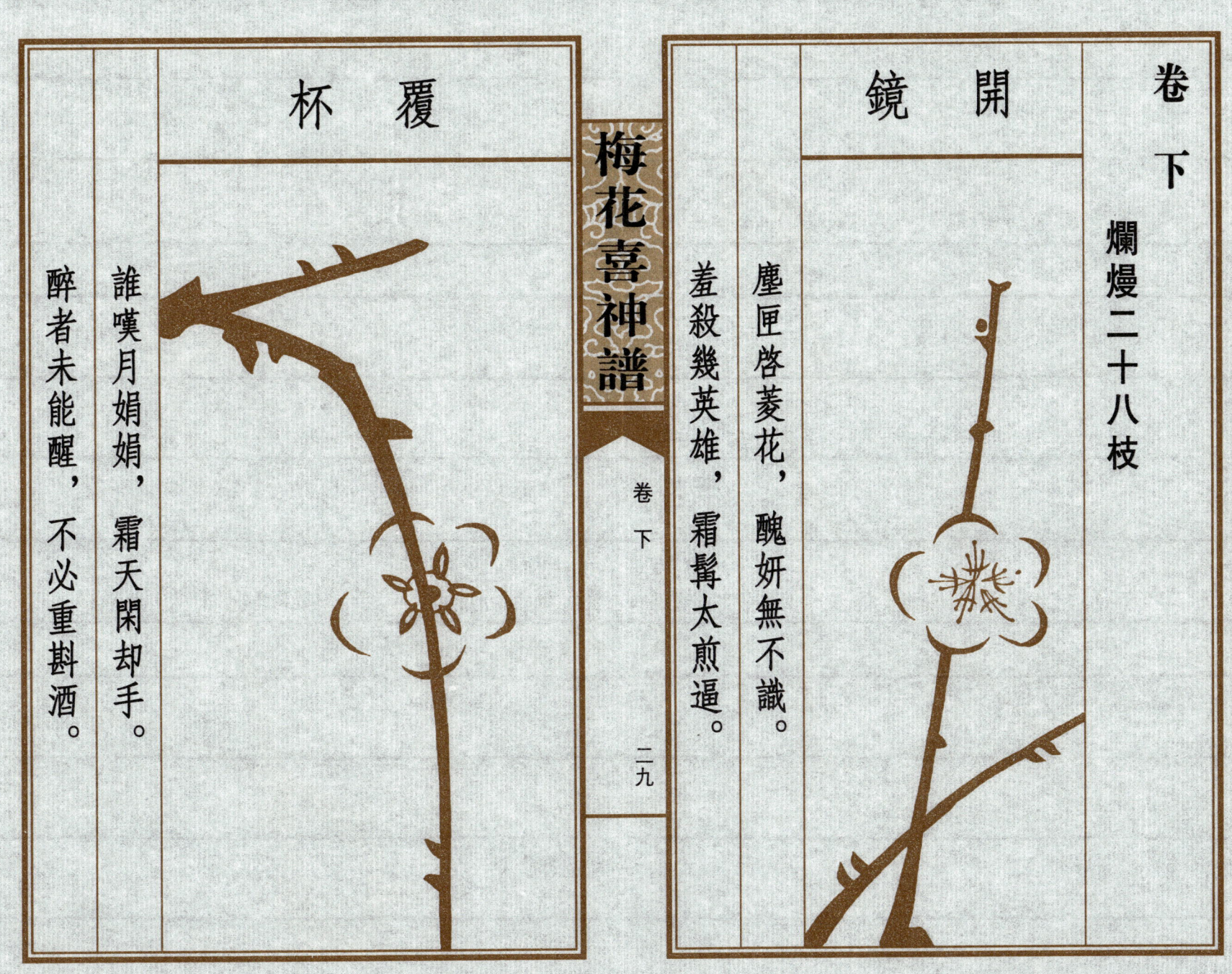

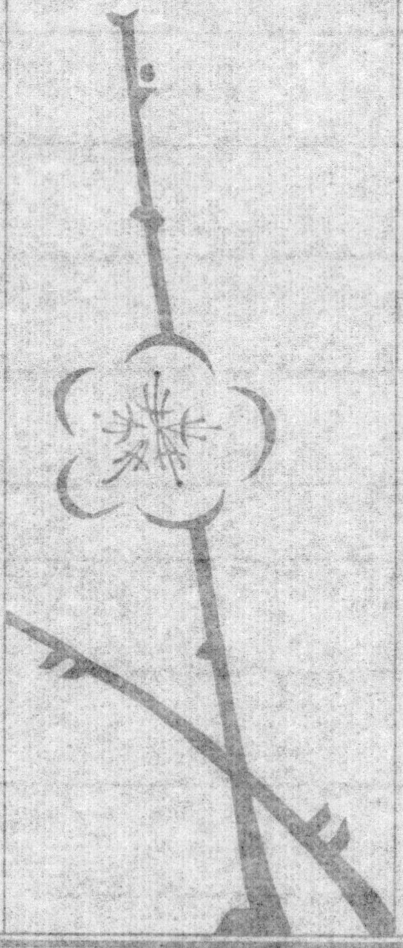



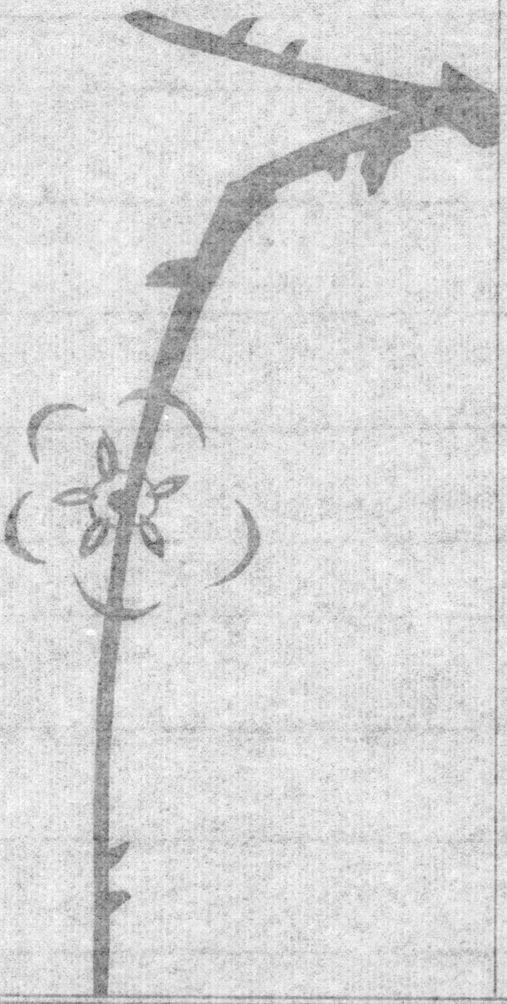

## 冕

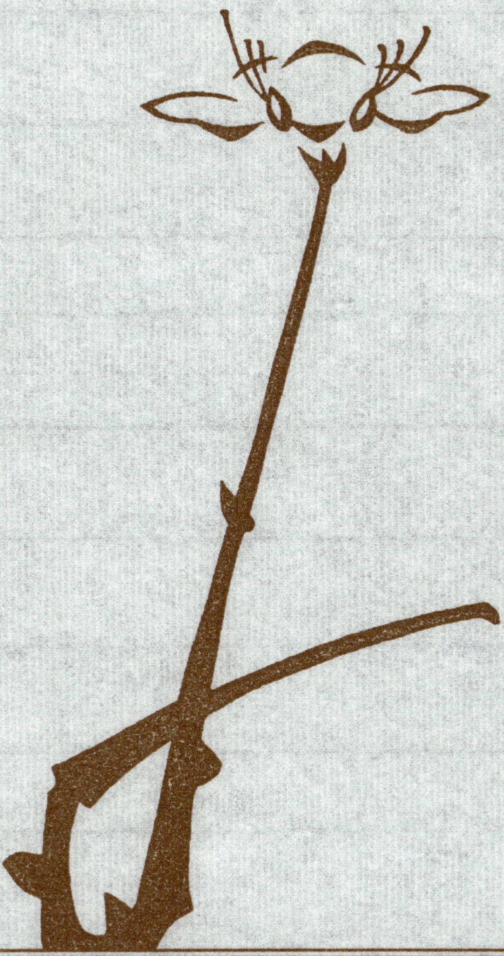

兖鷩毳希玄，君尊十二旒。
璪取玉以文，五采宗成周。

## 胄

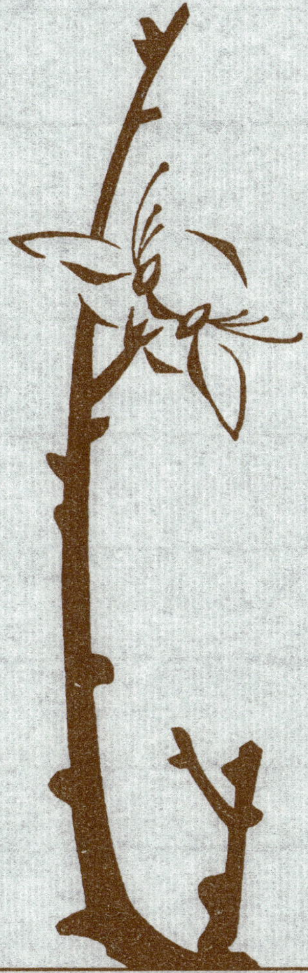

秀鐵壓肩寒，中原思未報。
何日掃邊塵，别裹朝天帽。

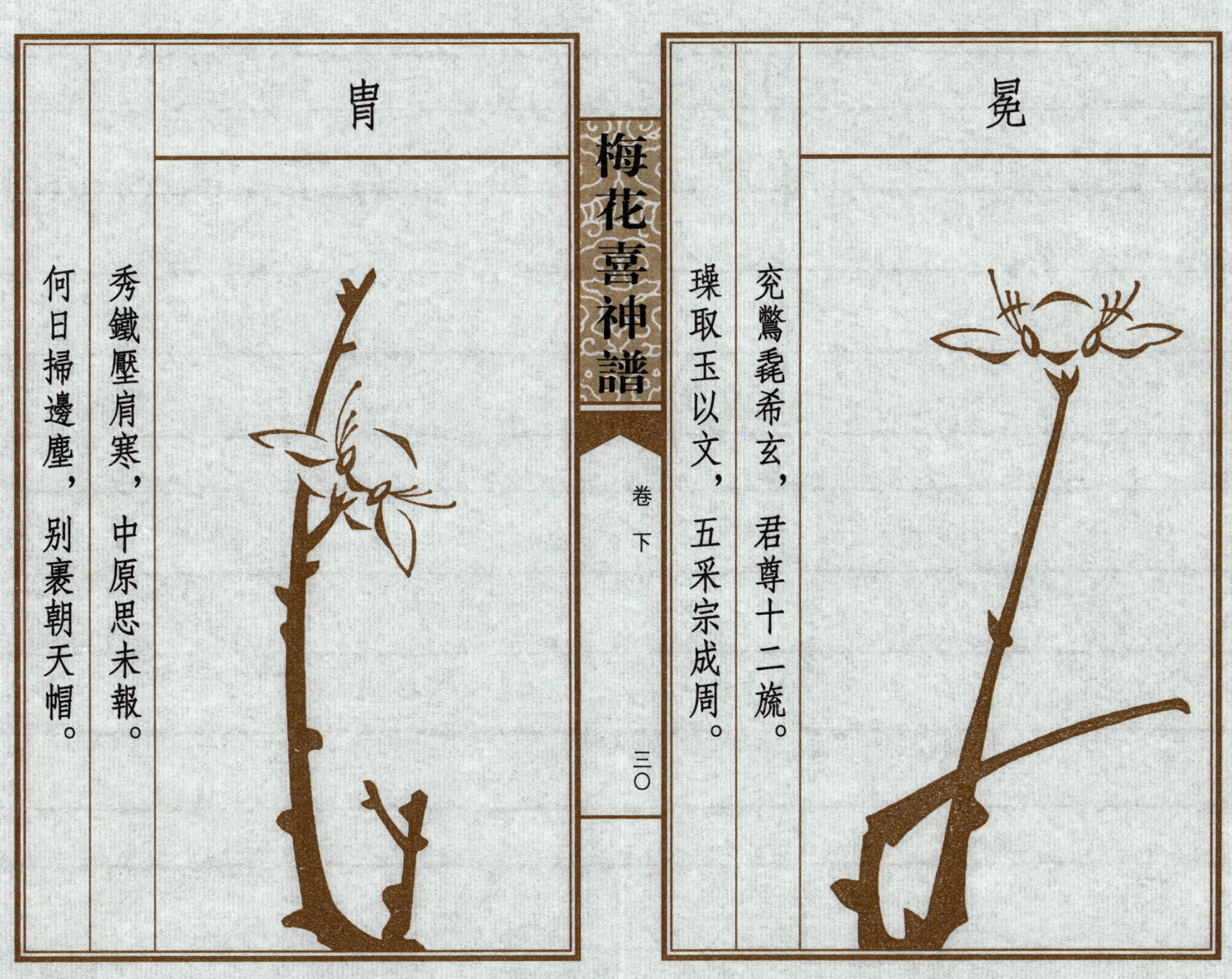

冕

秉取王以文，五采宗成周。
衮繡黼黻文，君尊十二旒。

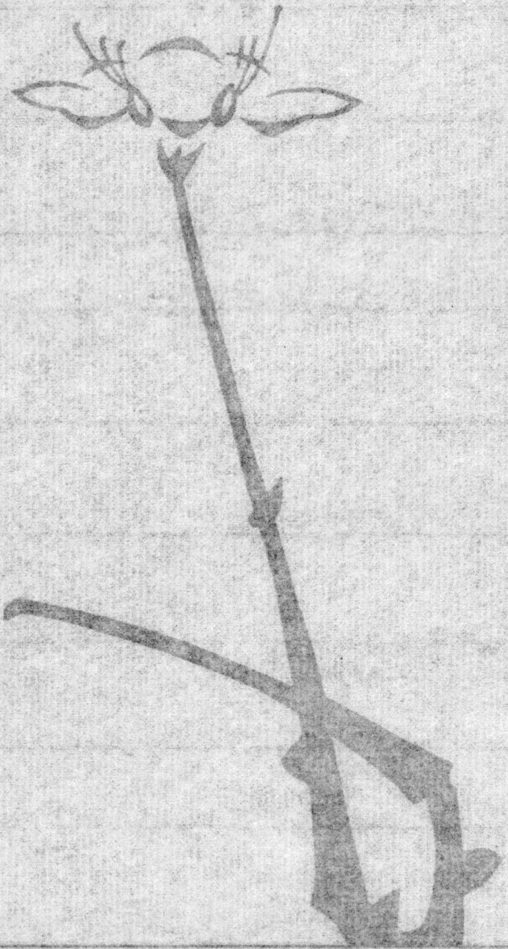

胄

何日掃邊塵，別裏朝天幘。
秀鐵壓肩寒，中原恩未報。

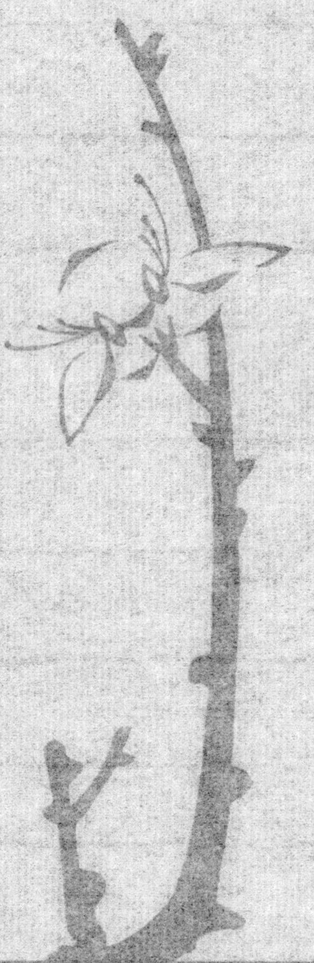

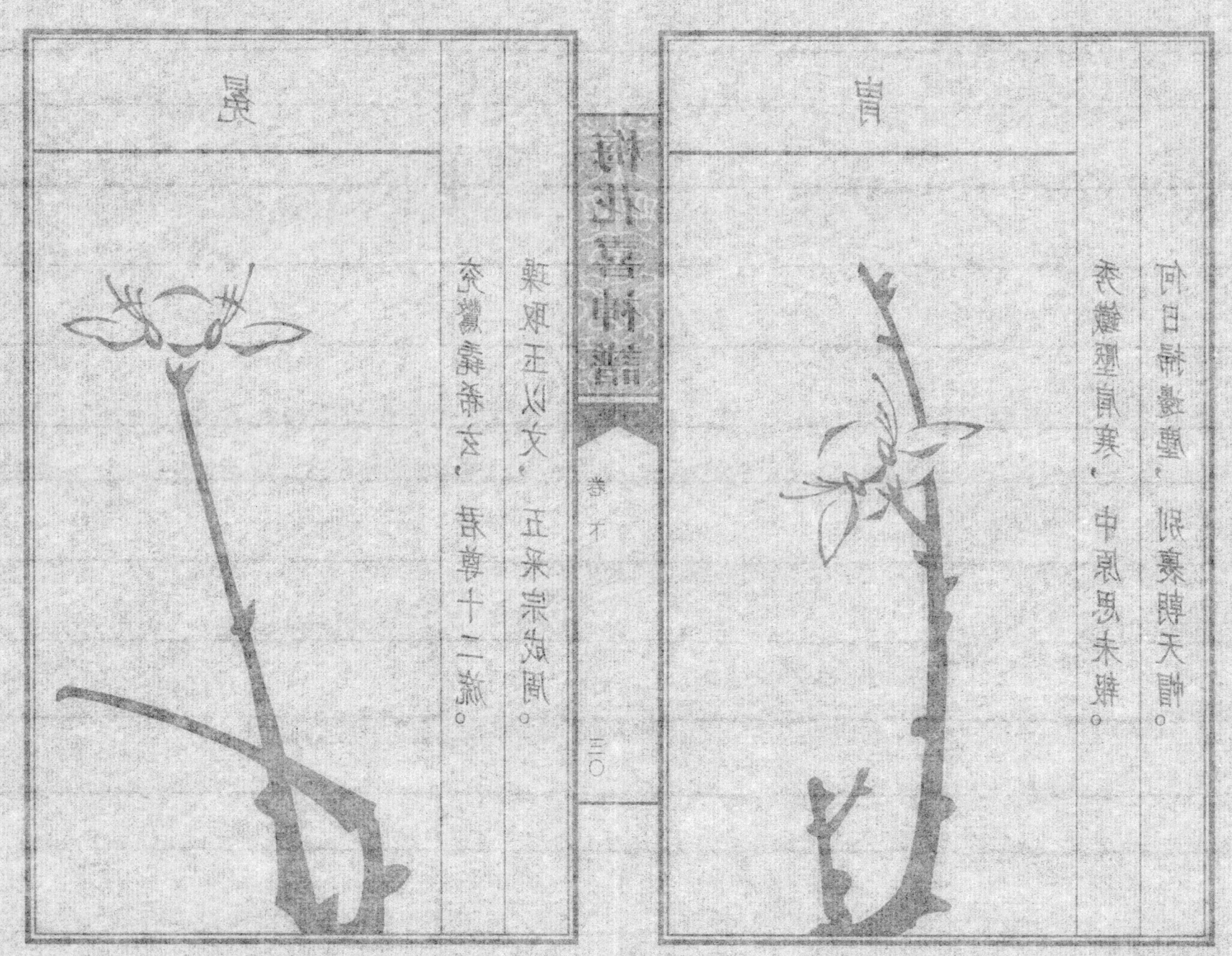

## 並桃

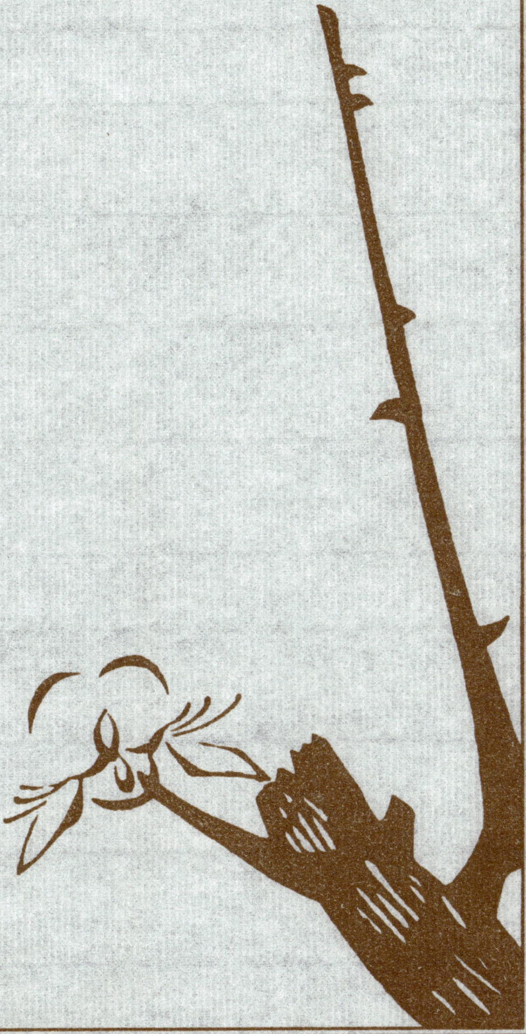

漢帝欲成仙，王母從天下。
結實動千年，三偷尤可詫。

## 雙荔

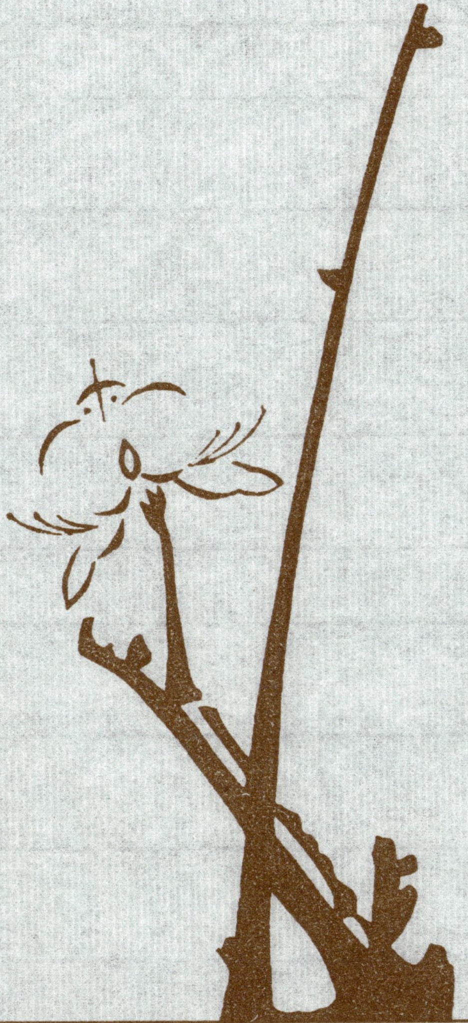

繒殼爛緗枝，夏菓收新綠。
玉真望甘鮮，不管郵兵哭。

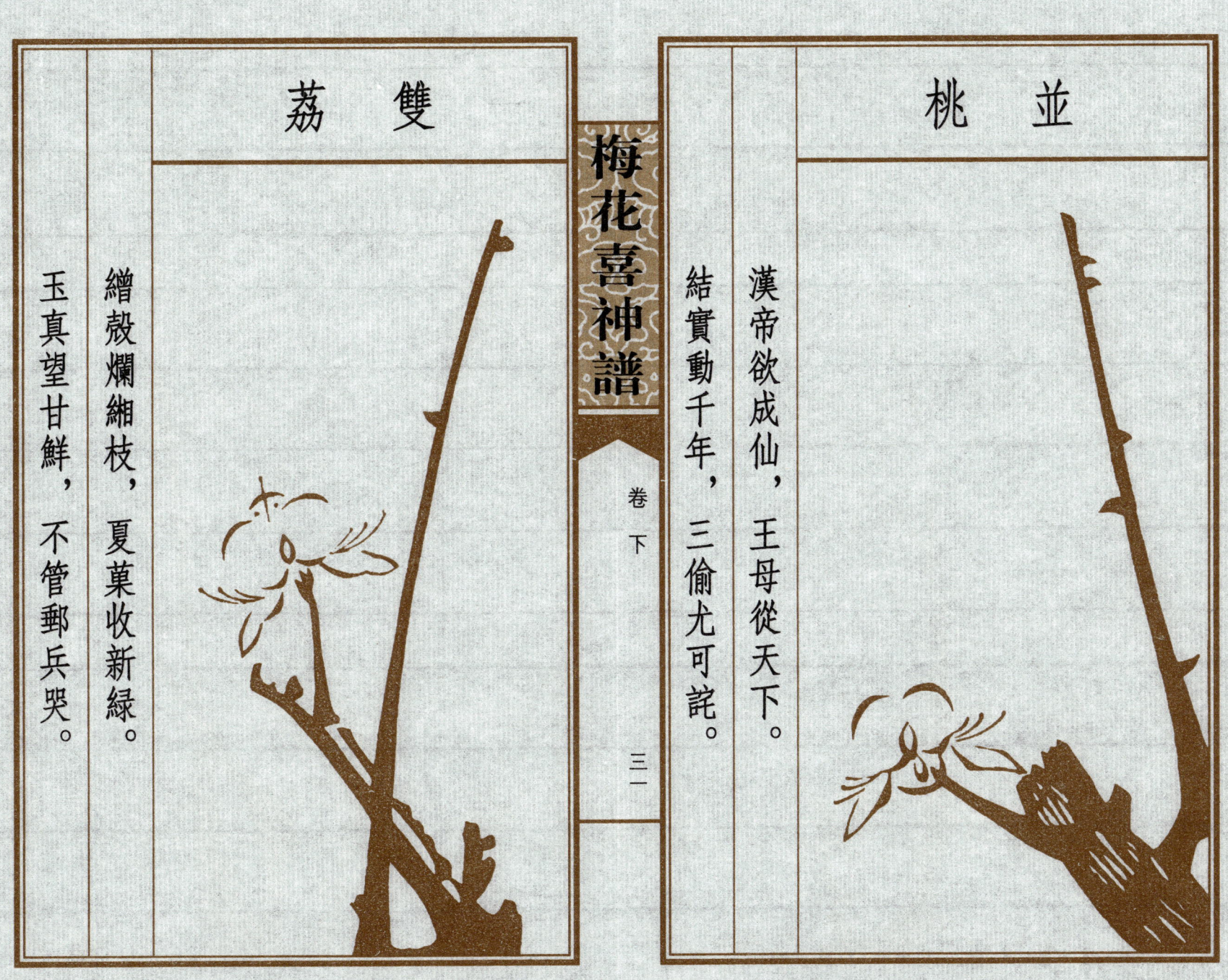

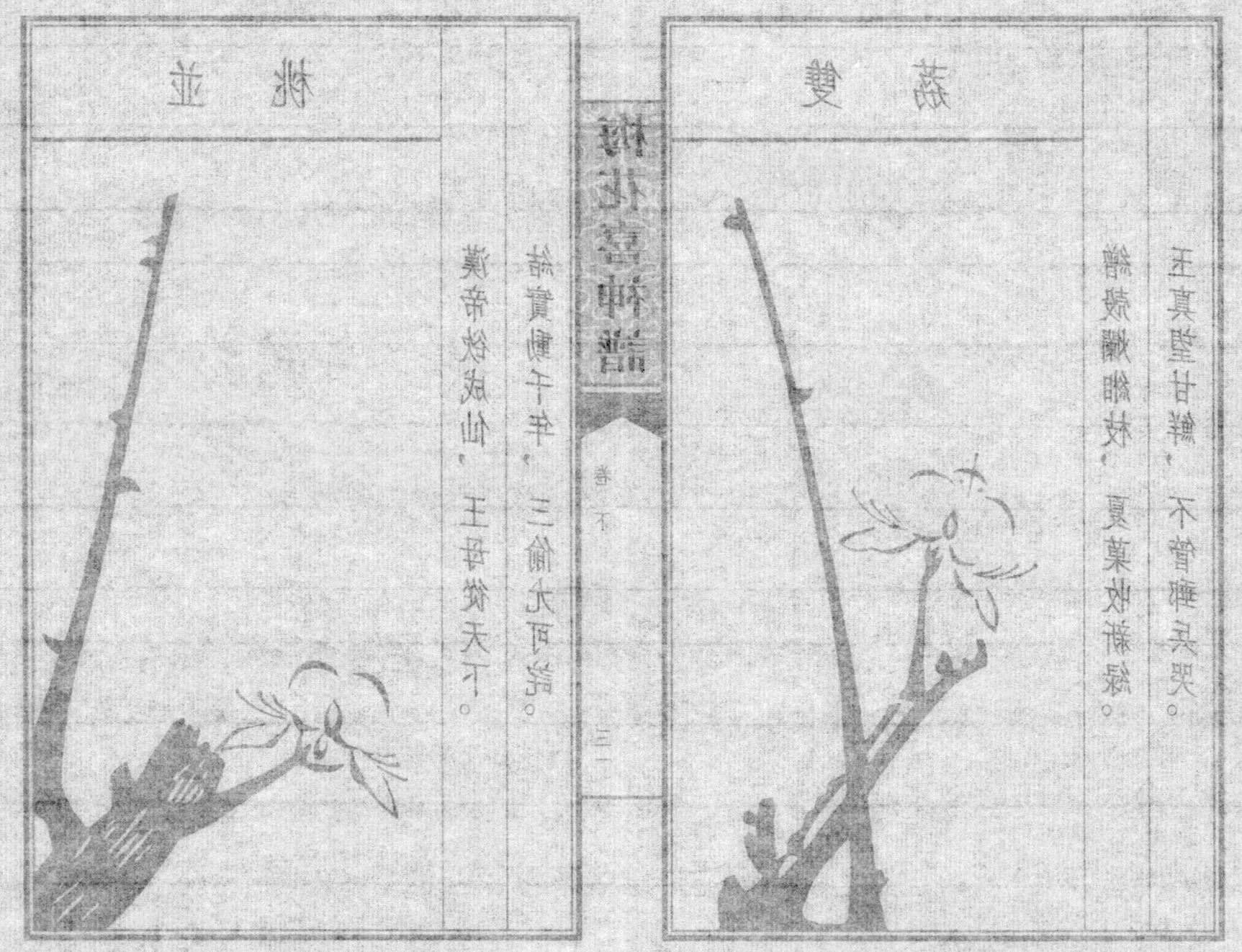

## 鳳朝天

覽輝千仞高，君子思在治。
朝陽如不鳴，敢言當自愧。

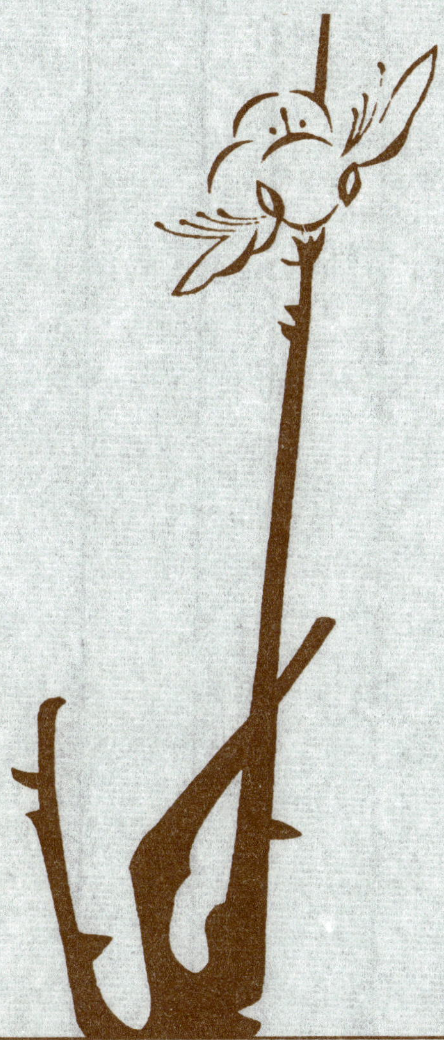

## 蛛掛網

經緯出天機，畫簷斜掛算。
可惜巧於蠶，無補人間世。

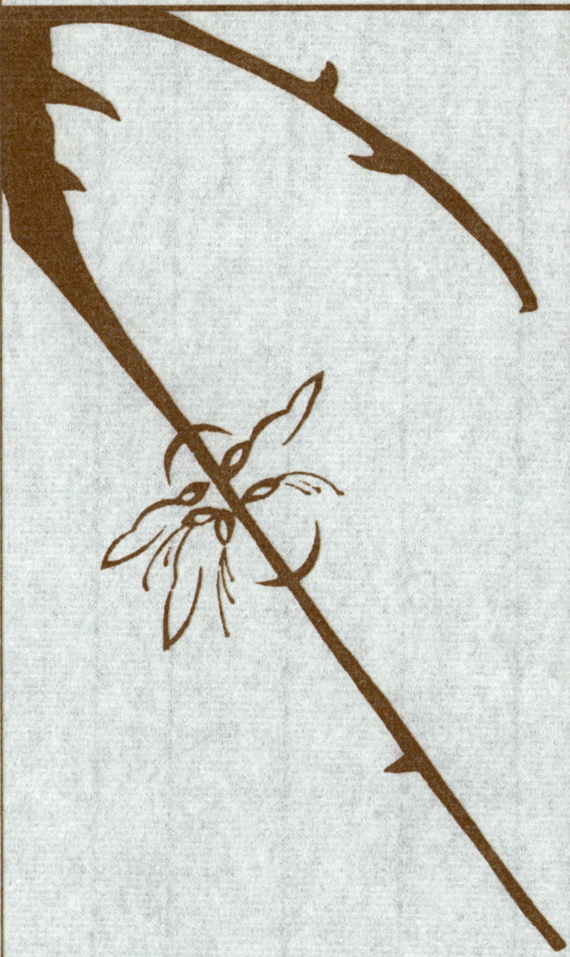

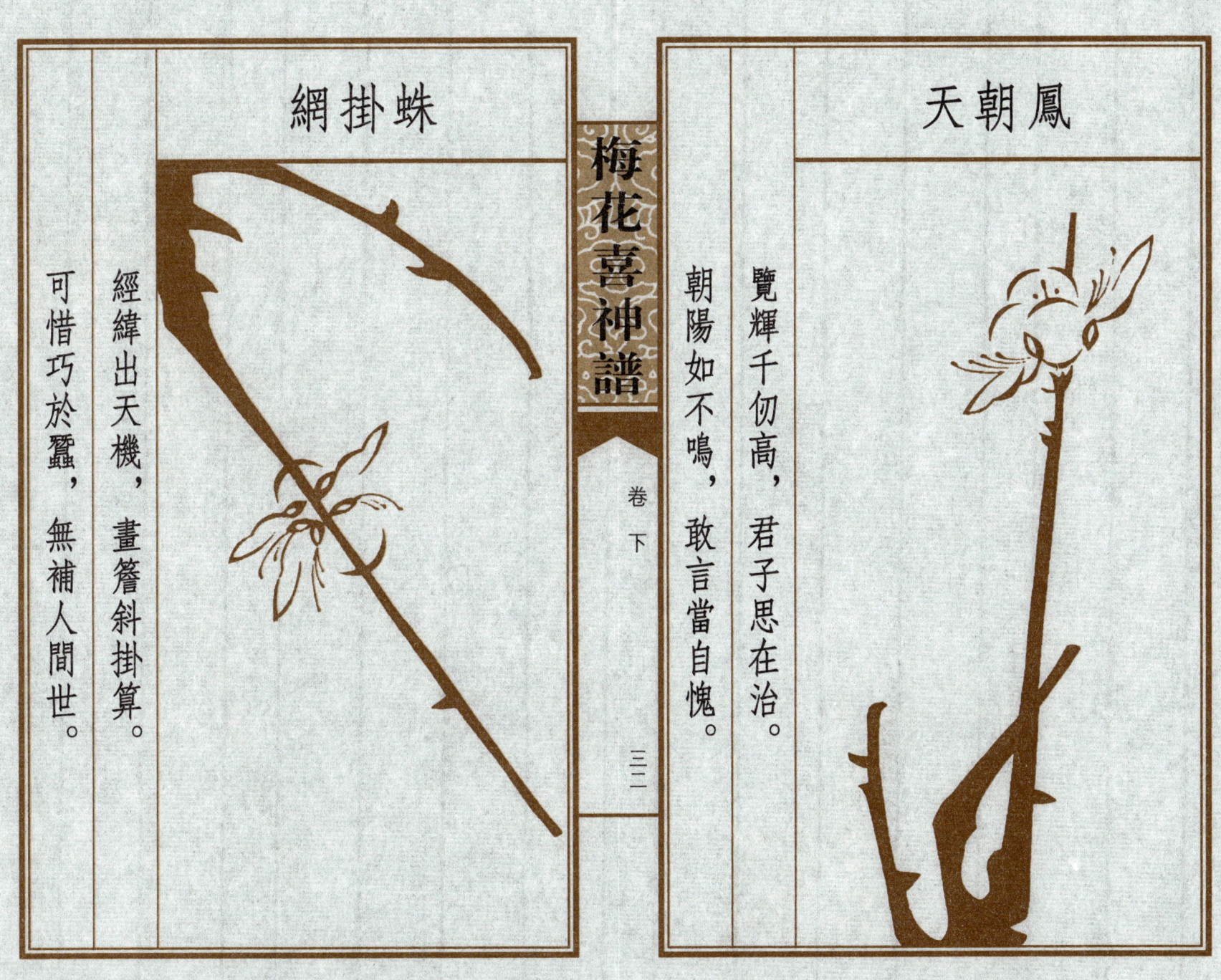

## 蛛掛網

可惜巧於蠶，無補人間世。
經緯出天機，畫簷斜掛算。

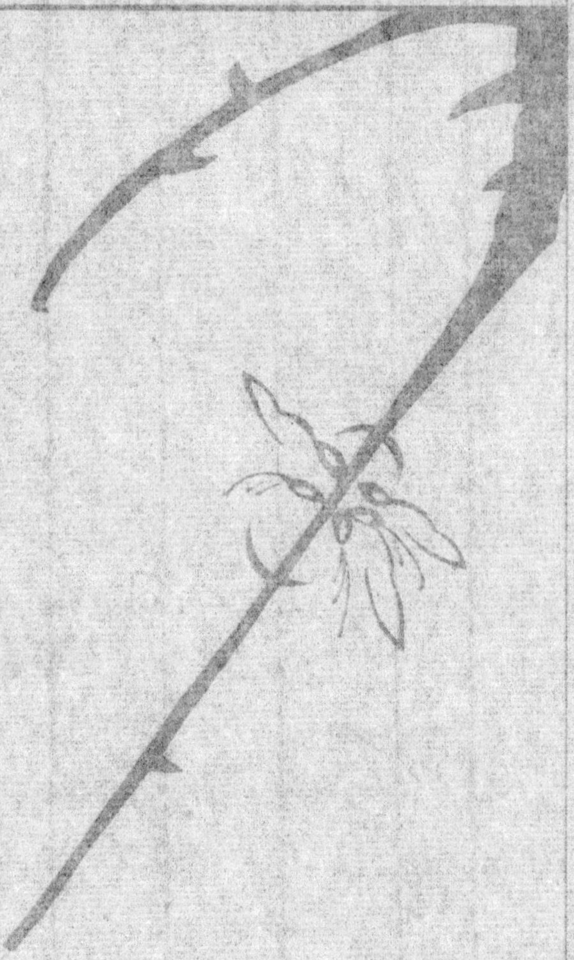

## 鳳朝天

朝陽如不鳴，敢言當白鳳。
覽輝千仞高，君子思在治。

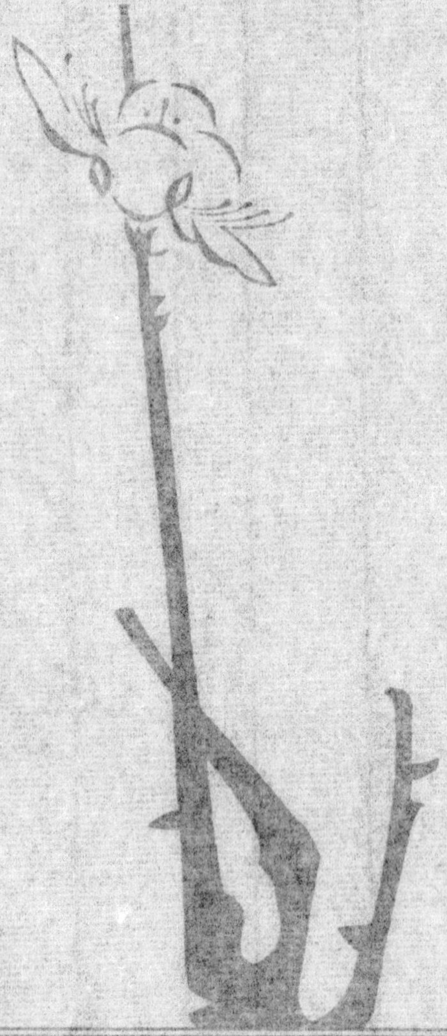

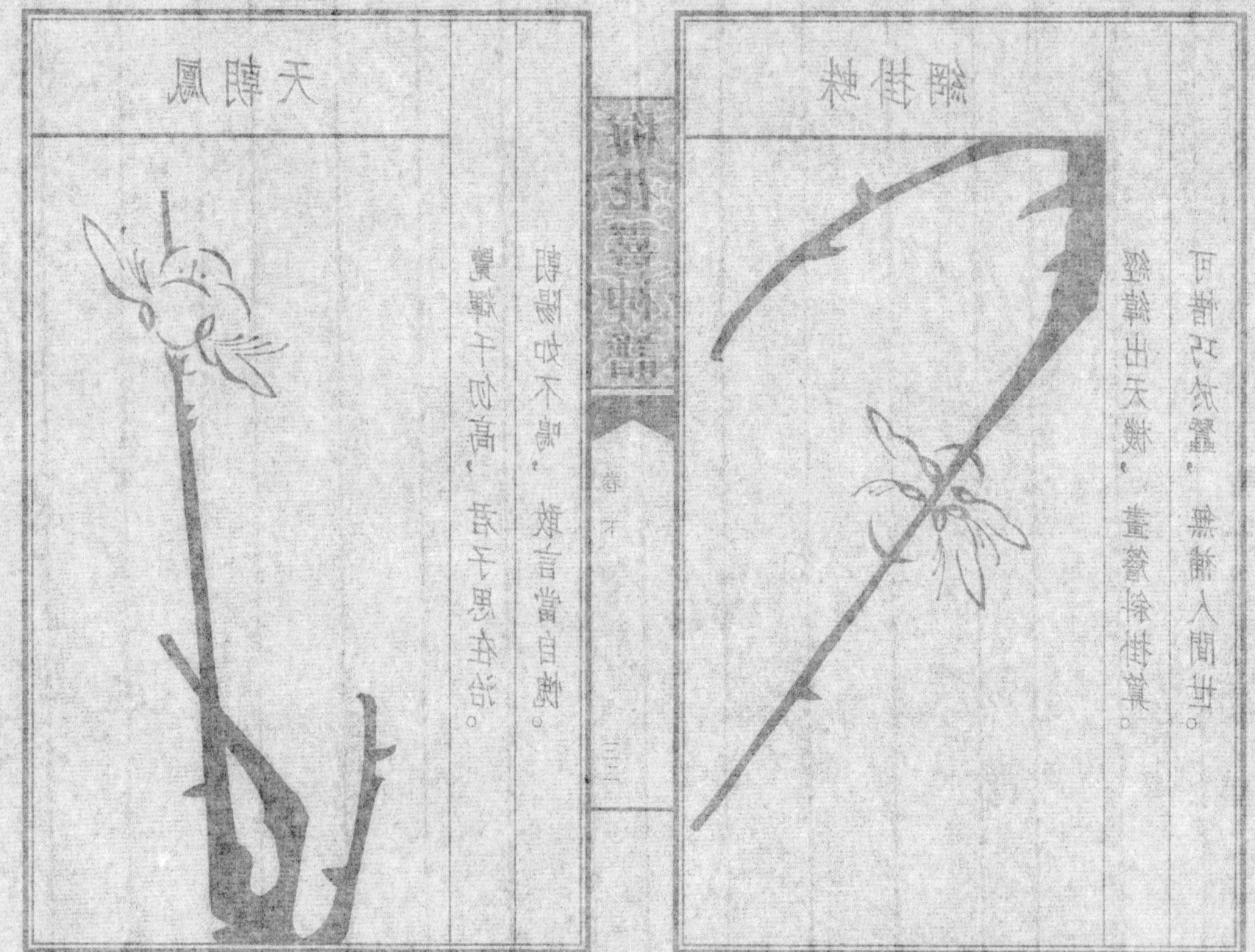

## 漁笠

艤艇白鷗邊，寒雨敲青箬。
駭浪不回頭，方識江湖樂。

## 熊掌

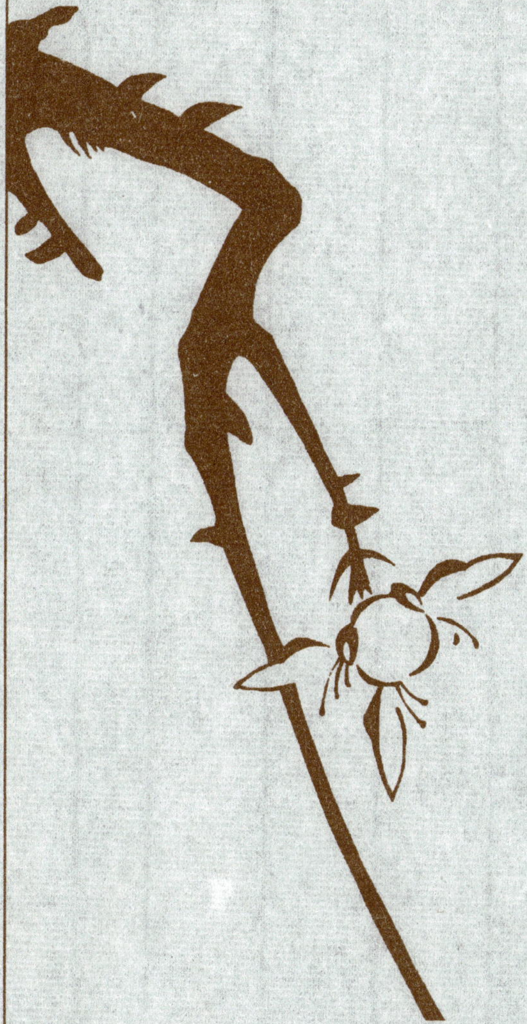

八珍風味清，藜腸豈曾識。
堪嗤嘗臠人，欲與魚兼得。

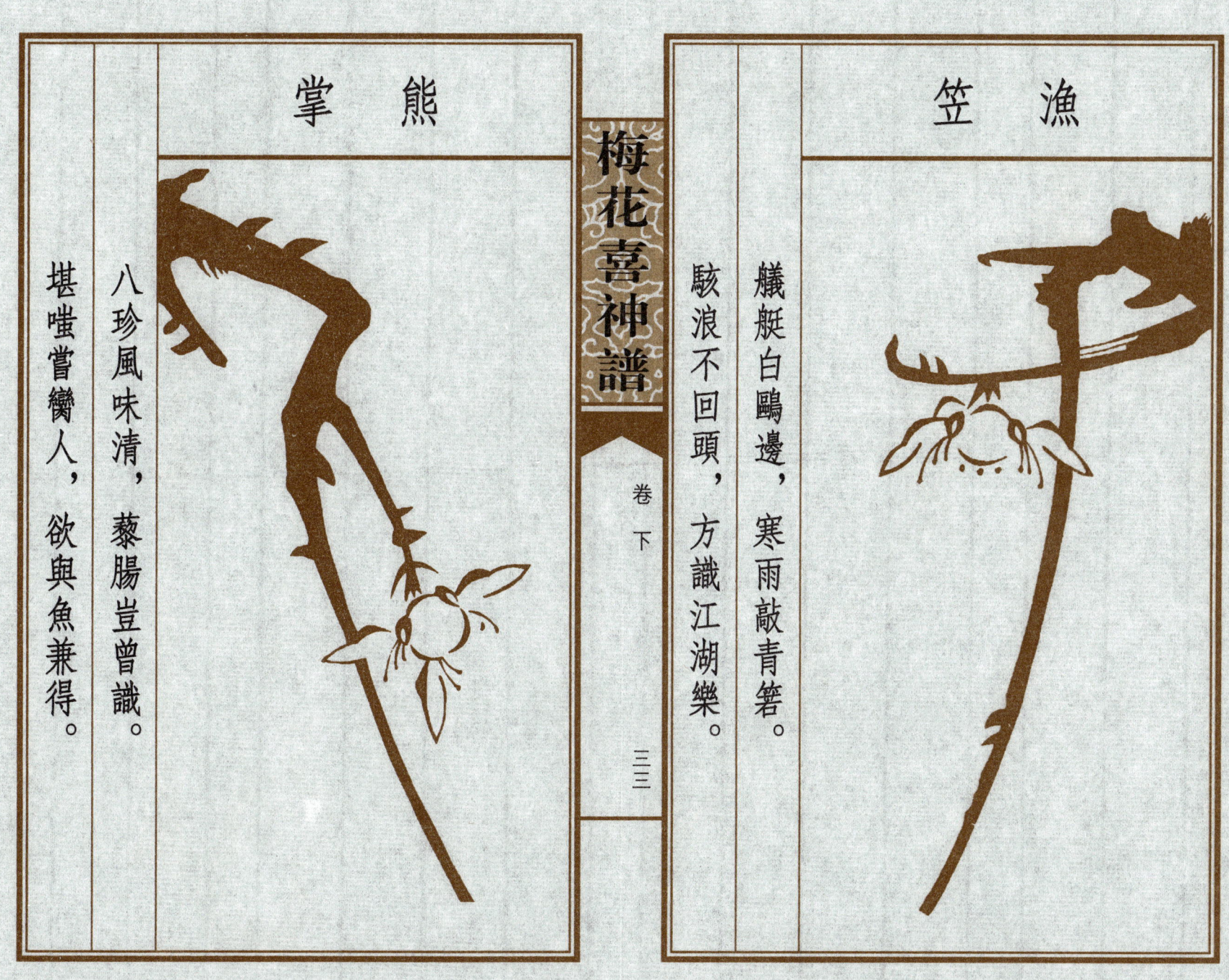

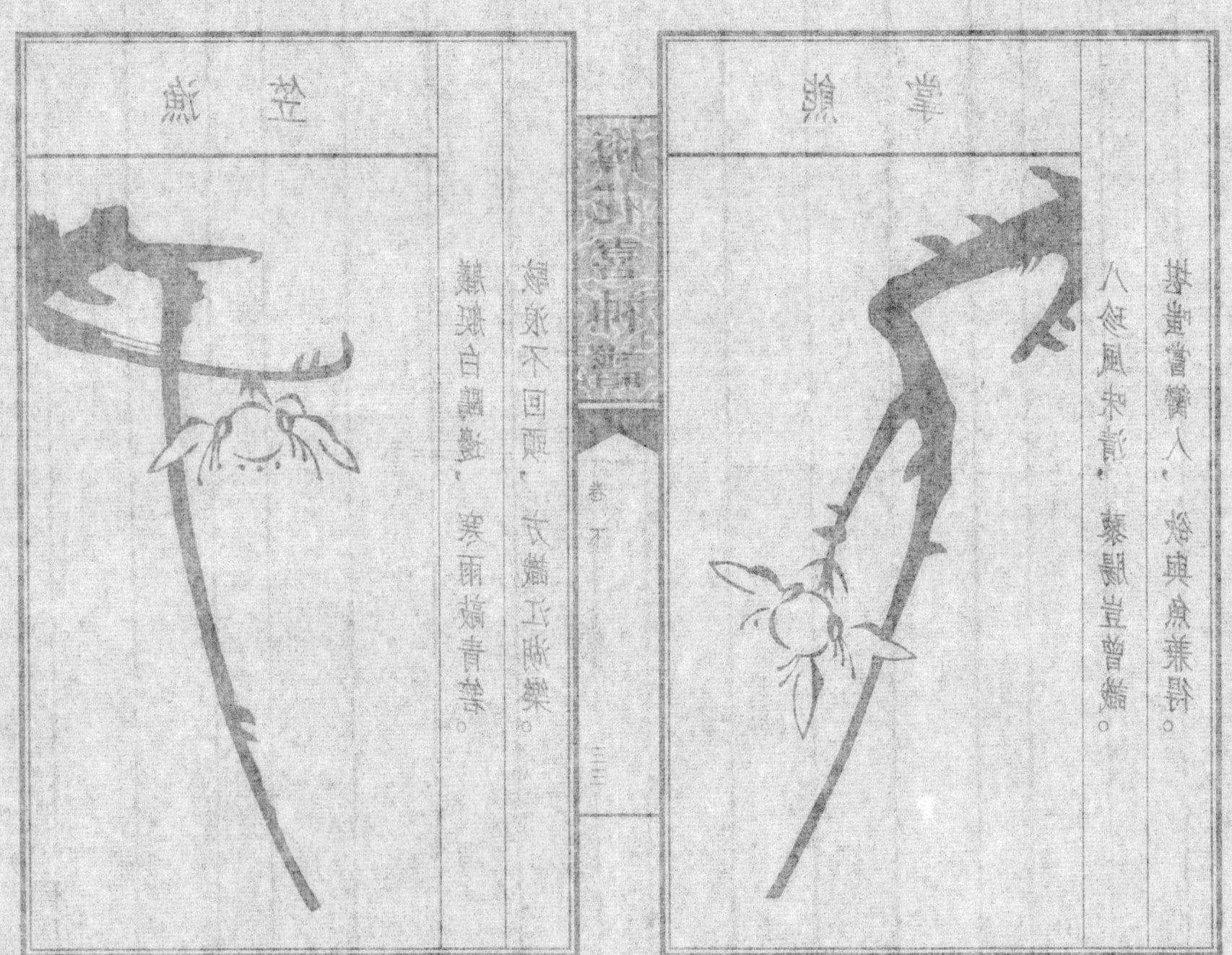

## 飛蟲刺花

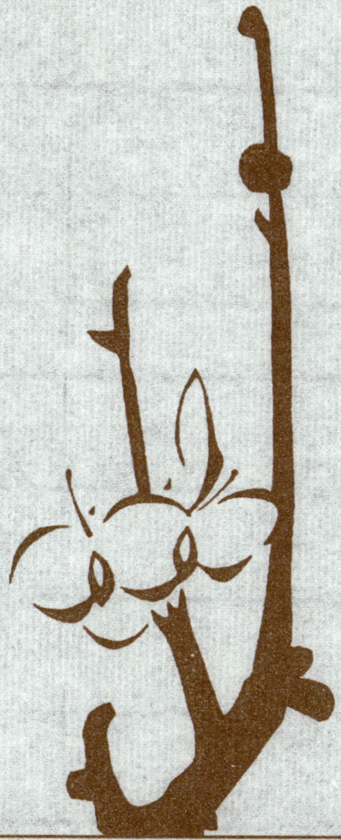

花香專引蝶，非蝶亦飛來。
顧影不知耻，良爲貪者哀。



## 孤鴻叫月

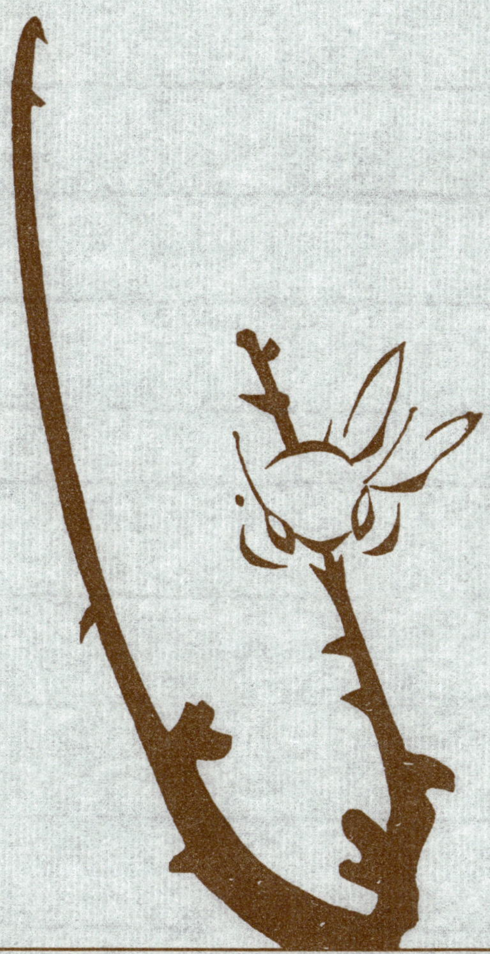

足下一封書，子卿歸自虜。
雖曰誑單于，孤忠傳萬古。

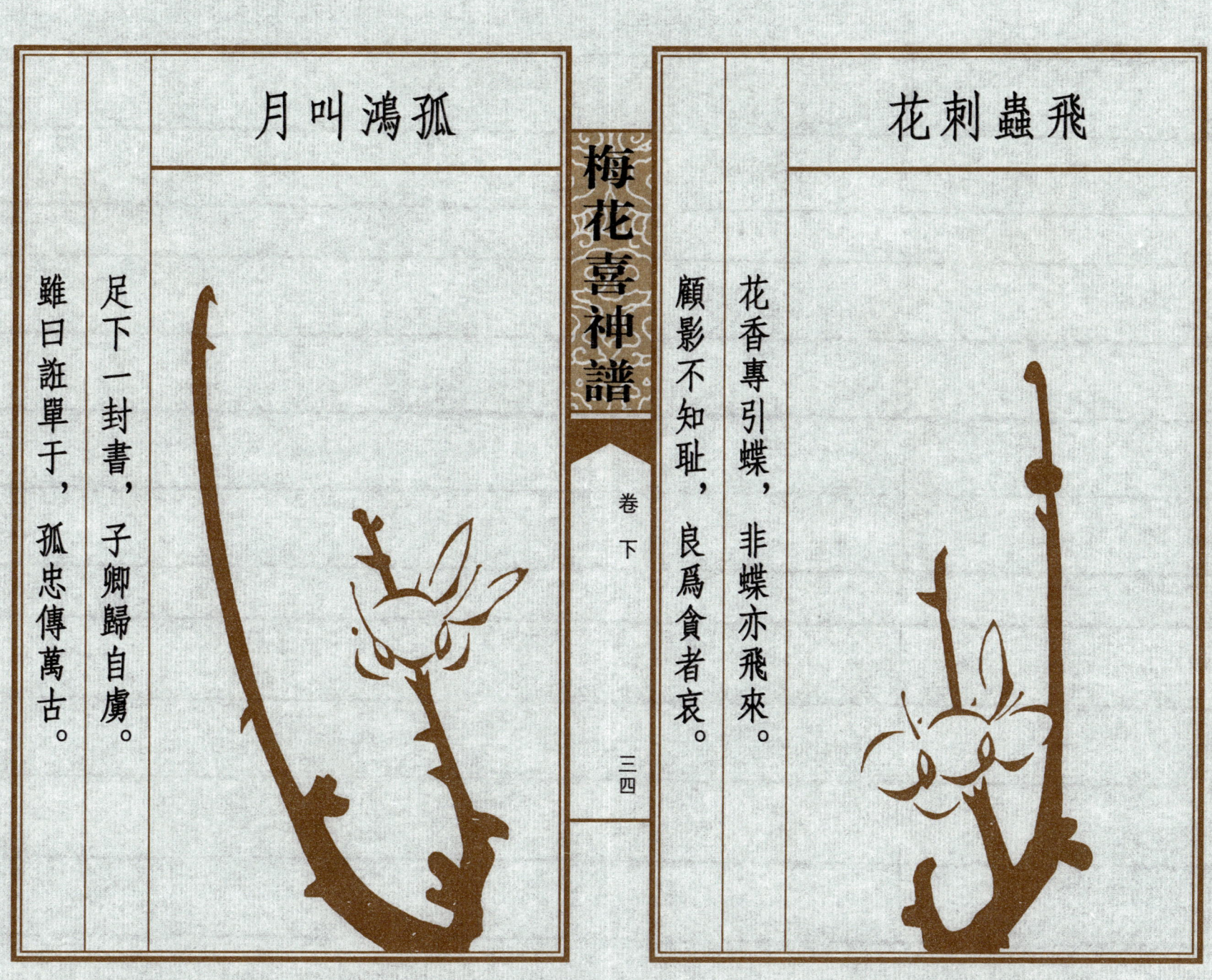

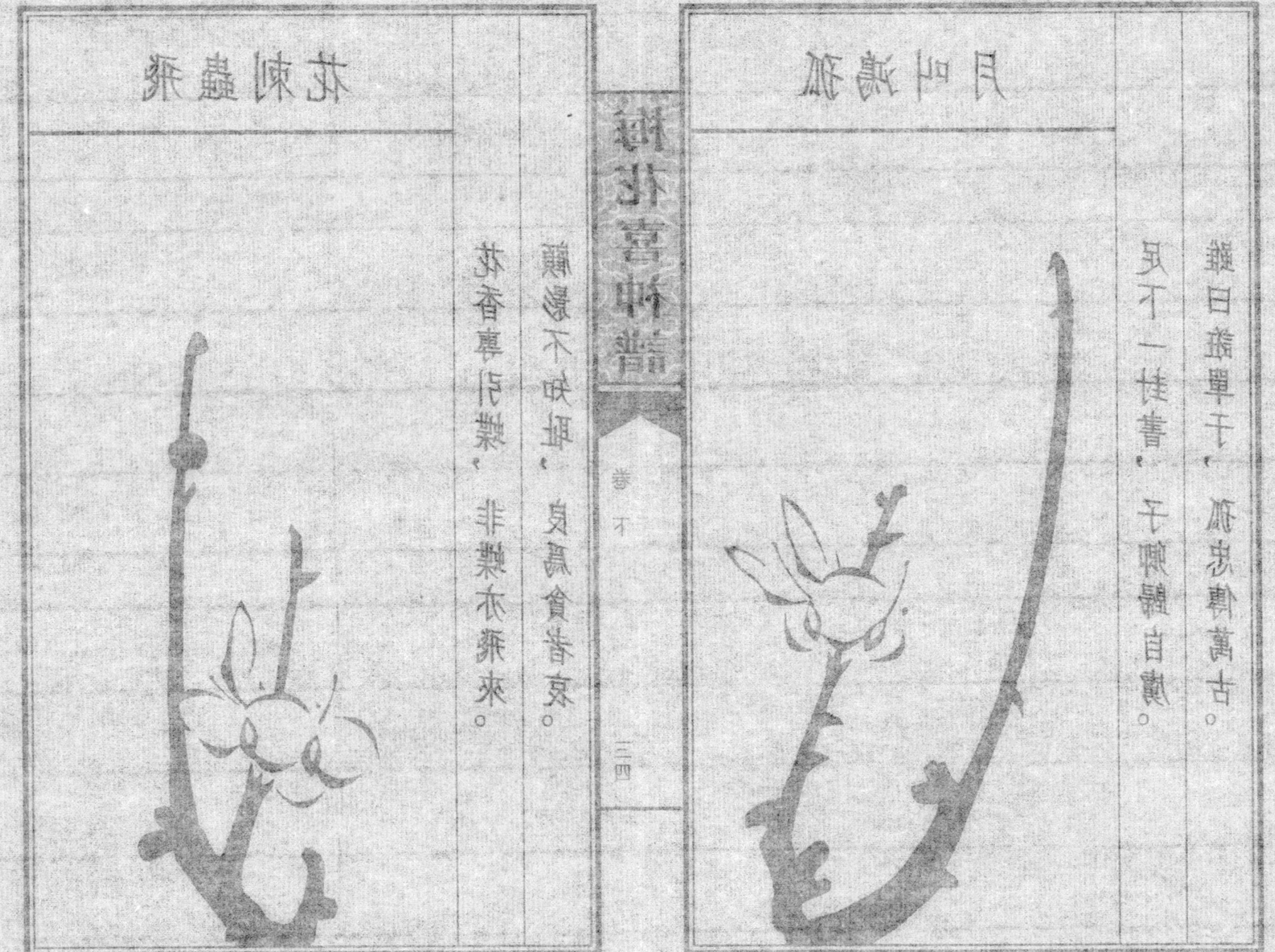

## 龜足

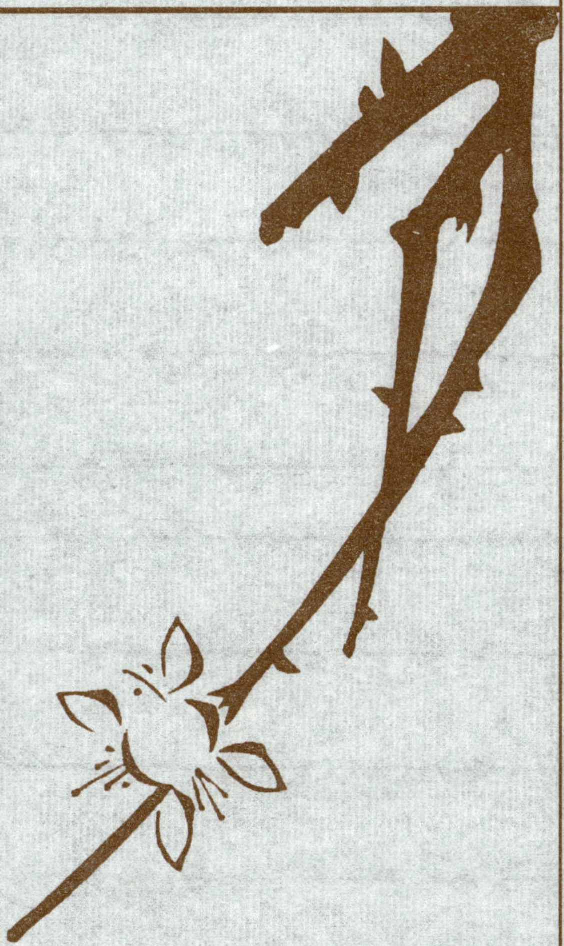

十鑽無遺筴，寧免刳腸憂。
何如隱蓮葉，千歲成仙遊。

## 龍爪

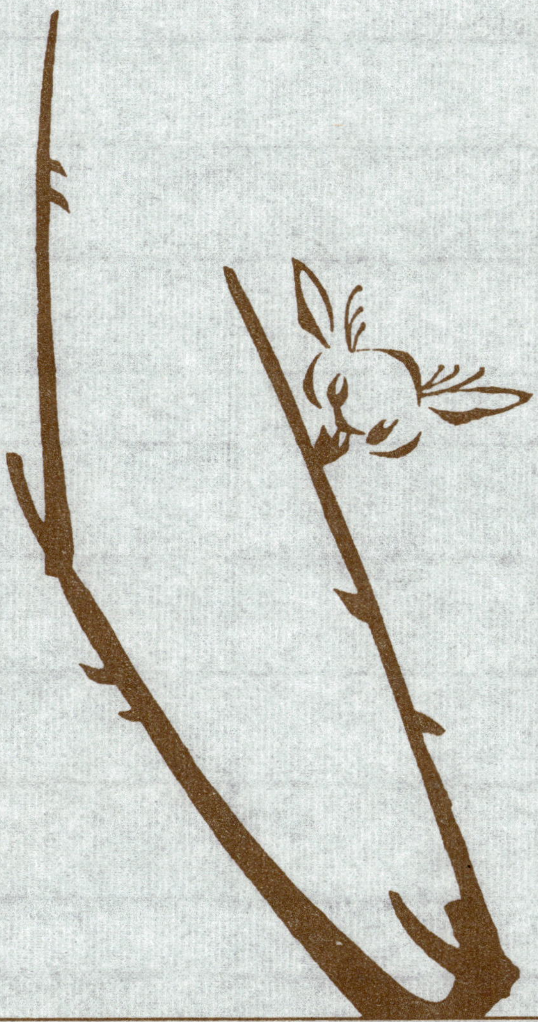

蒼生望雲霓，難作池中物。
孔明卧隆中，天子勢亦屈。

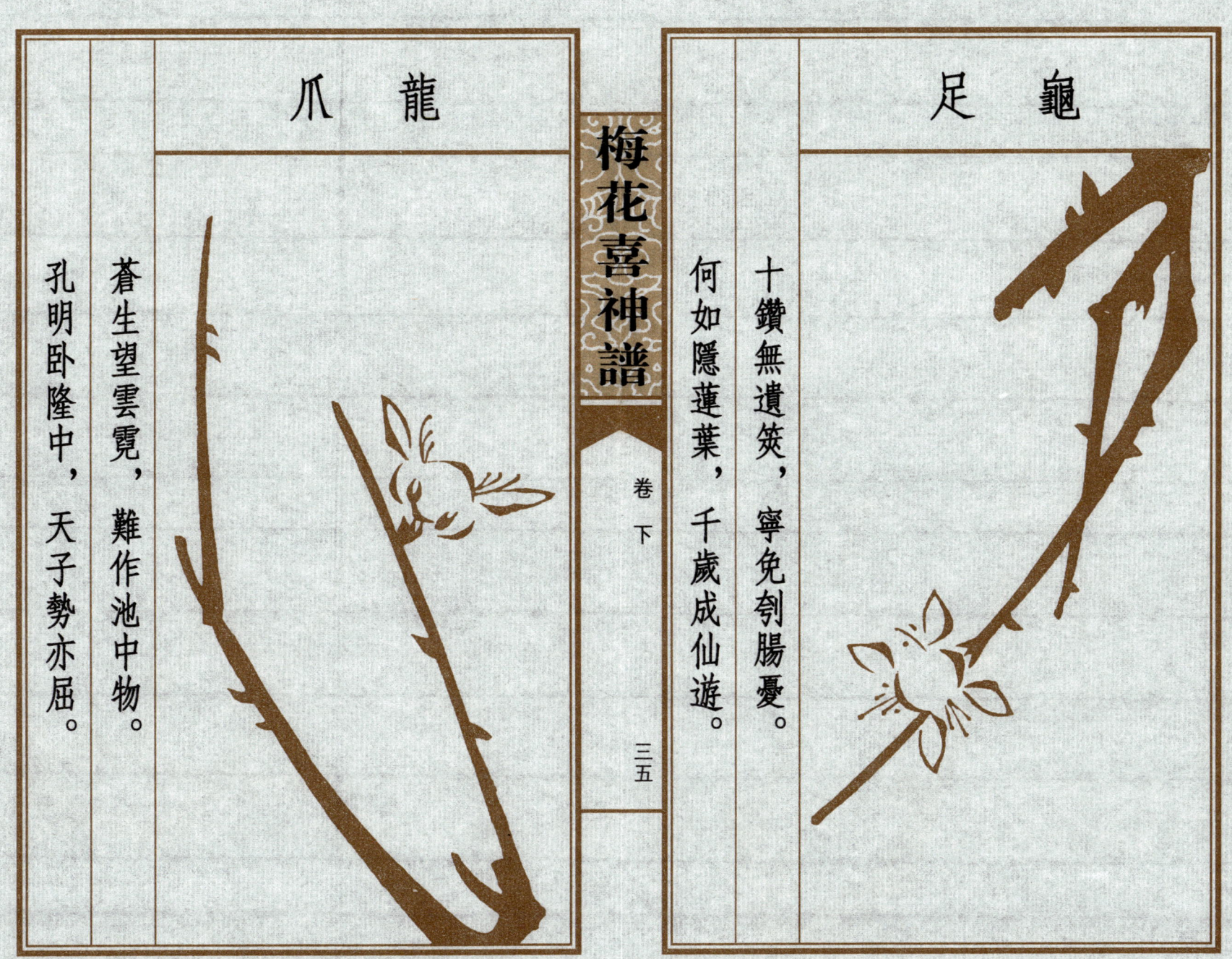

## 龜足

何如隱蓮葉，千歲成仙遊。
十鑽無遺策，寧免刳腸憂。

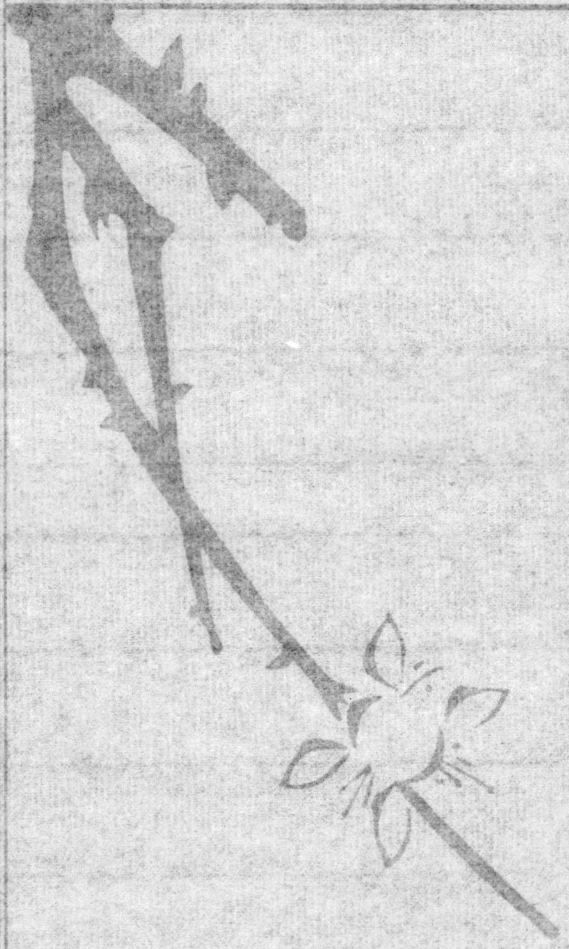

## 龍爪

孔明臥隆中，天子勞亦屈。
蒼生望雲霓，雖在泥中蟄。

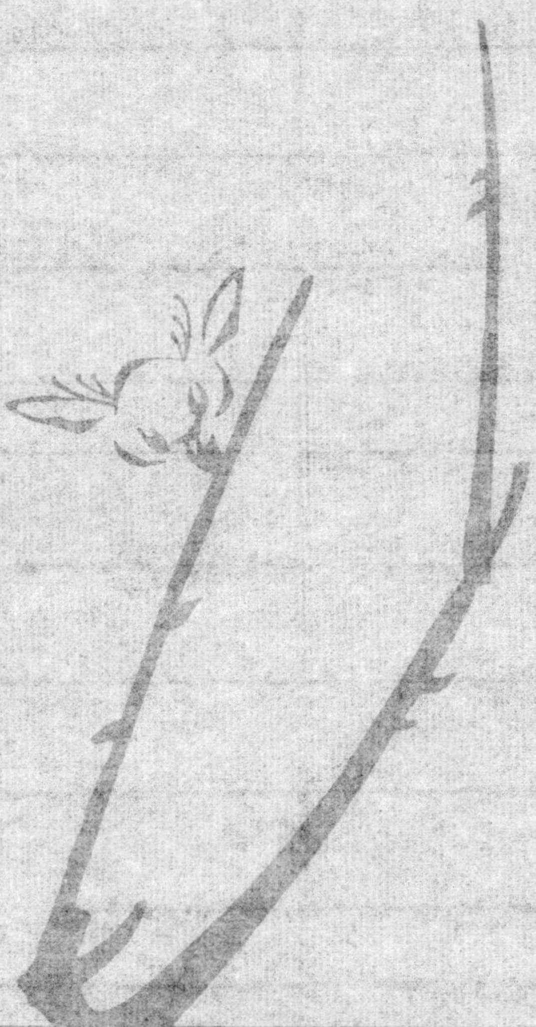

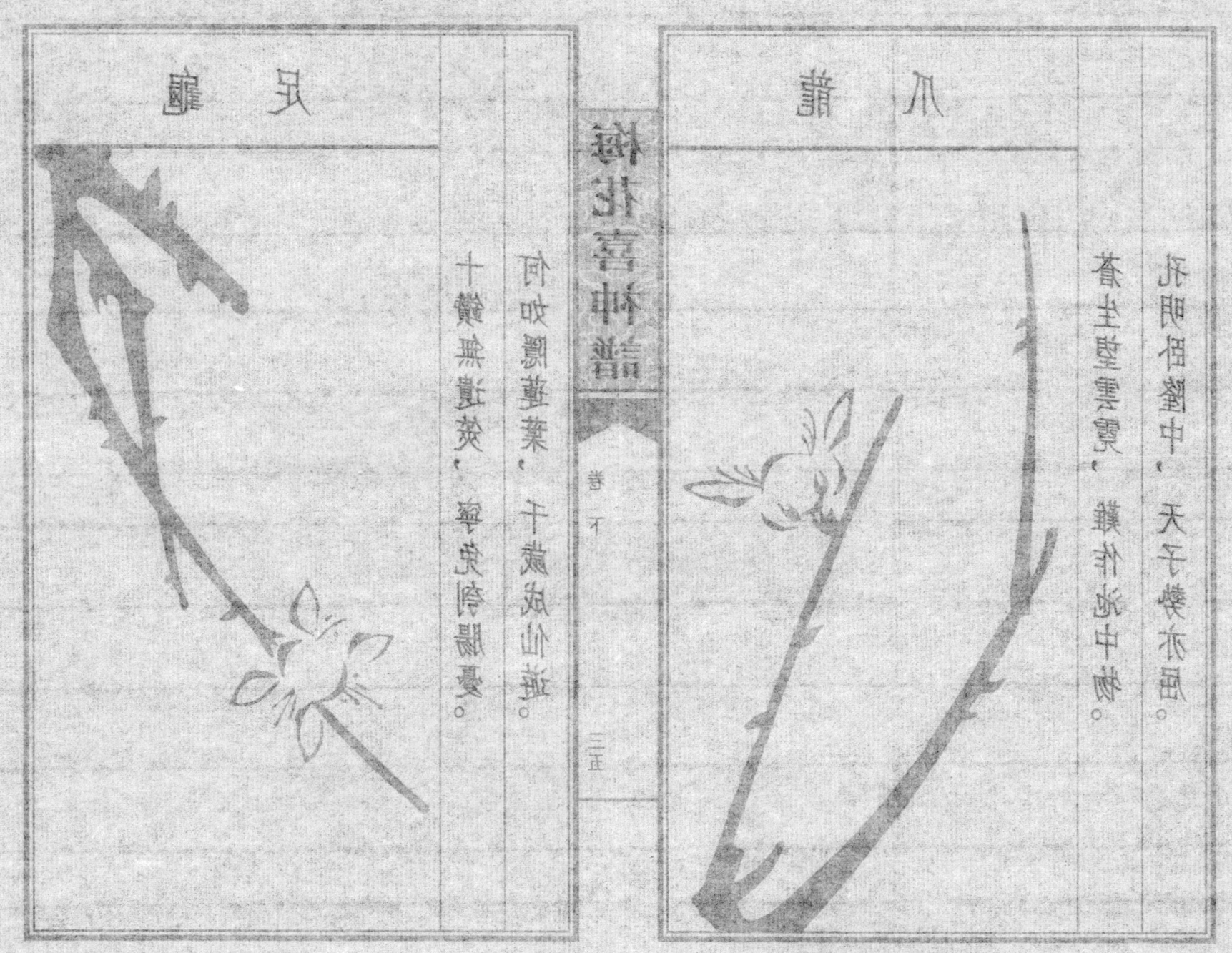

## 林雞拍羽

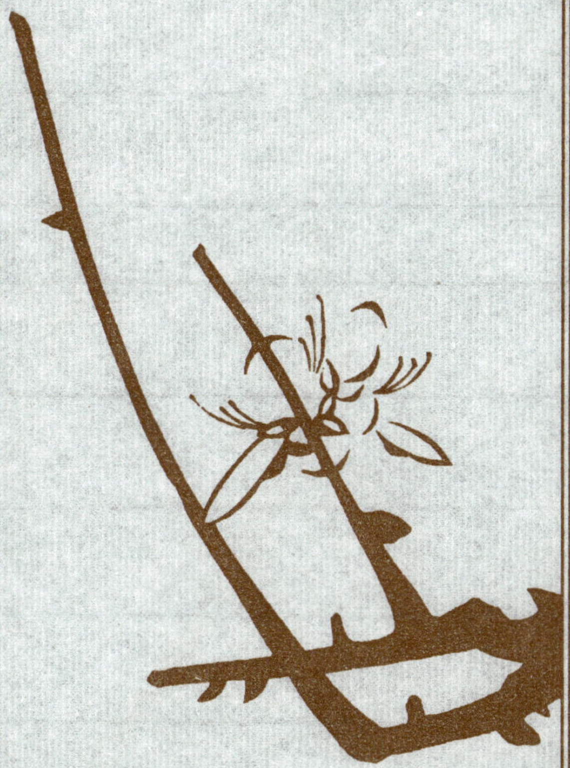

三拍羽翎寒，風雨不改度。
起舞何人斯，男兒當自寤。

## 松鶴唳天

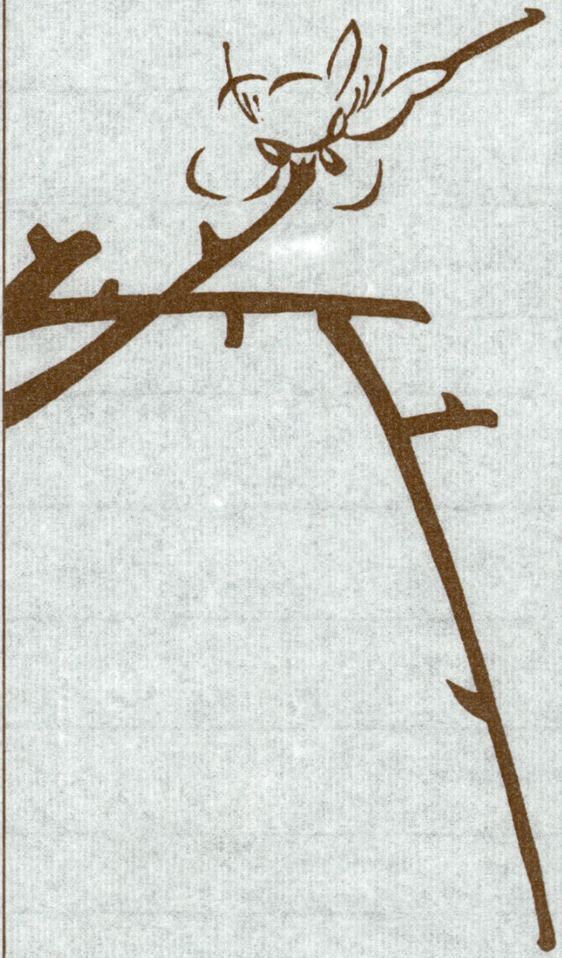

赤壁夢醒時，雨灑玄裳濕。
聲欲聞于天，故向松梢立。

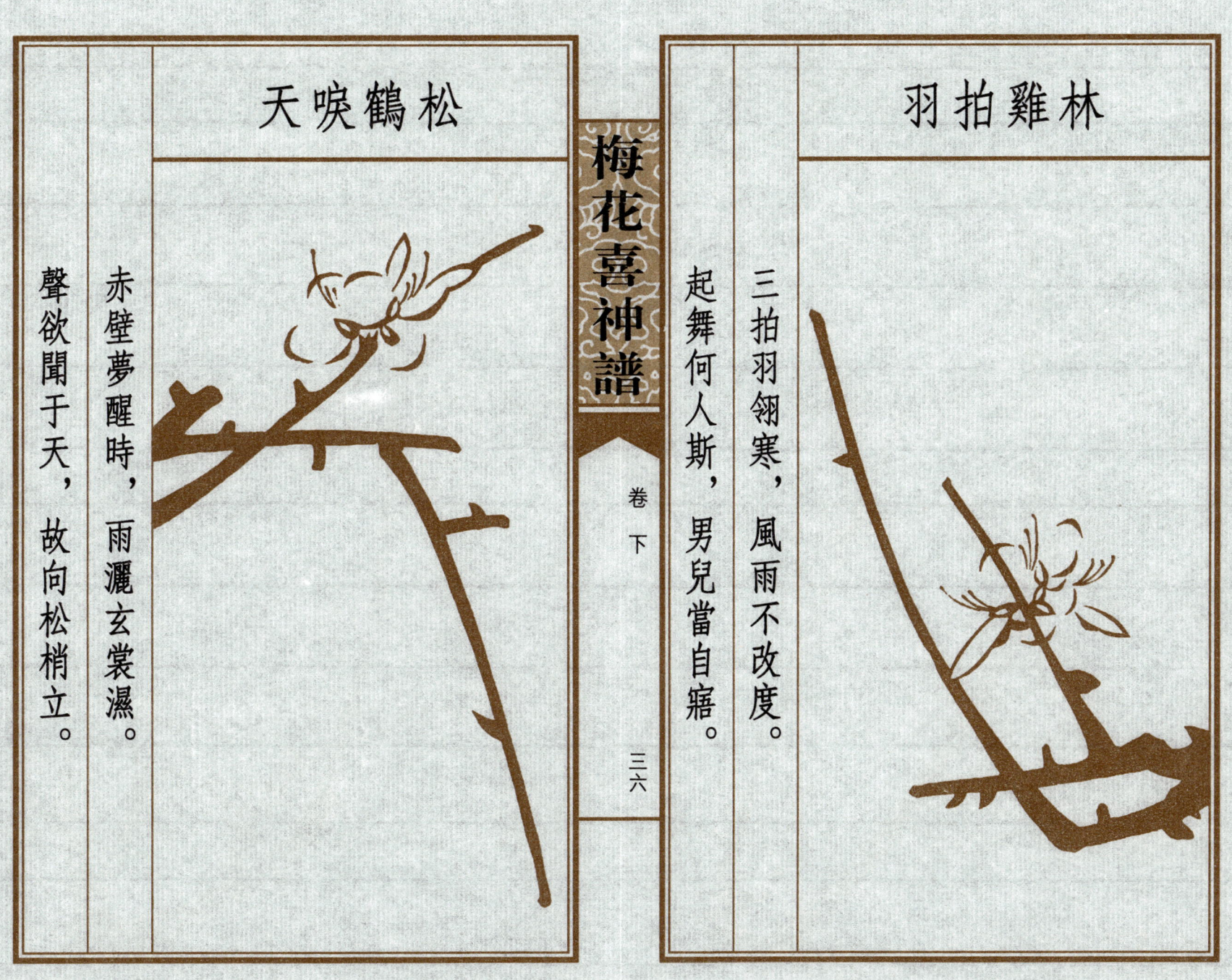

## 松鶴喚天

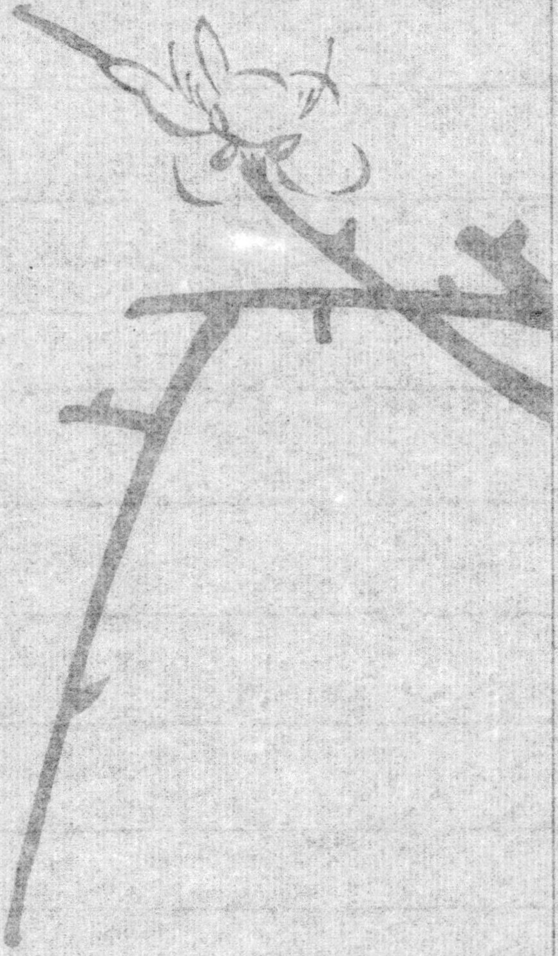

擎欲闌干天，喚向松梢立。
未墮夢醒時，雨灑衣裳濕。

## 林雞拍羽

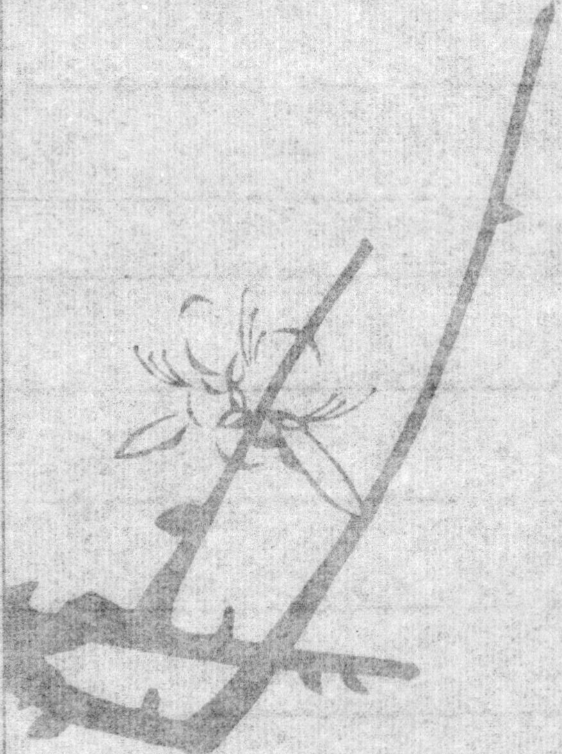

起舞何人斯，男兒當自強。
三拍雄雞寒，風雨不改度。

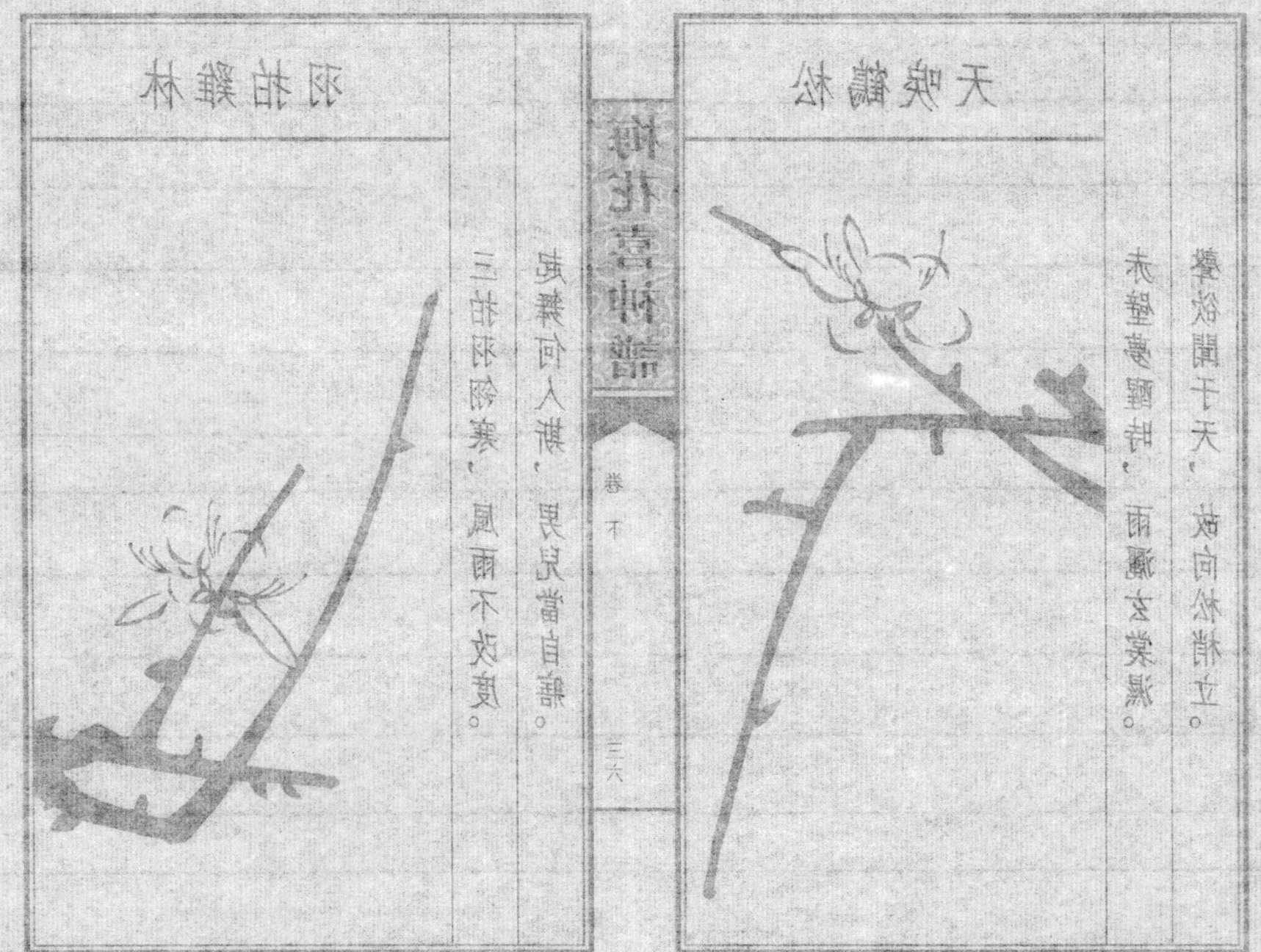

## 新荷濺雨

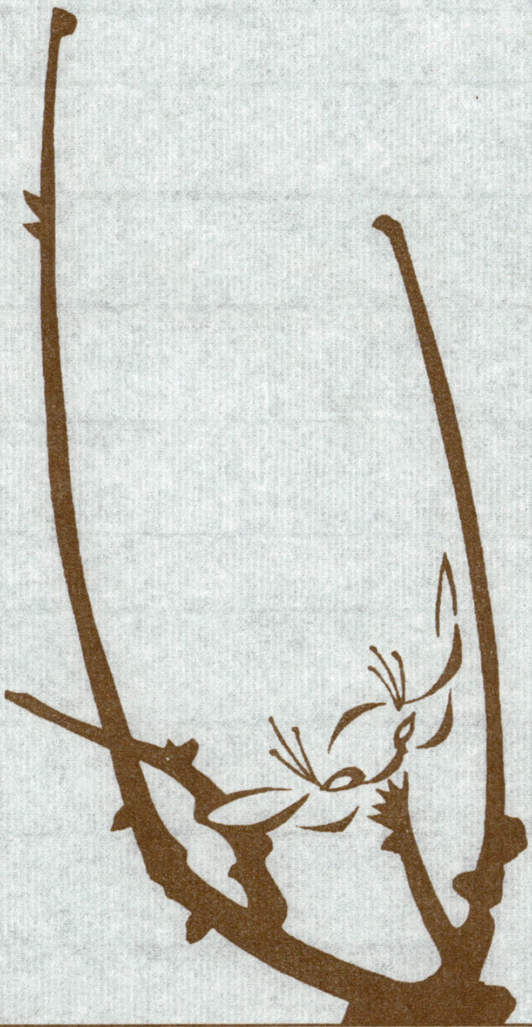

新綠小池沼，田田浮翠錢。
雨中珠萬顆，巧婦其能穿。

## 老菊披霜

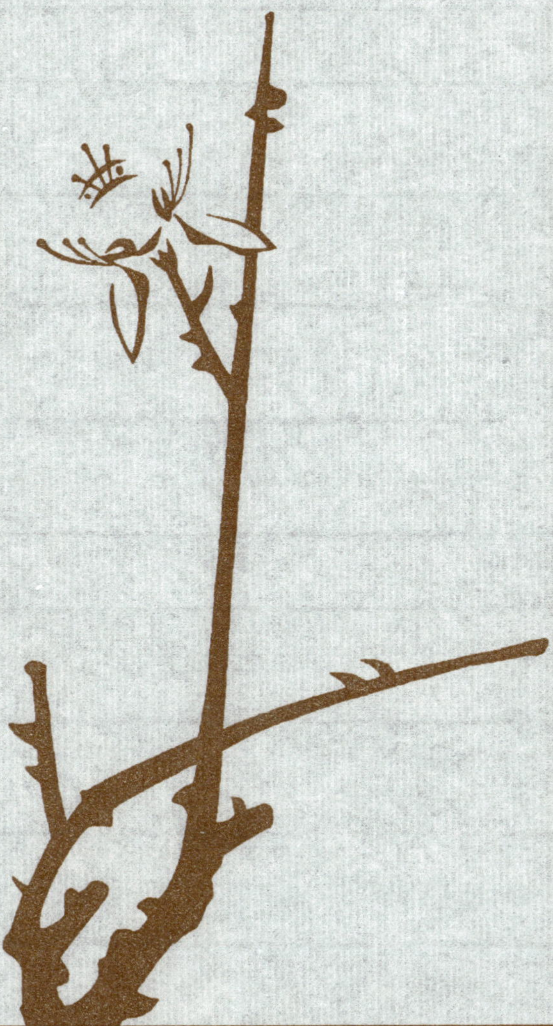

世久無淵明，黄花爲誰好。
青女自凌威，寒香未容老。

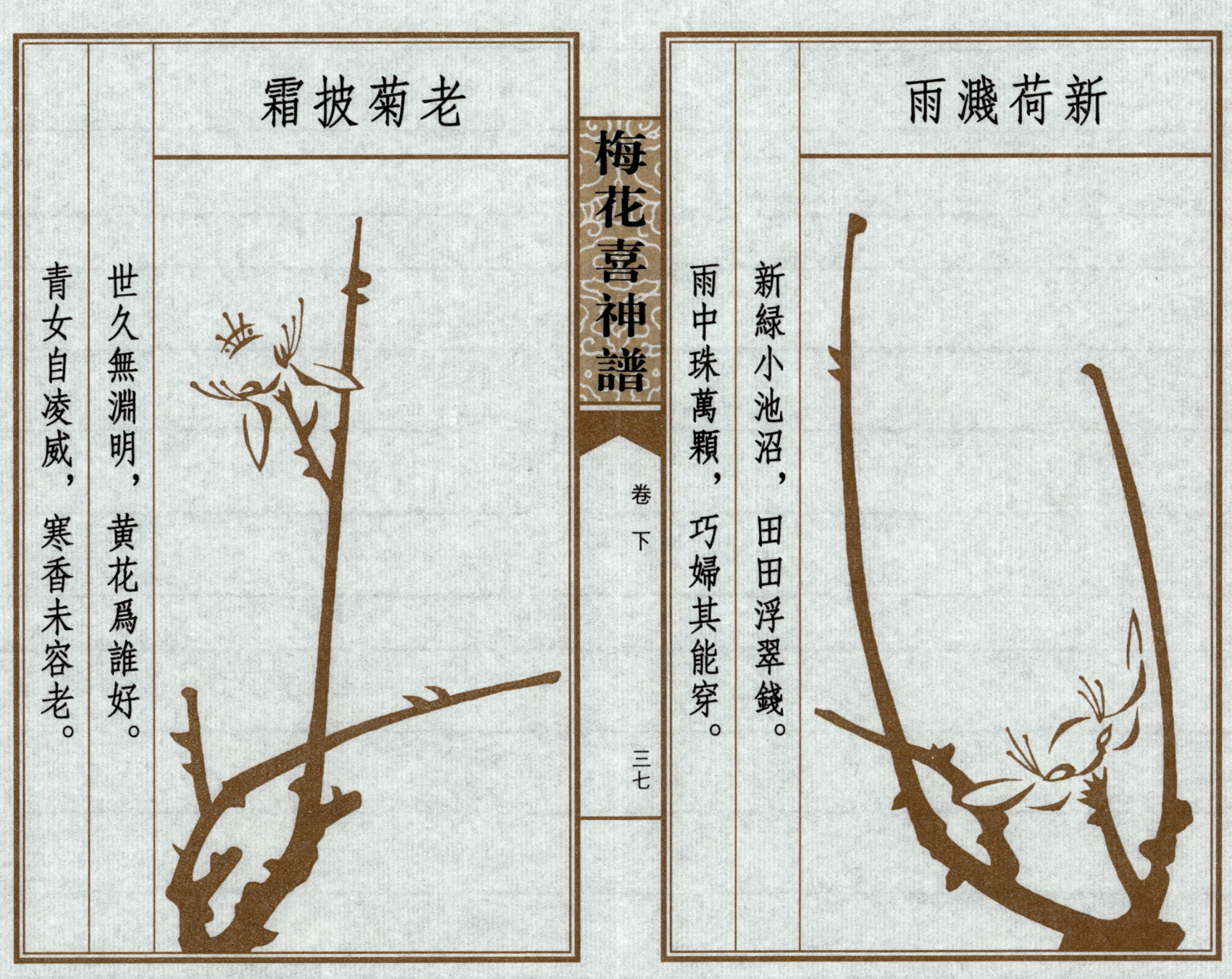

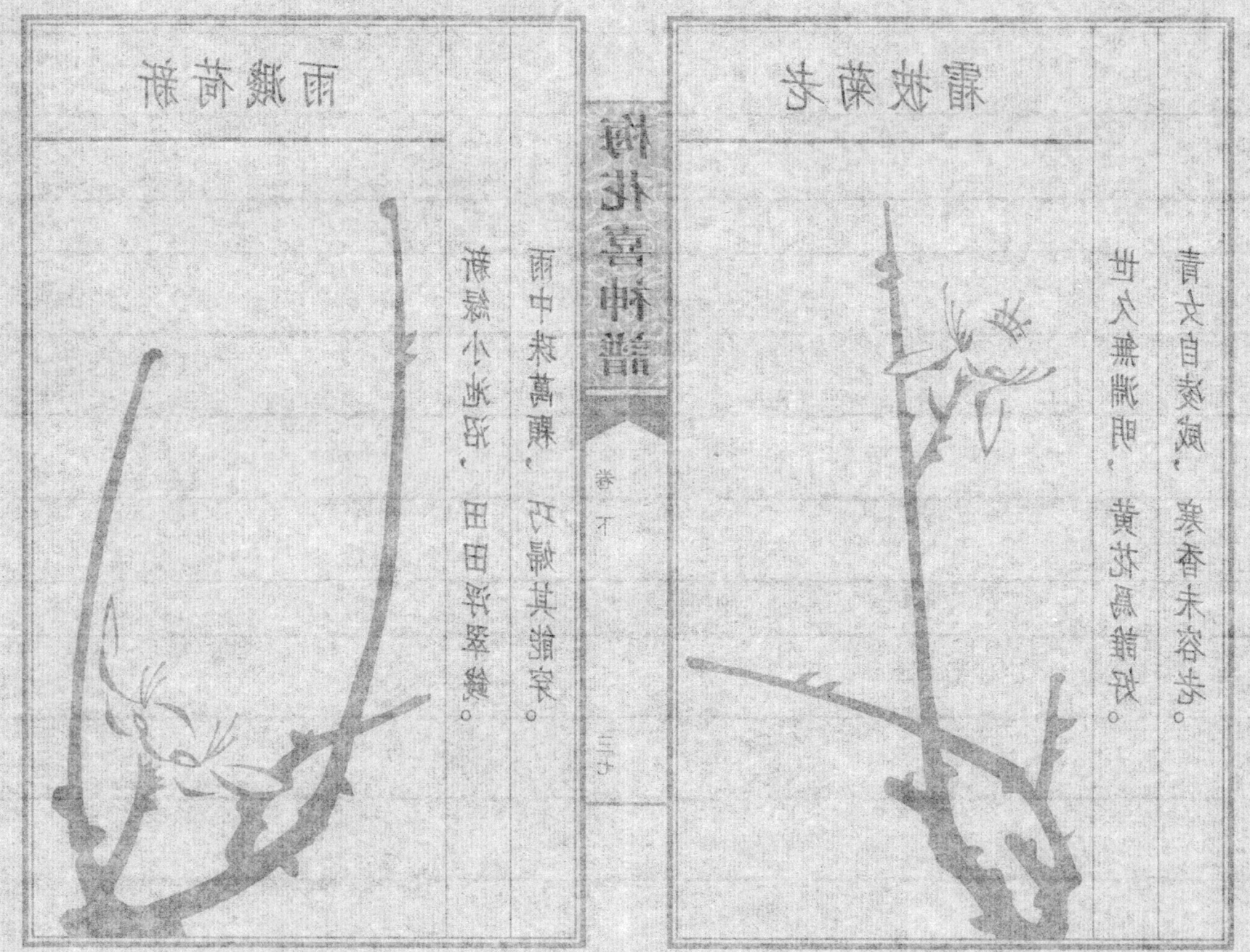

## 瑟

點異二三子，鏗爾舍而作。
江上數峰青，湘靈徒寂寞。

## 鼓

鼕鼕和歌管，蕢桴無復存。
堪笑不知量，以布過雷門。

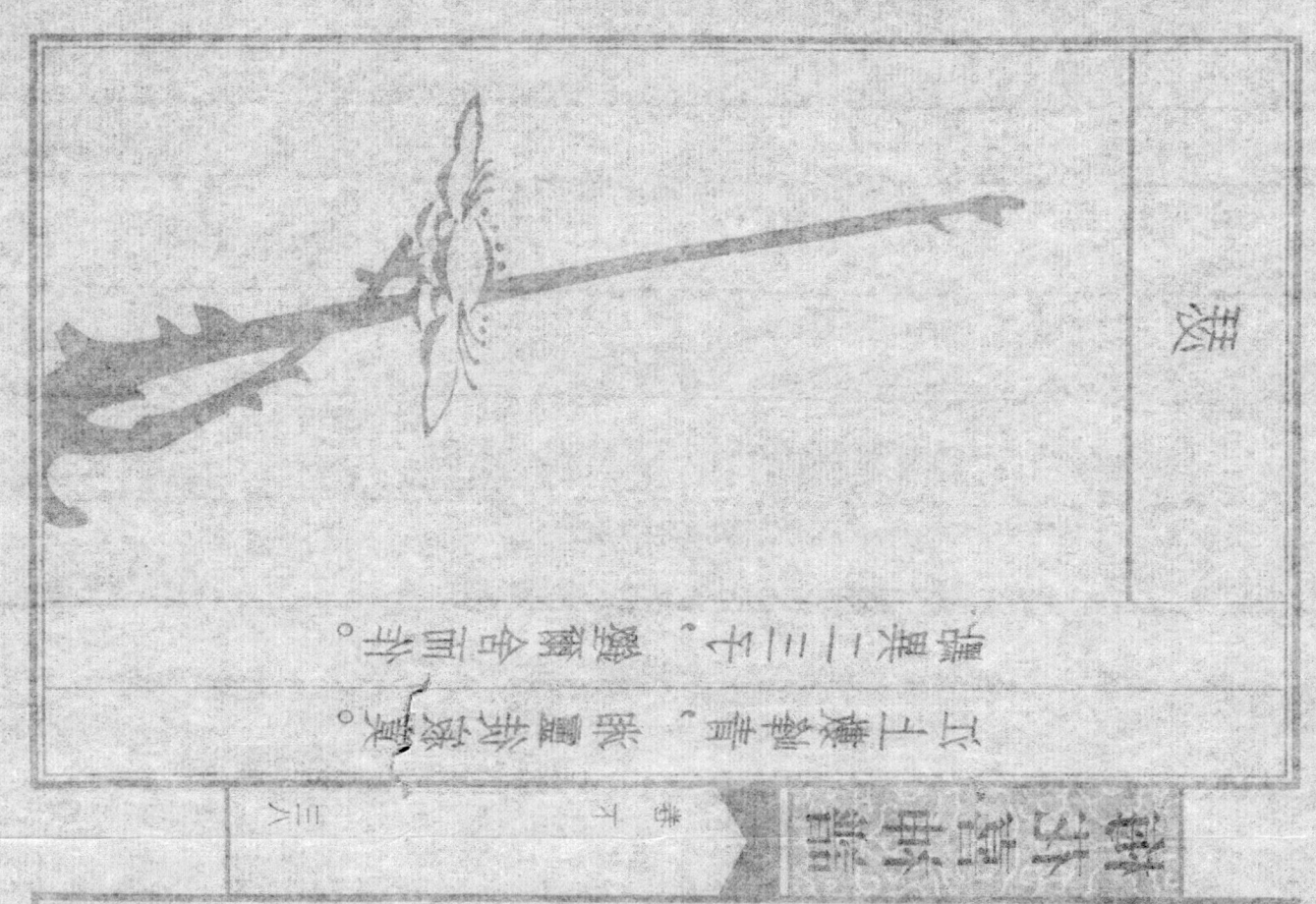

## 蜂腰

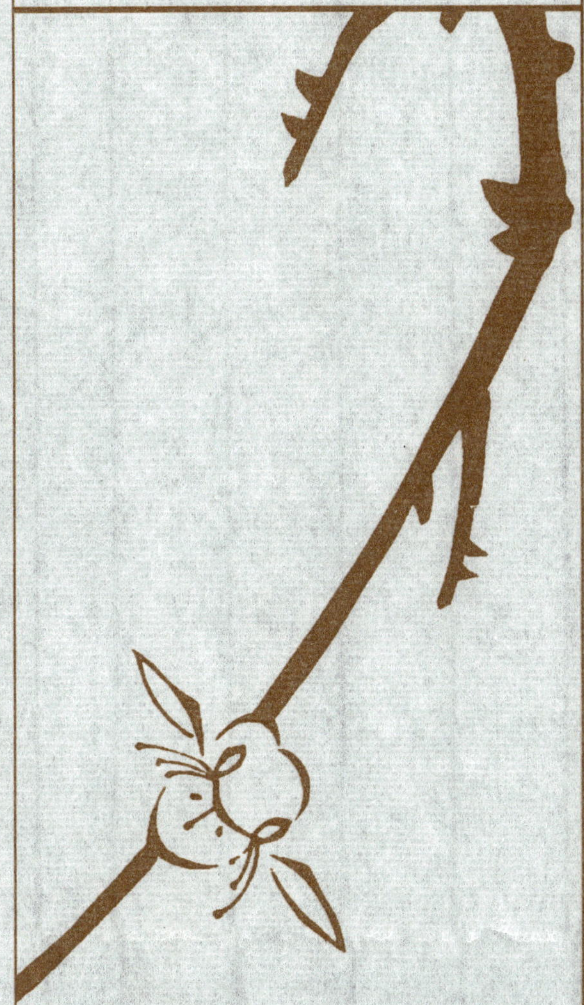

紫陌暖風細，露房山更深。
蜜甜不知味，萬花空損心。

## 燕尾

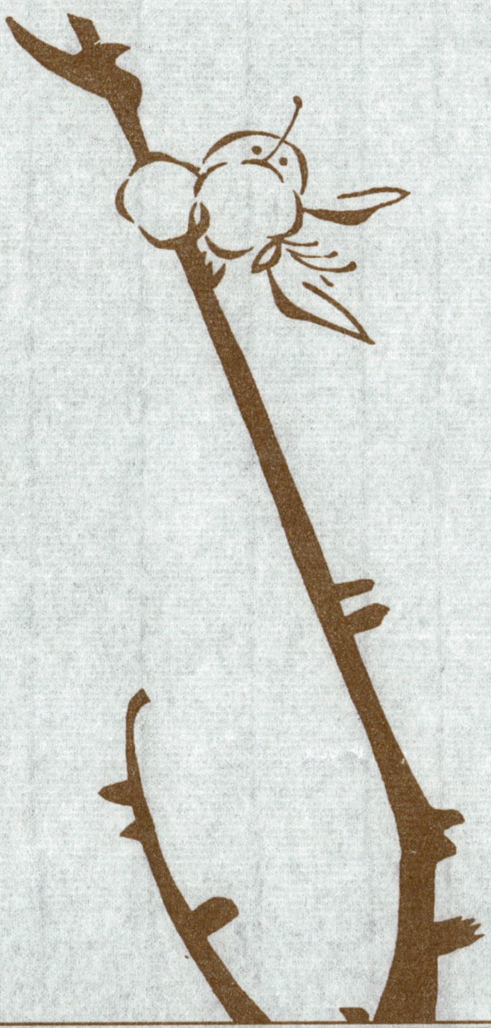

東風開繡簾，且向花梢立。
主人忘舊交，雕梁不須入。

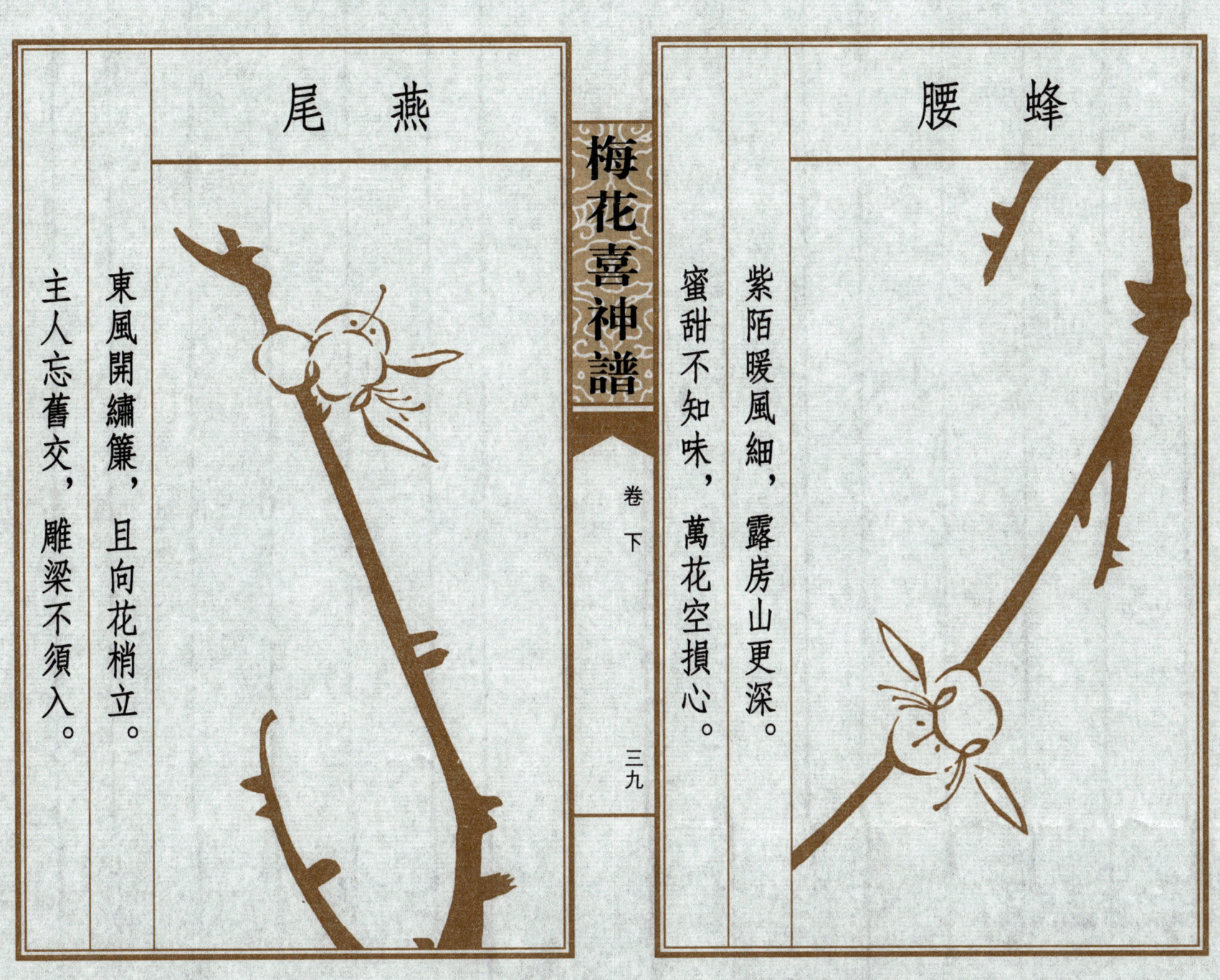

## 蜂腰

蜜甜不知來，萬花空損心。
葉底暖風回，露房山更深。

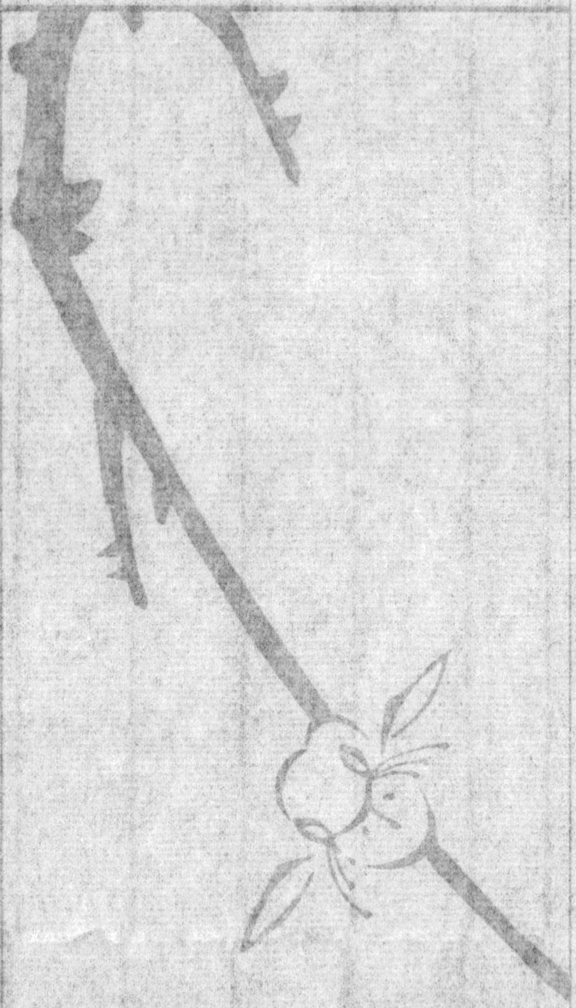

## 燕尾

主人忘舊交，雕梁不須人。
東風開繡簾，且向花梢立。

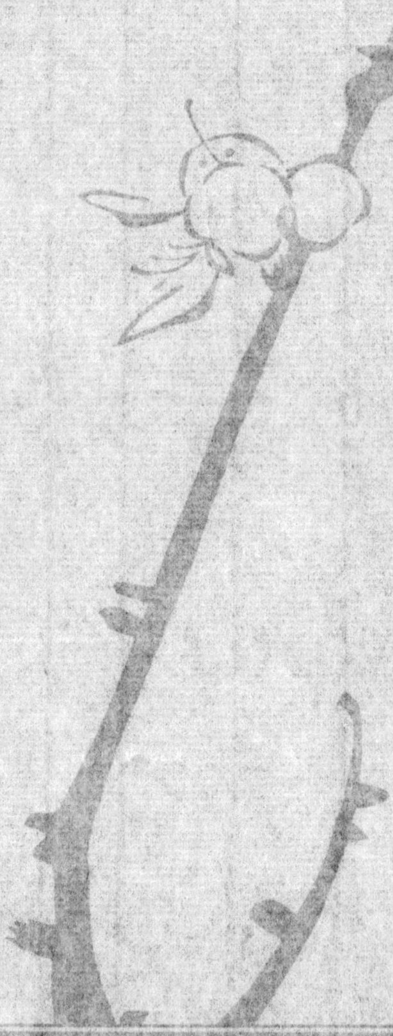

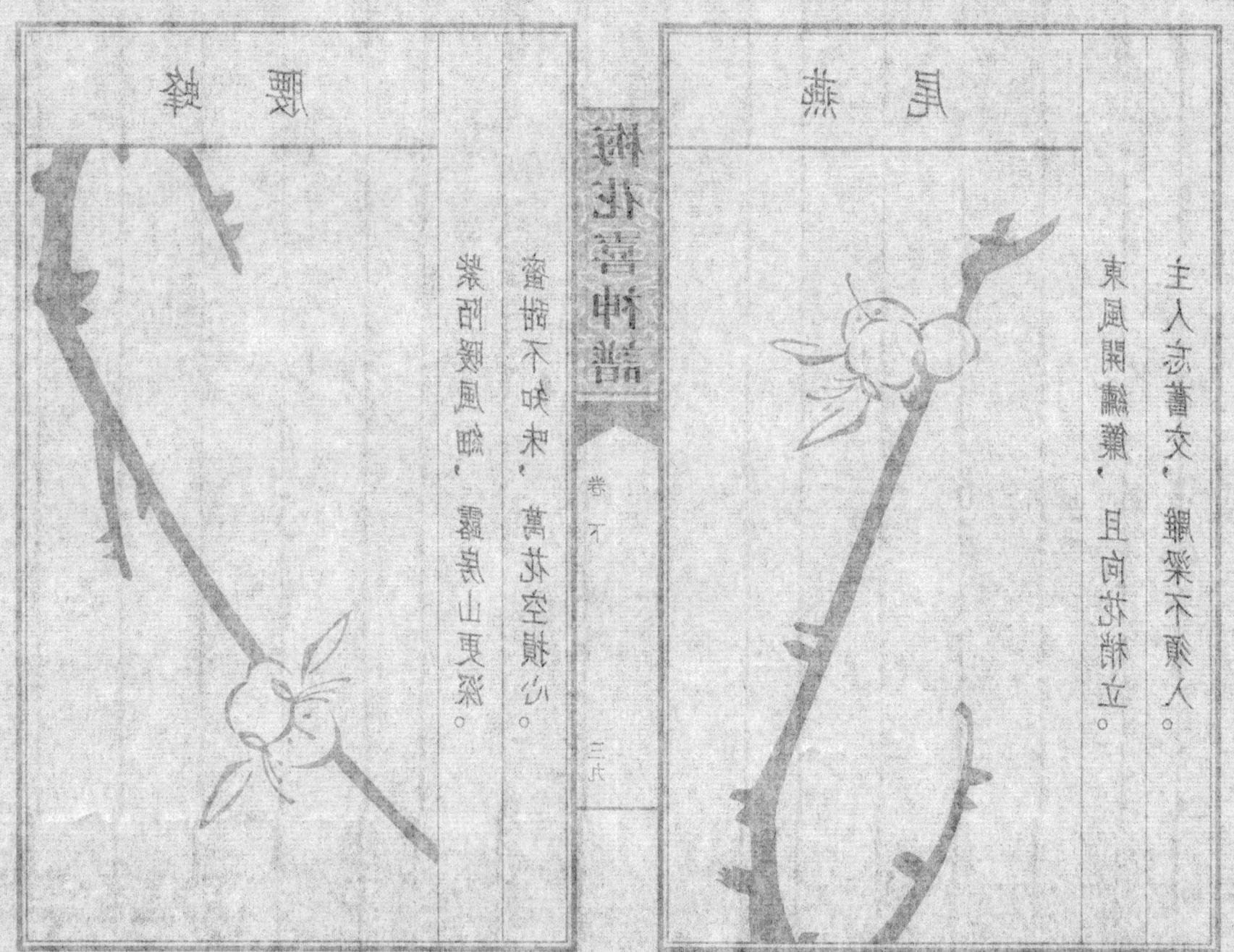

## 鷺鷗振翼

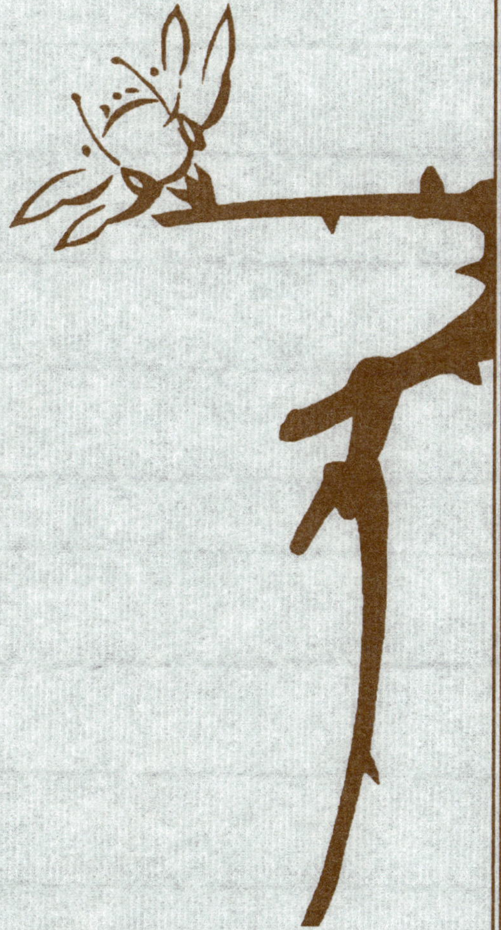

雪羽卧晴沙，漁人無可慮。
機事亦難忘，不如且飛去。




## 野鶻翻身

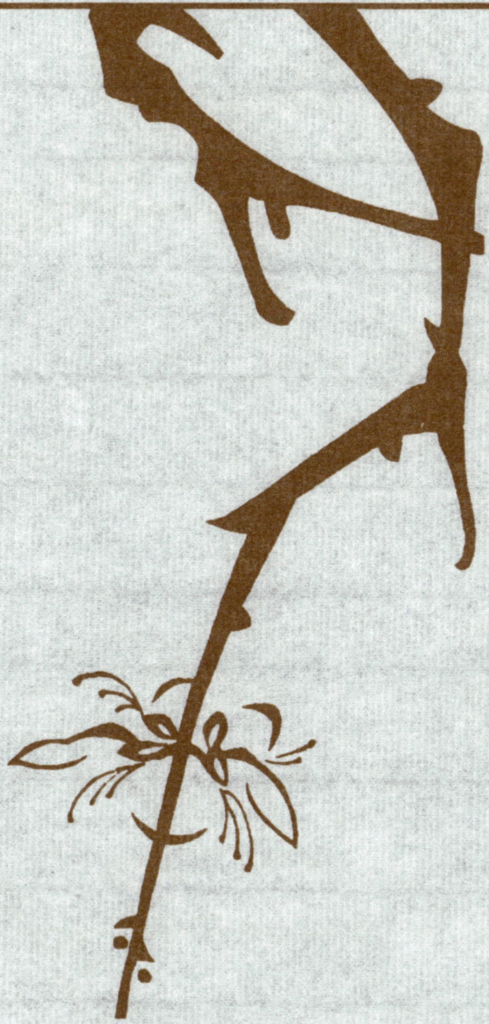

很禽忘所儔，翻身拏鳥雀。
羽毛同所天，何苦强凌弱。

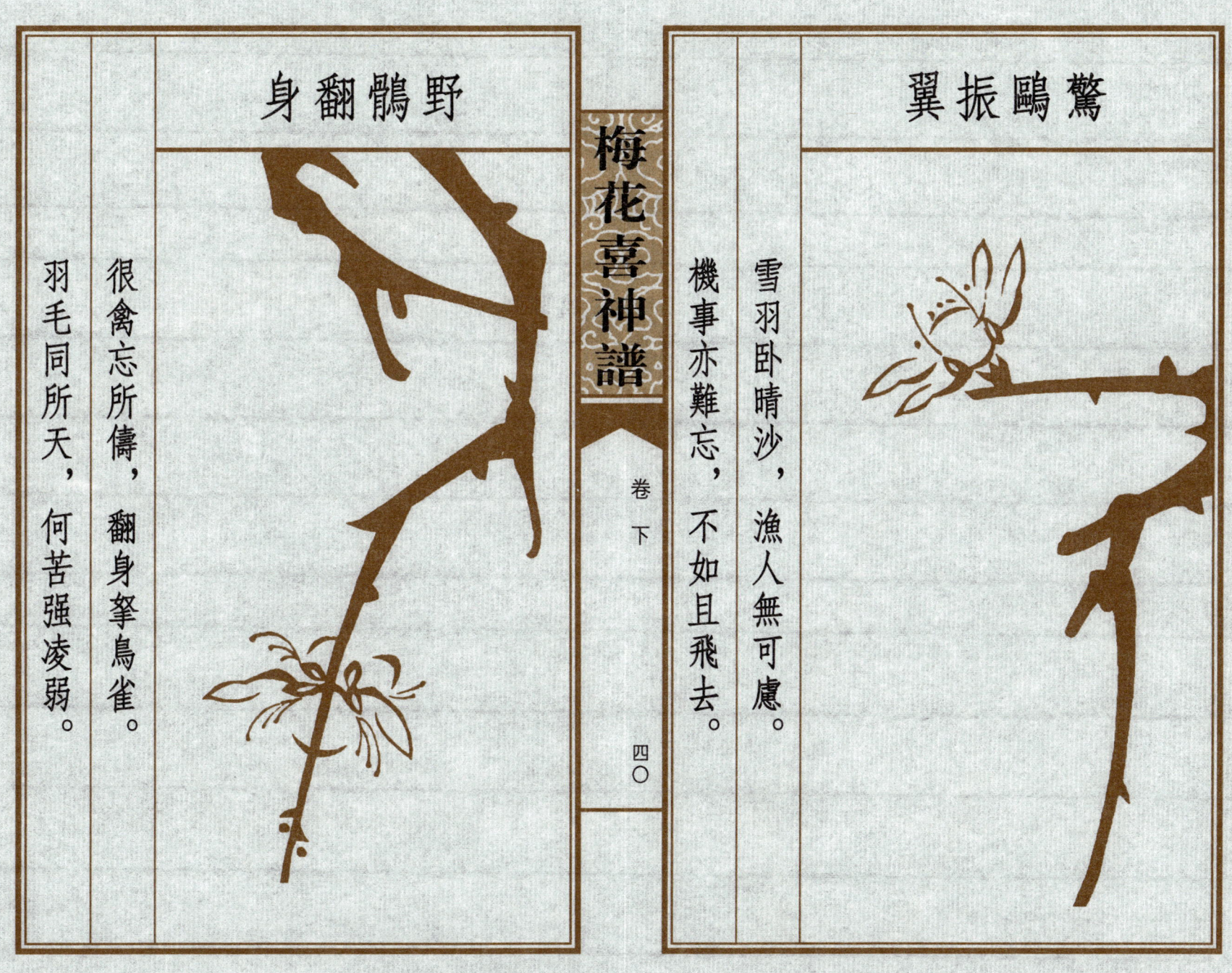

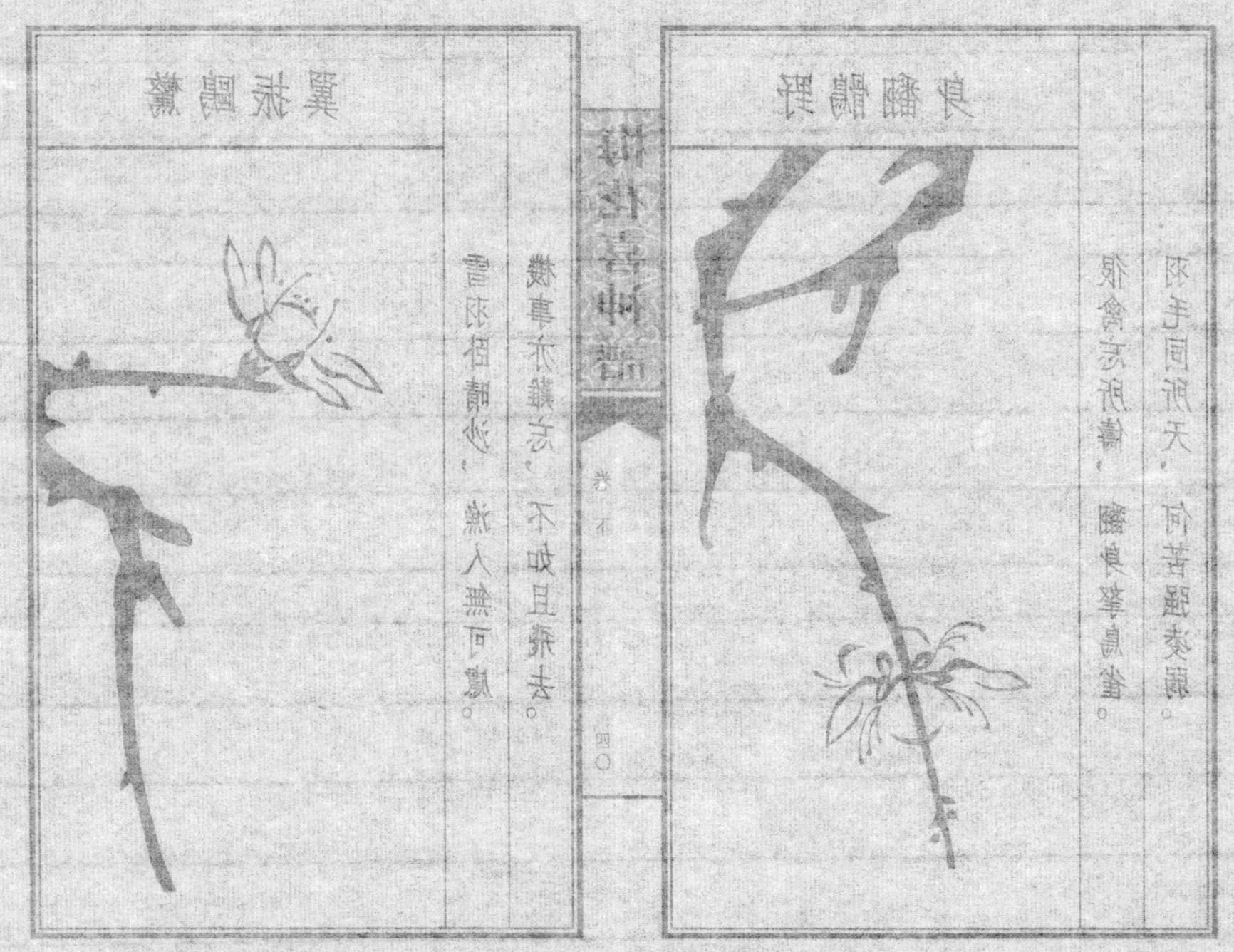

## 顧步

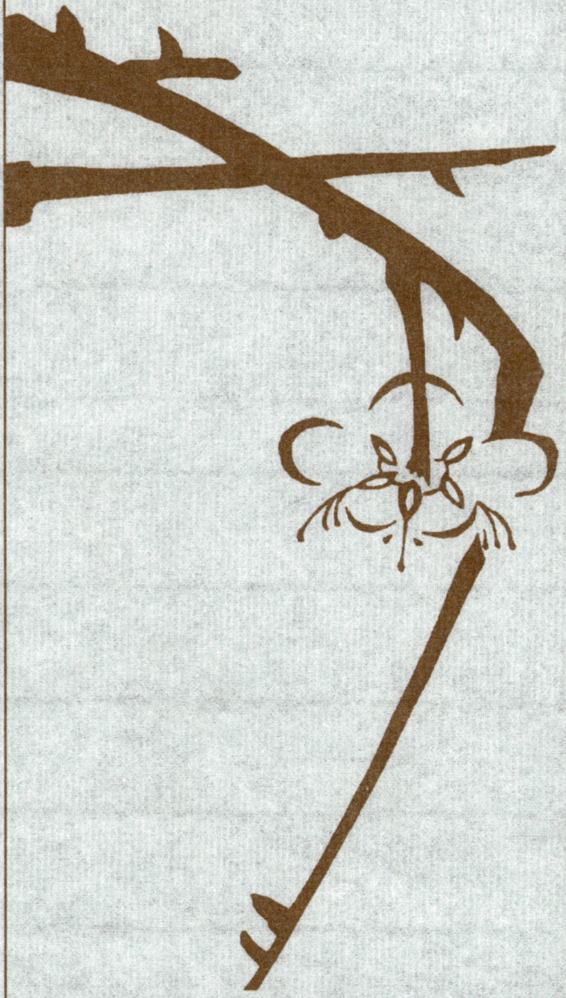

世道多巇嘘，進趨思退却。
一步一回頭，底無輕失脚。





## 掩妝

粉黛巧妝施，菱花還自照。
底事不爭妍，又恐西施笑。

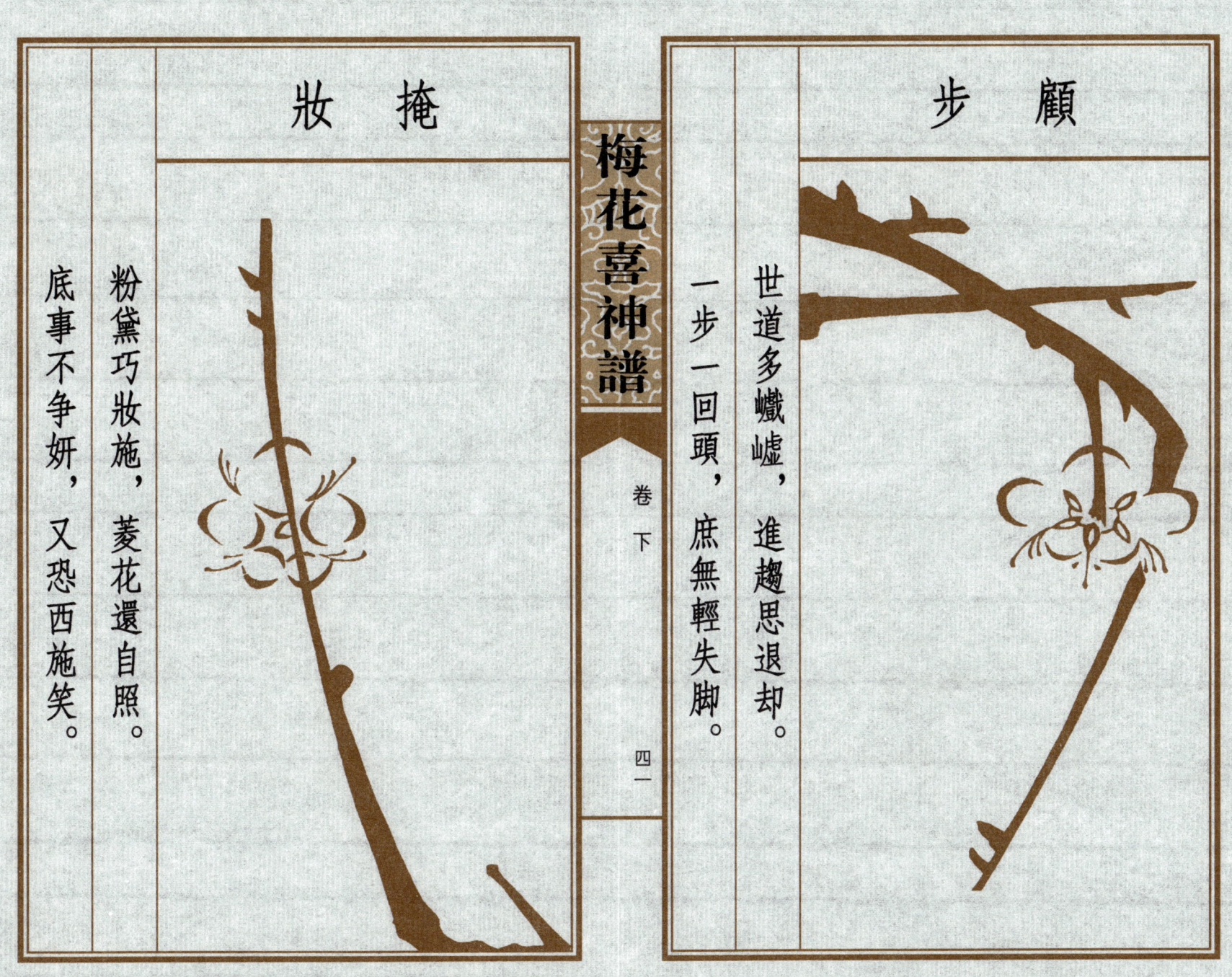

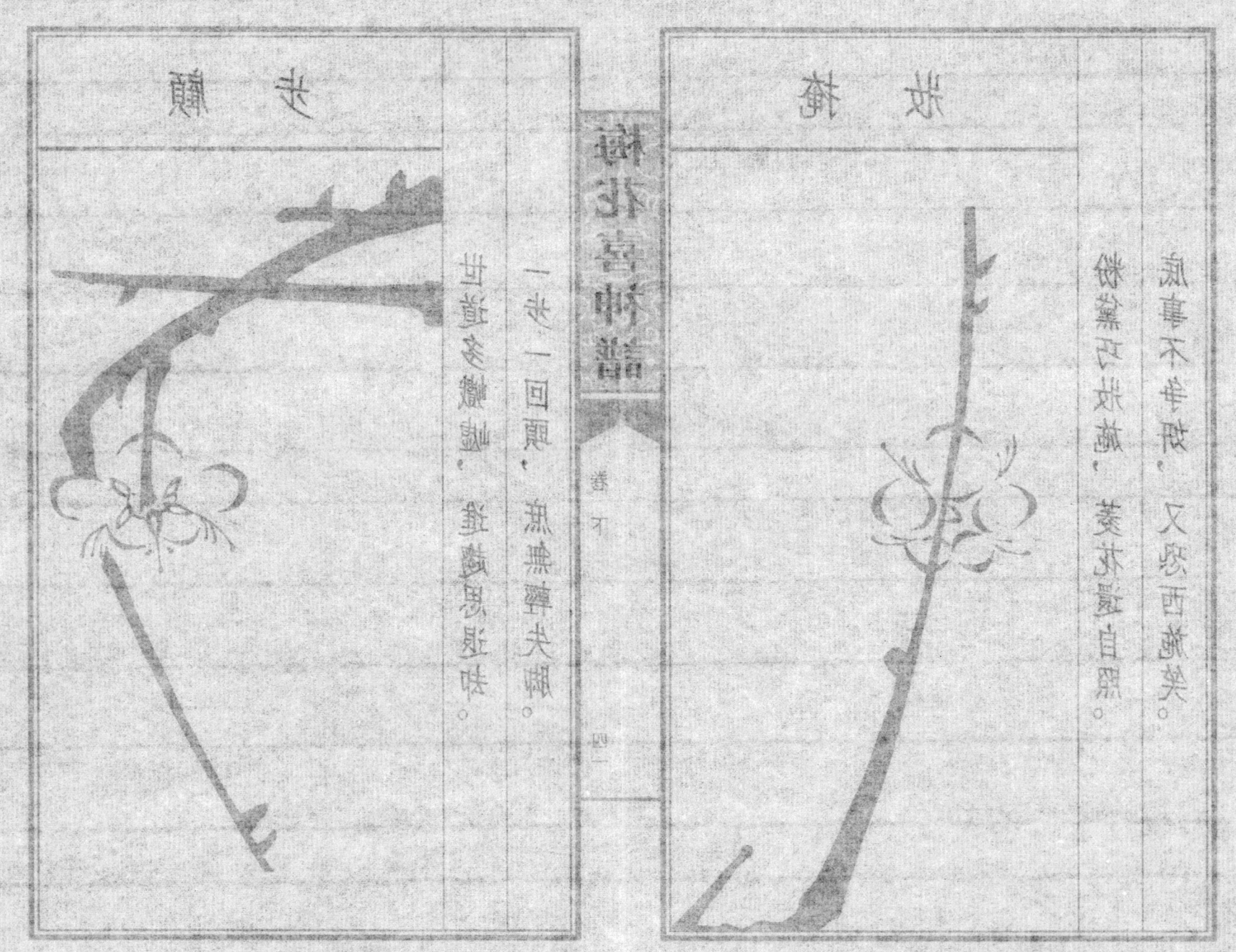

## 晴空掛月

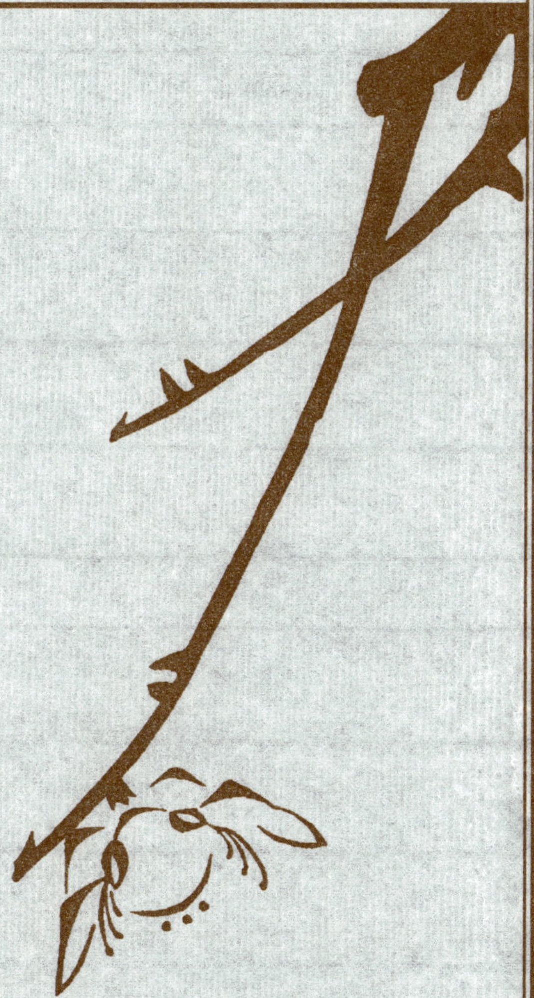

萬里收纖雲，一鉤懸碧落。
缺圓無定時，人間幾愁樂。

## 遥山抹雲

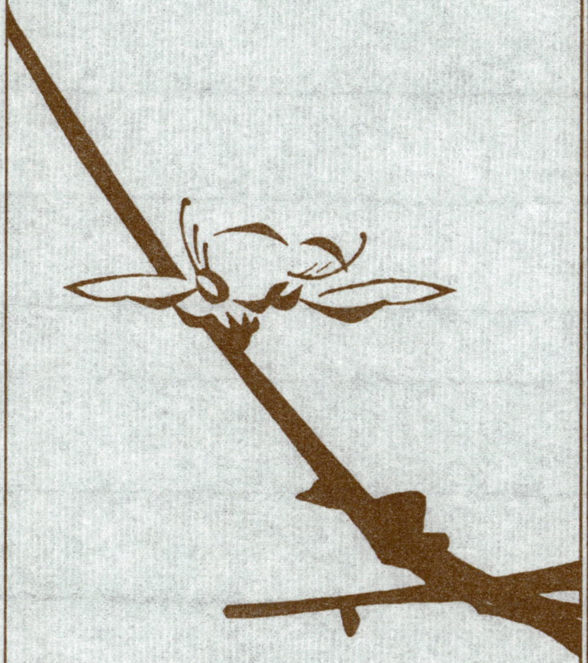

無心出岫時，山腰橫一抹。
爲霖覆手間，豈容留旱魃。

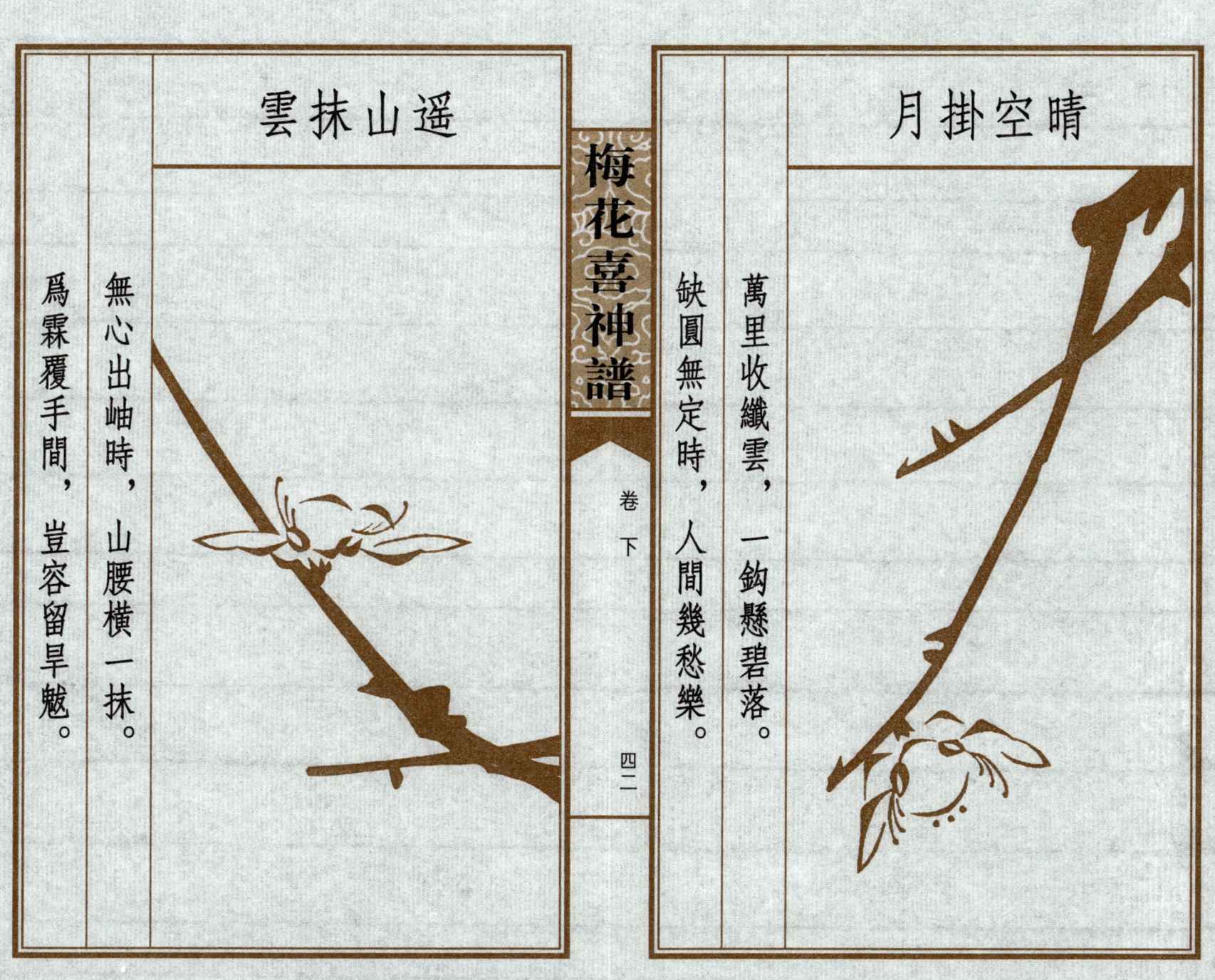

月掛空晴

萬里沒纖雲，一輪懸碧落。
缺圓無定時，人間幾悲樂。

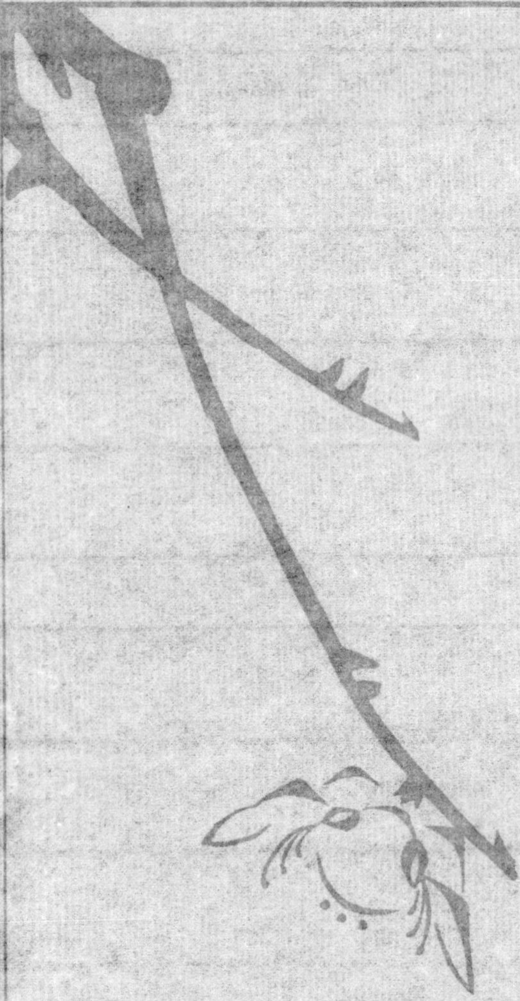

梅花喜神譜　卷下　四二

雲林山逕

無心出岫時，山腰橫一抹。
爲霖還手間，豈容留旱魃。

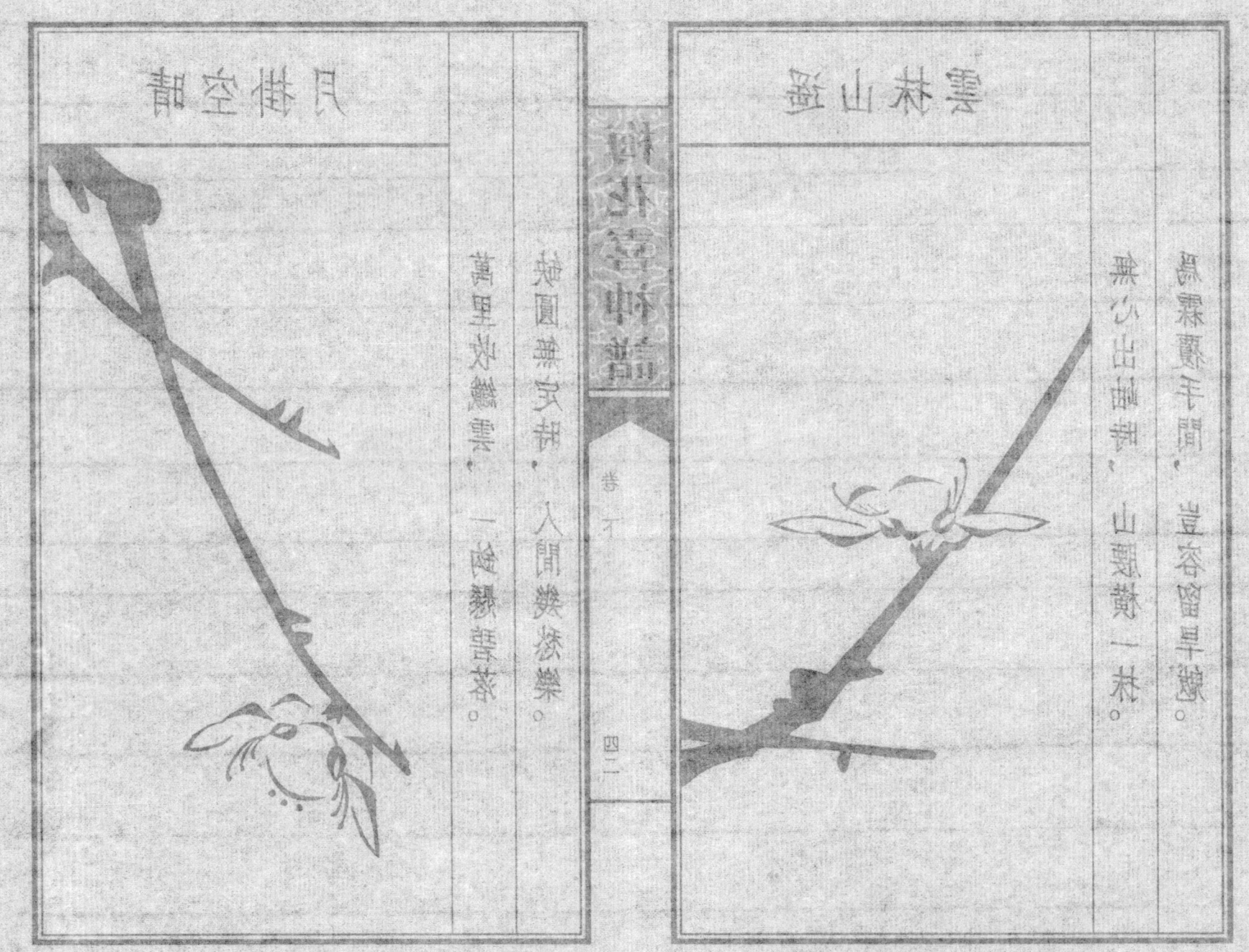

欲謝一十六枝

## 會星弁

星會飾以玉，燦燦光朝儀。
重臣頭似雪，左右應皐夔。

## 漉酒巾

爛醉是生涯，折腰良可慨。
欲酒對黃華，烏紗奚足愛。

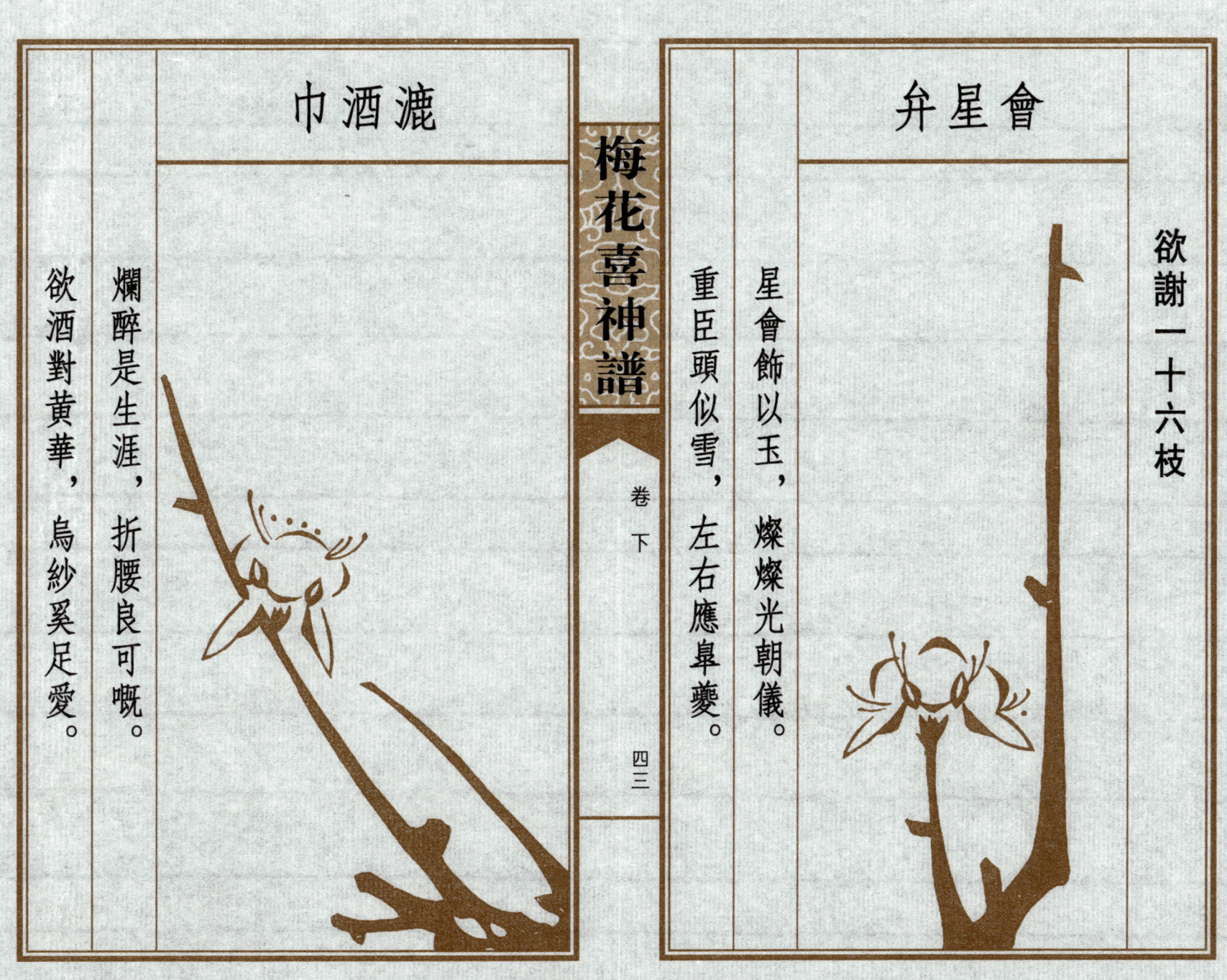

欲謝一十六枝

弁星會

重臣頭似雪，左右瞻皐夔。
星會輪以王，燦燦光朝儀。



巾酒灑

欲酒對黃華，高談美只愛。
爛醉是生涯，折腰良可愧。

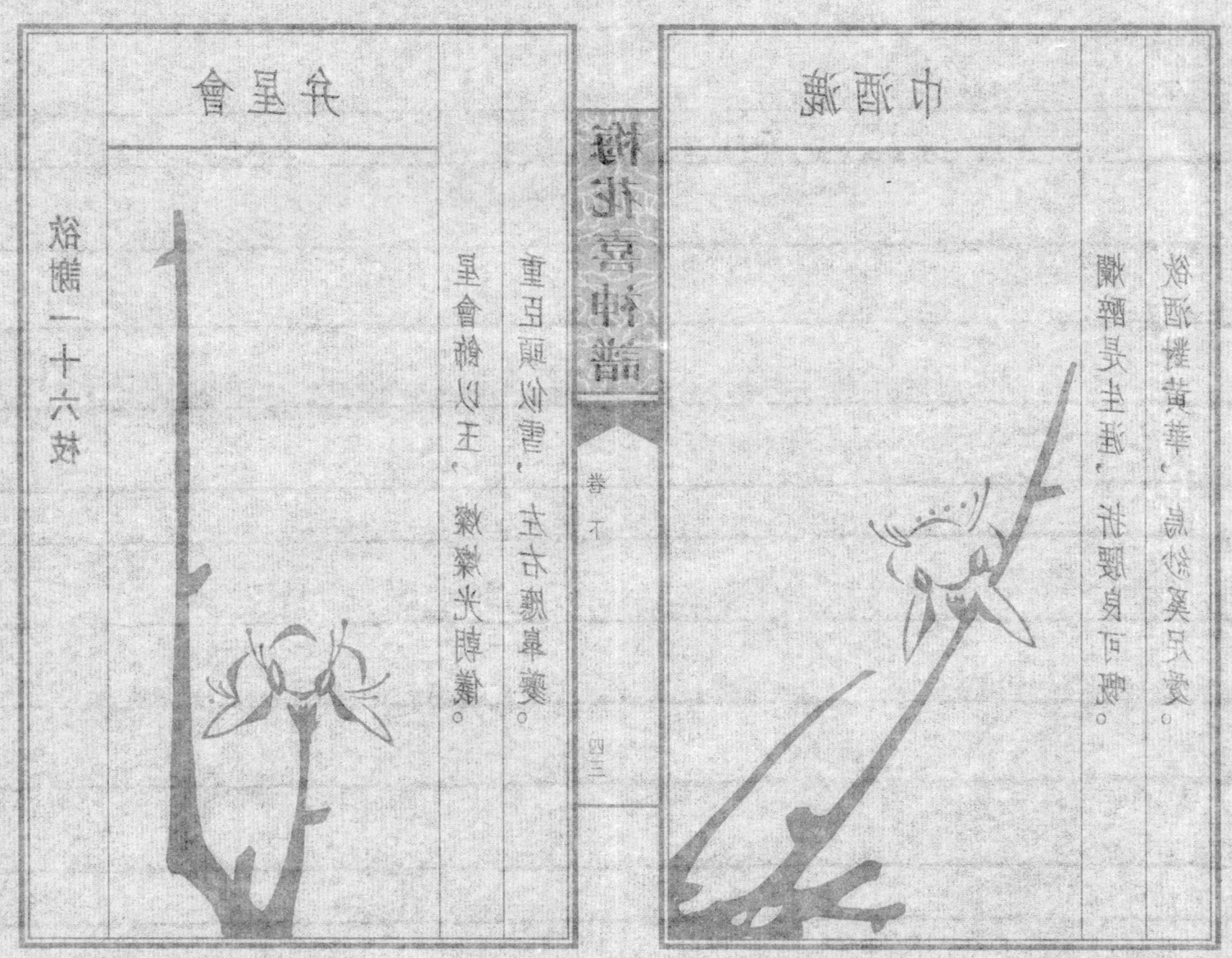

## 抱葉蟬

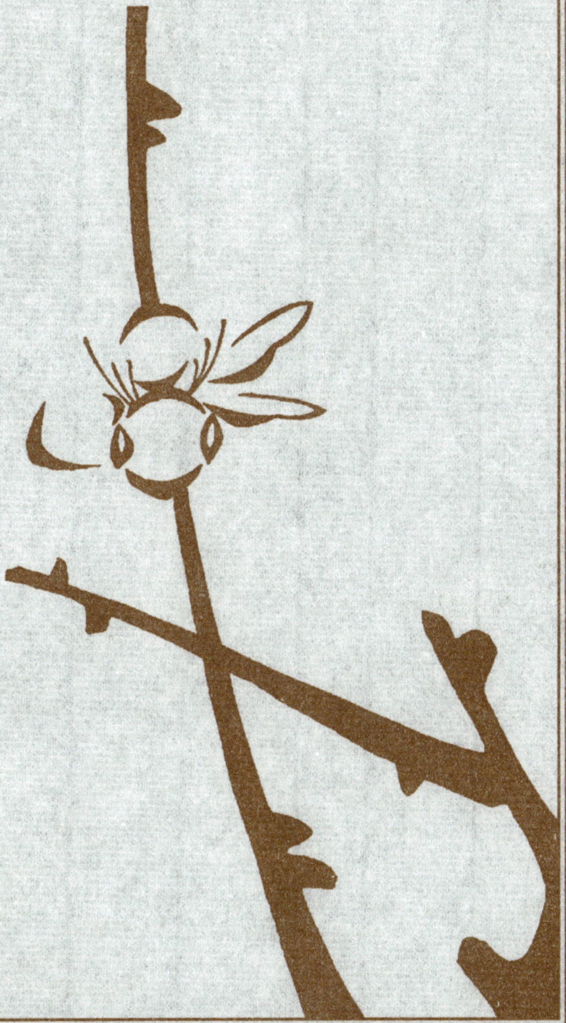

槐柳午陰濃，淒涼聲愈健。
飲露已成仙，孰云齊女怨。

## 穿花蝶

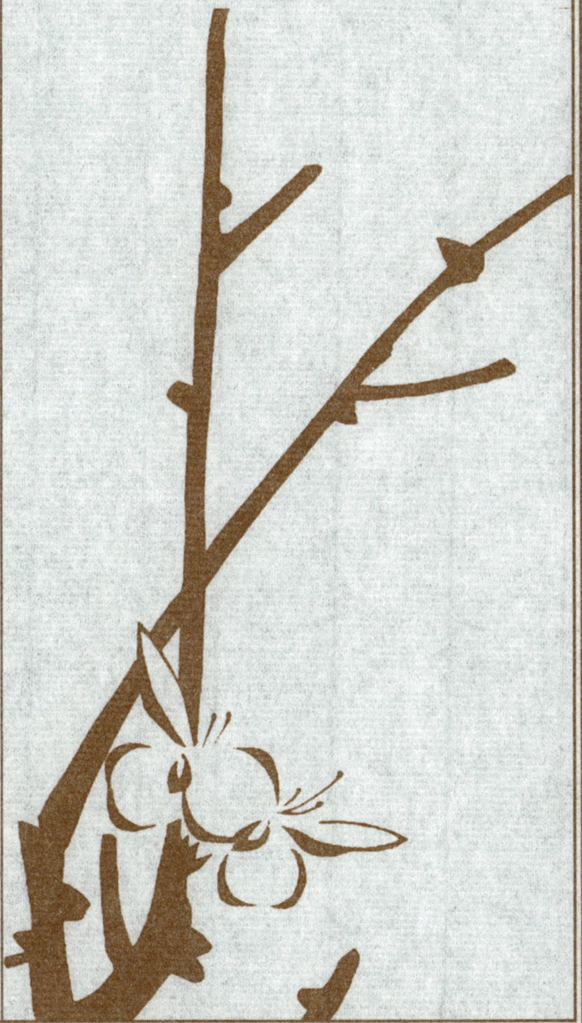

一夢在人間，東風吹不覺。
莊周鴻冥冥，胡戀花枝巧。

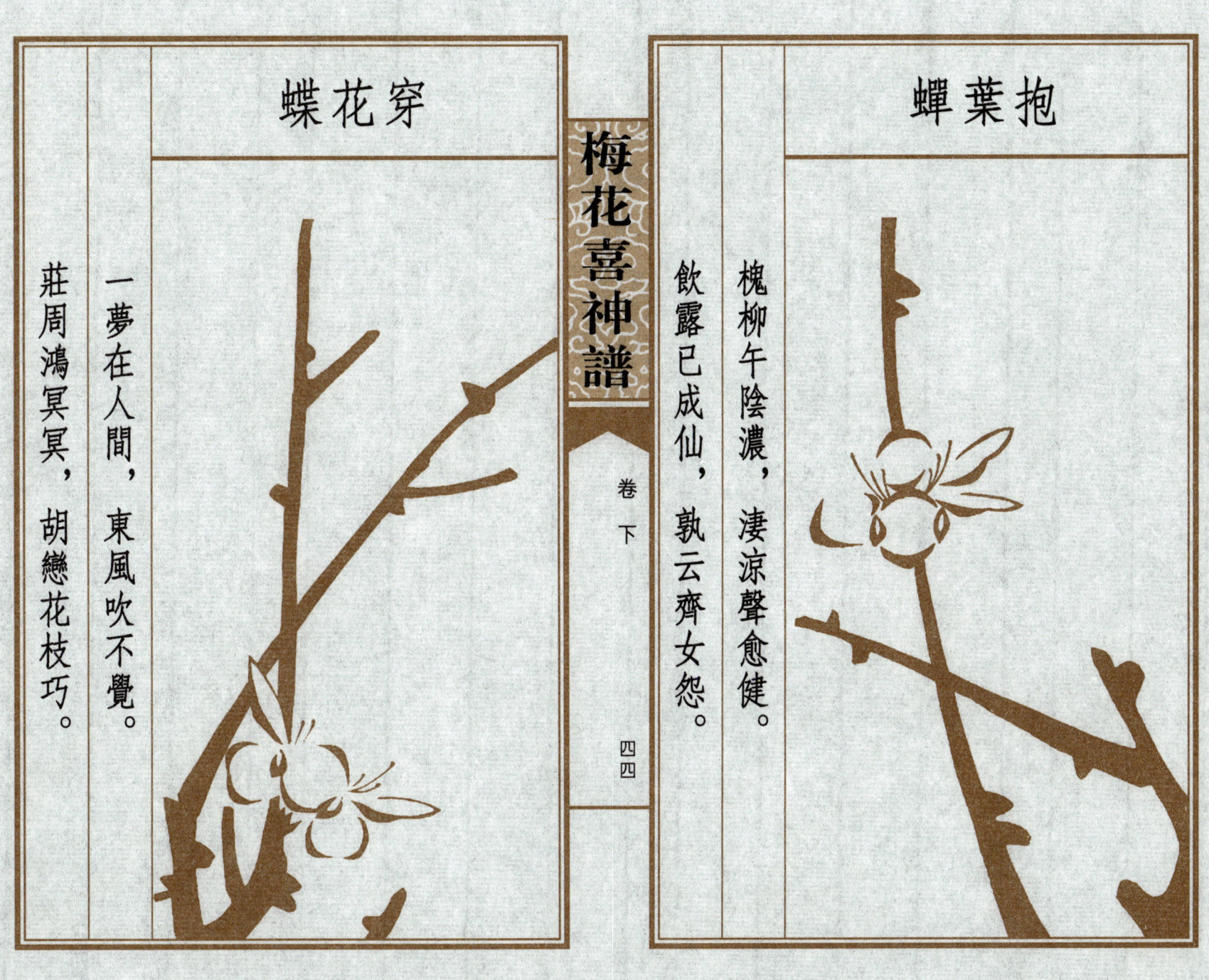

## 抱葉蟬

飲露已成仙，孰云齊女怨。
槐柳千條濃，淒涼聲愈健。

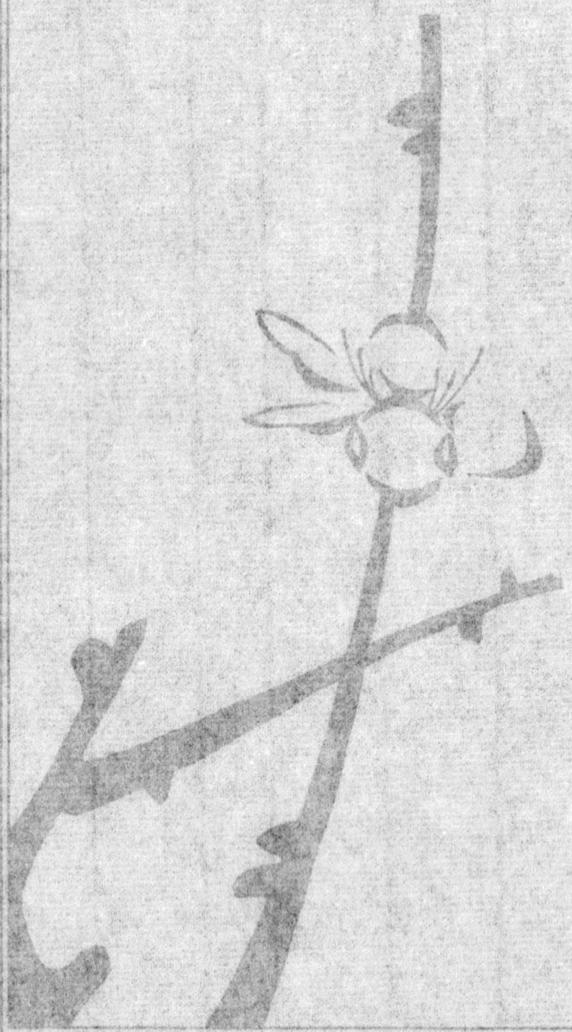

## 穿花蝶

莊周滿冥冥，胡蝶花枝巧。
一夢在人間，東風吹不覺。

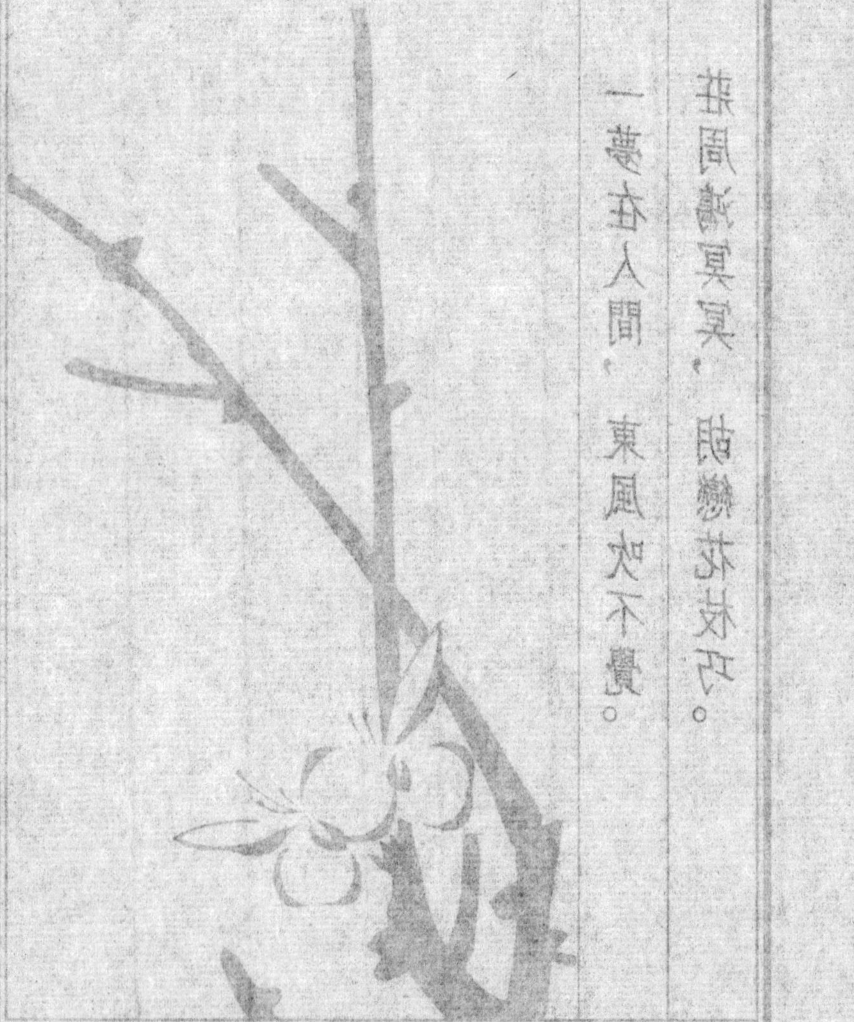

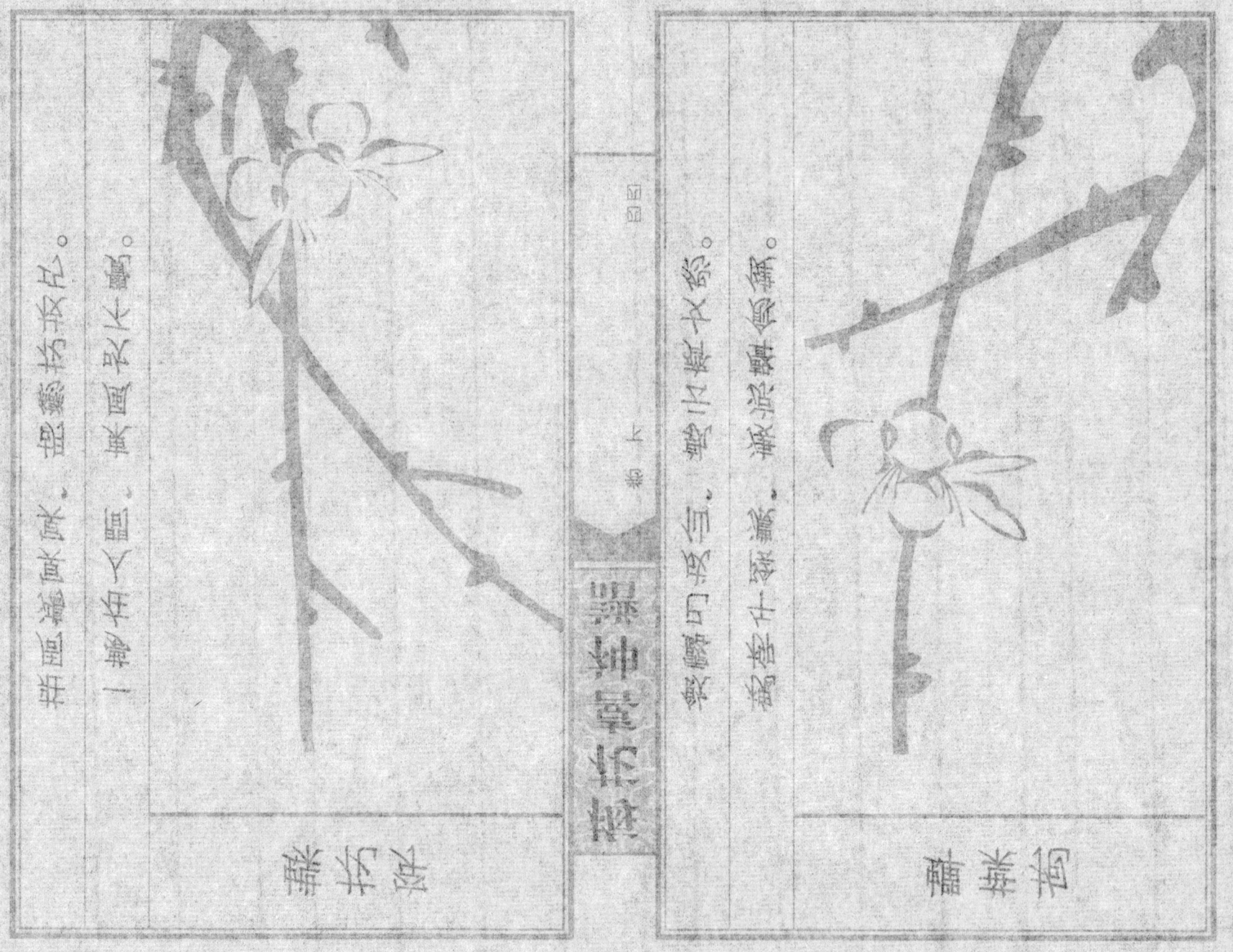

## 暮雀投林

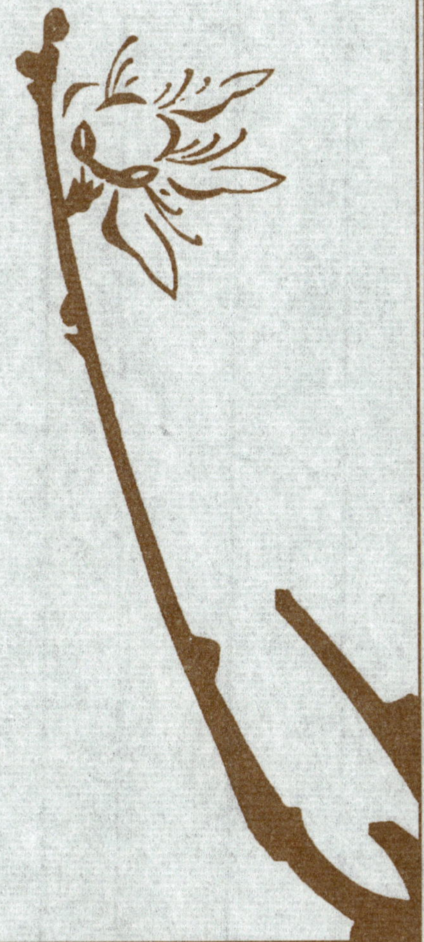

倦翼已知還，投林謀夜宿。
弋宿無容心，機深未爲福。

## 寒烏倚樹

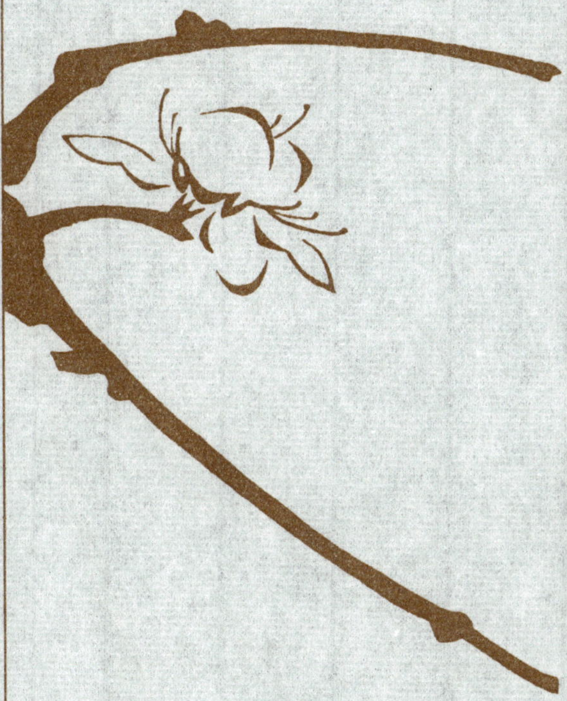

人好烏亦好，寒枝不輕踏。
月明如可依，飛繞猶三匝。

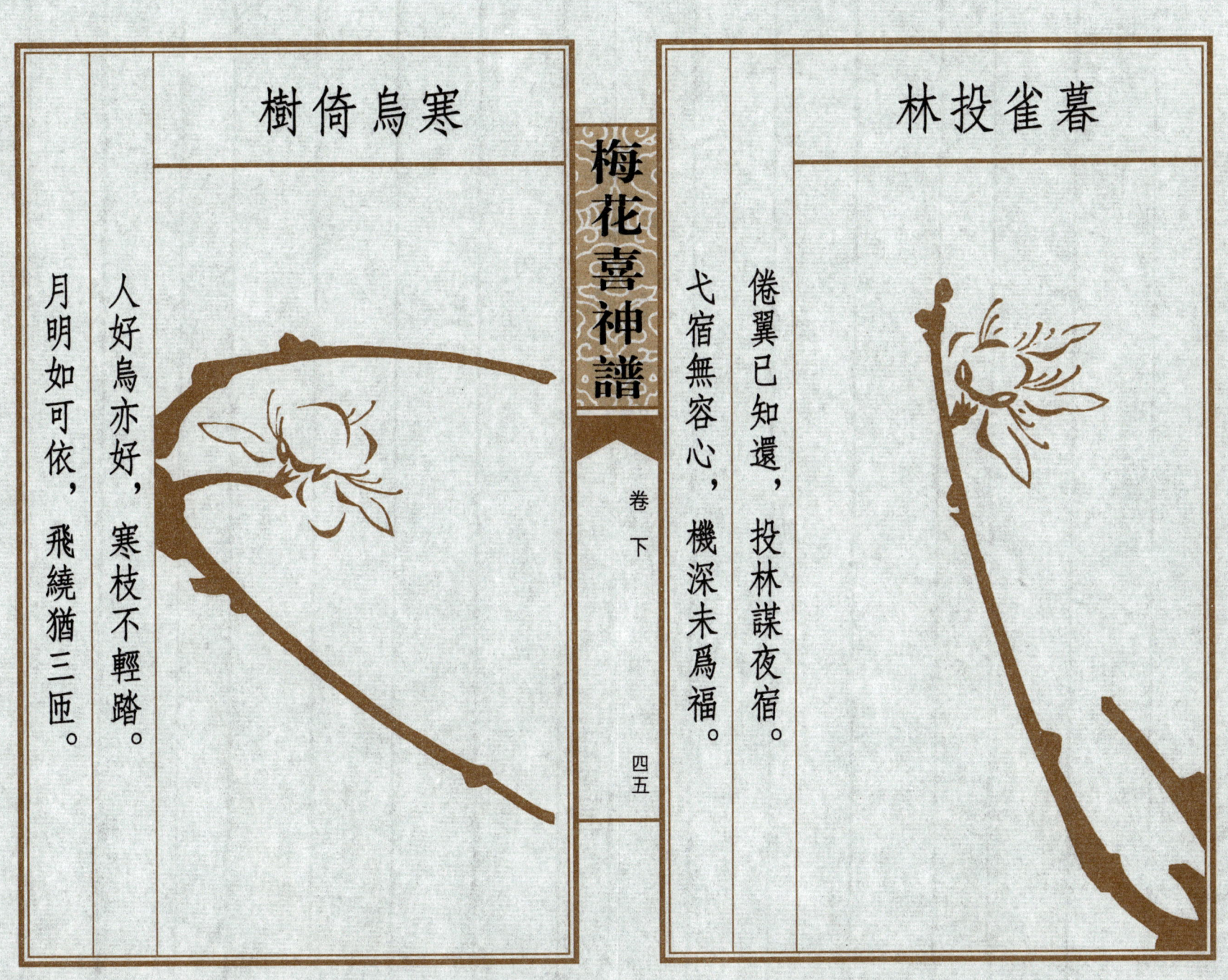

## 暮雀投林

夕宿無容心，機深未爲福。
倦翼已知還，投林謀夜宿。

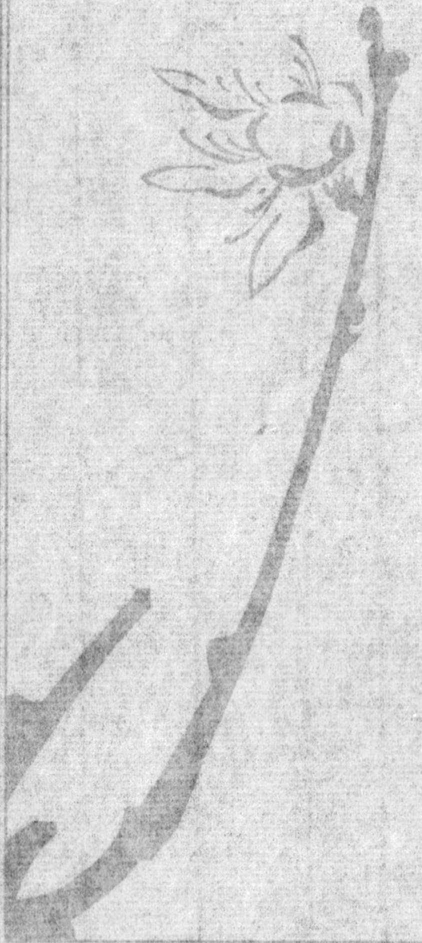

## 寒鳥倚樹

月明如可依，飛繞猶三匝。
人好鳥亦好，寒枝不輕踏。

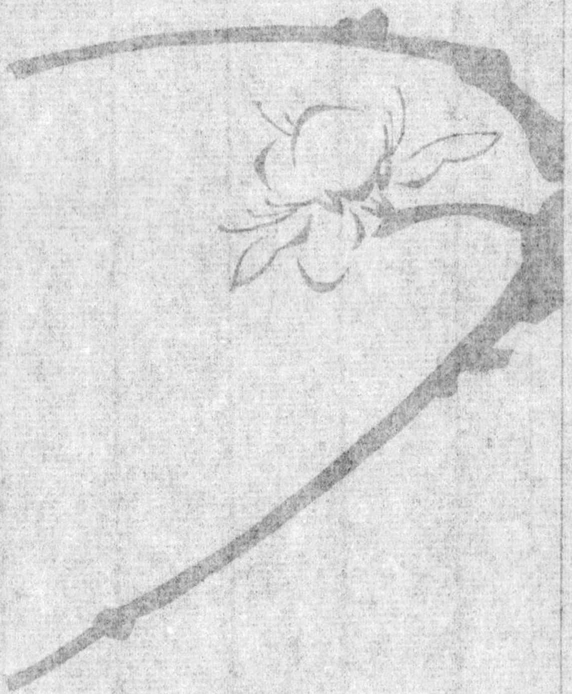

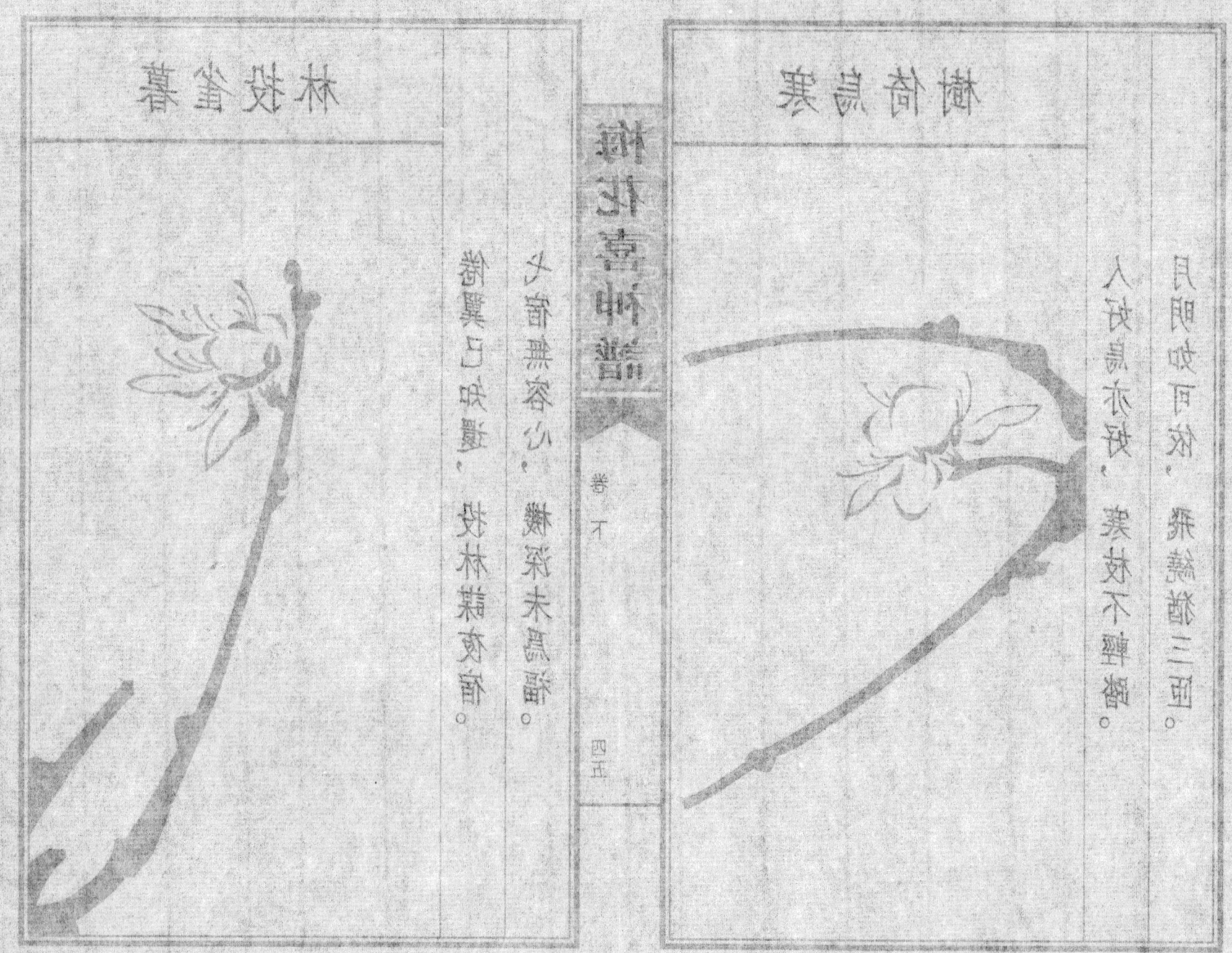

## 舞袖

舞處更宜長，十笋藏纖指。
脱得戲衫時，方知有斢底。

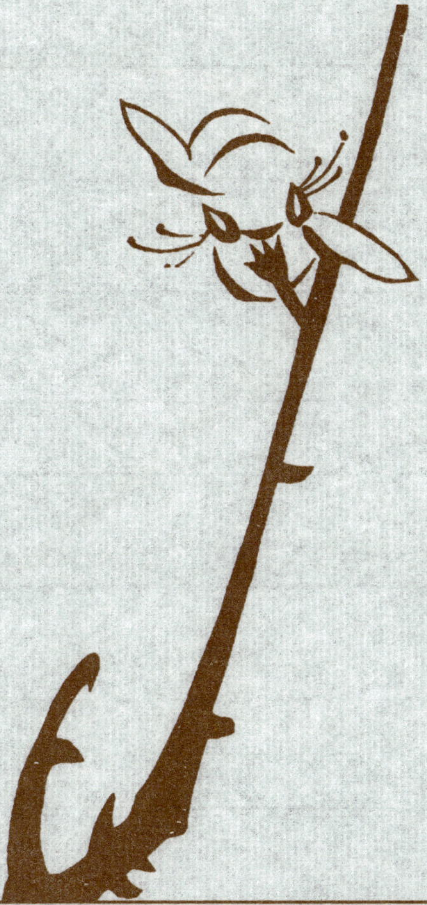

## 弄鬢

絲絲絲共白，歷遍風霜寒。
君王豈輕剪，欲療將軍安。

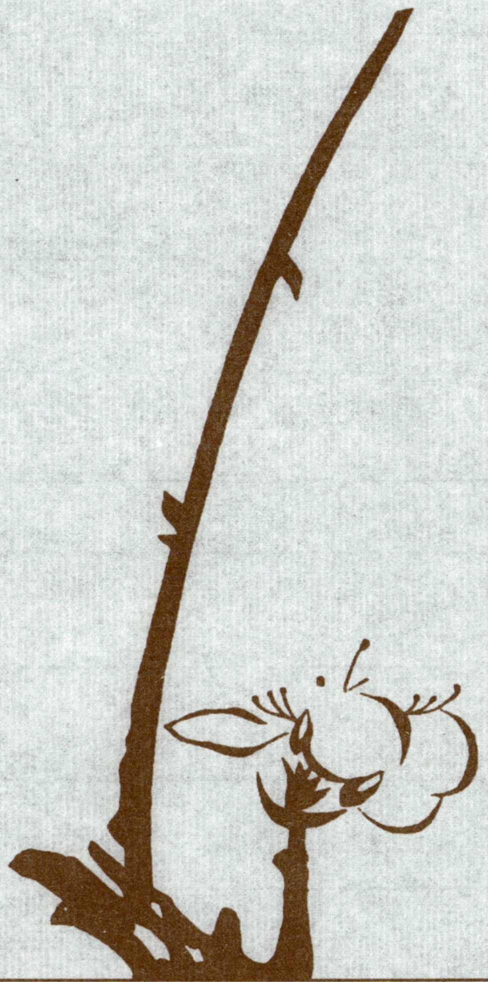

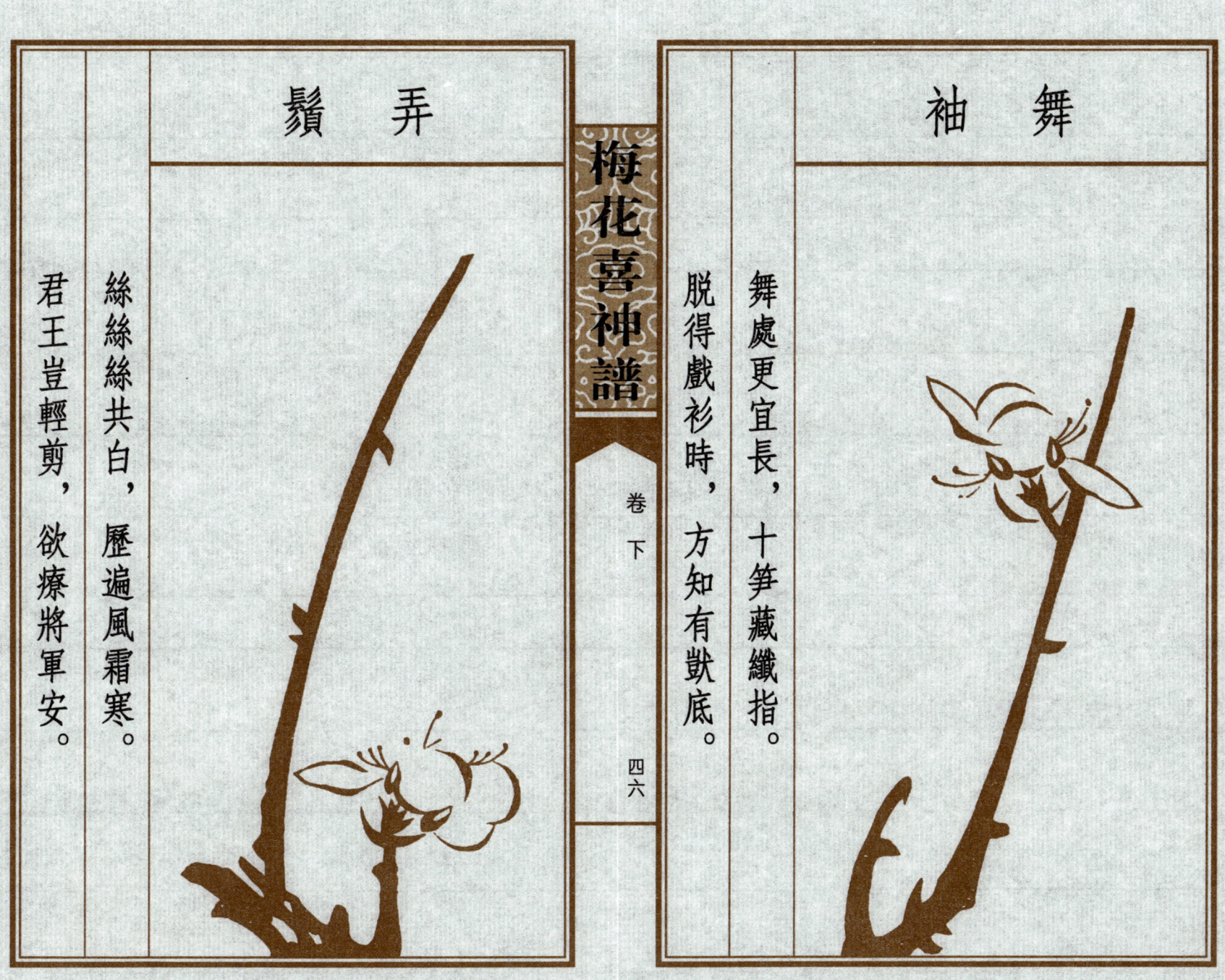

舞袖

脫得纖衫時，方知有跋痕。
舞處更宜長，十拜藏纖指。

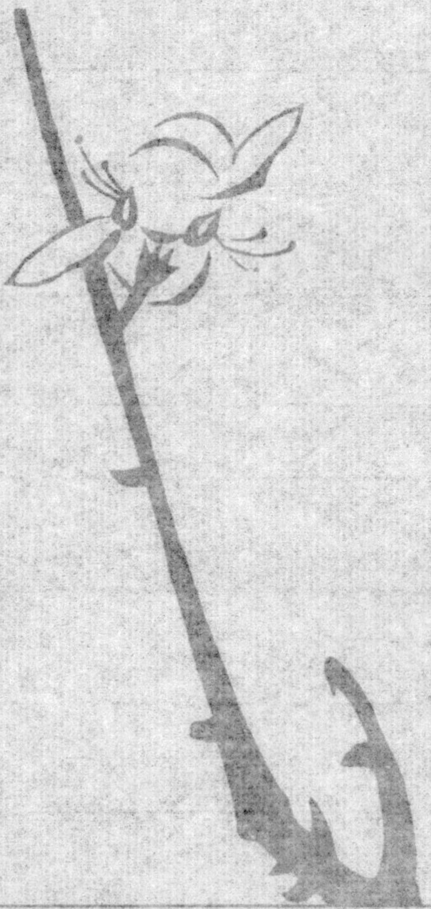

弄鬢

君王豈輕薄，欲擬將軍安。
絲絲絲共白，應遍風霜寒。

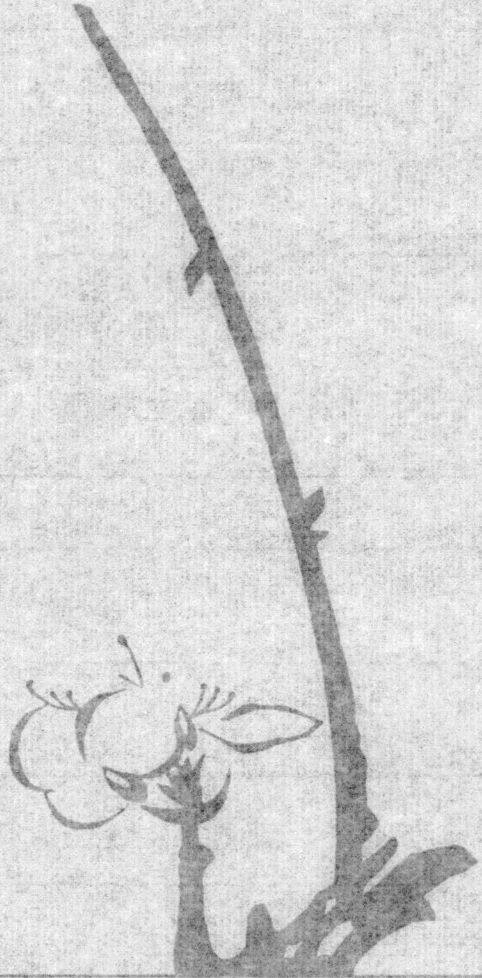

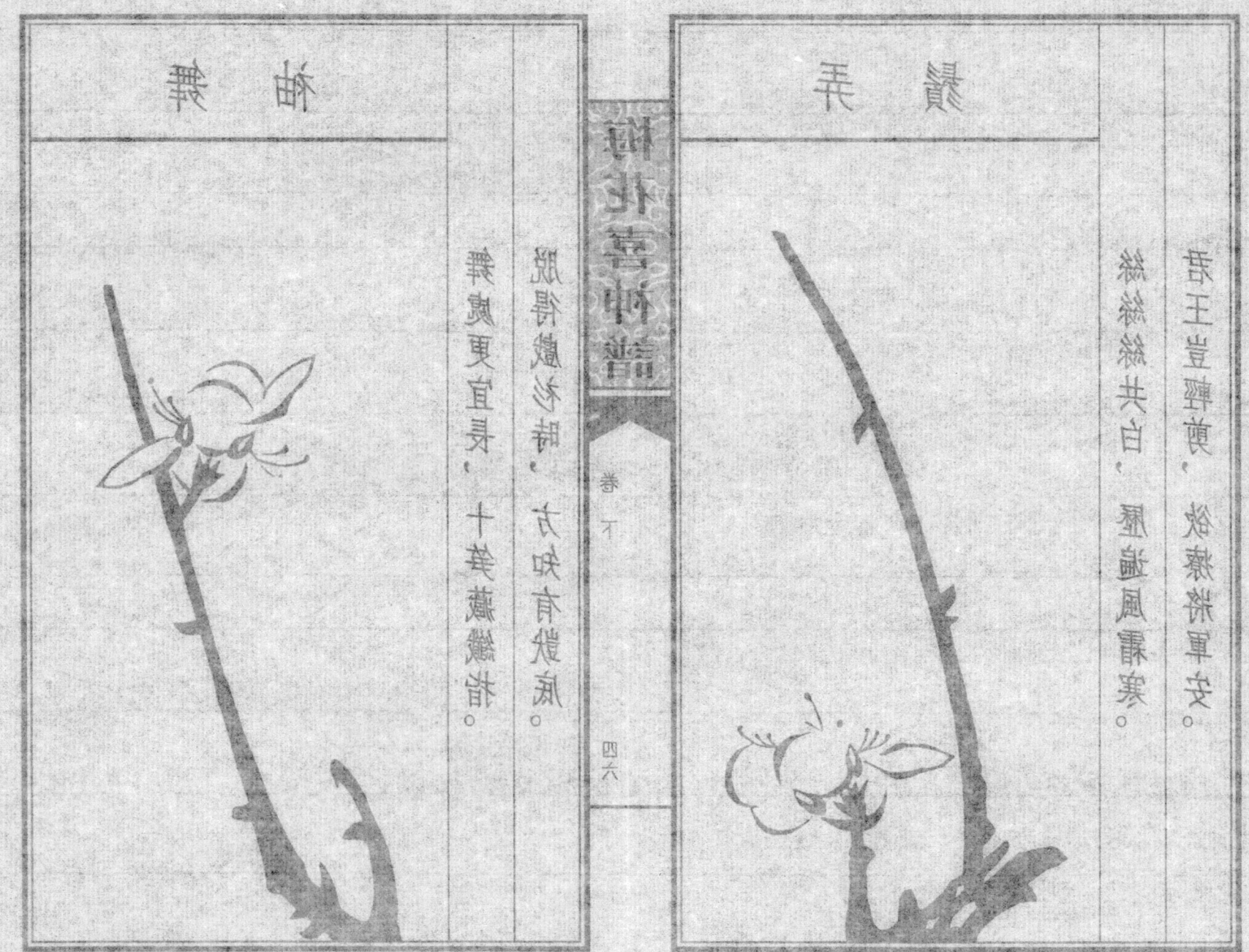

## 鶯擲柳

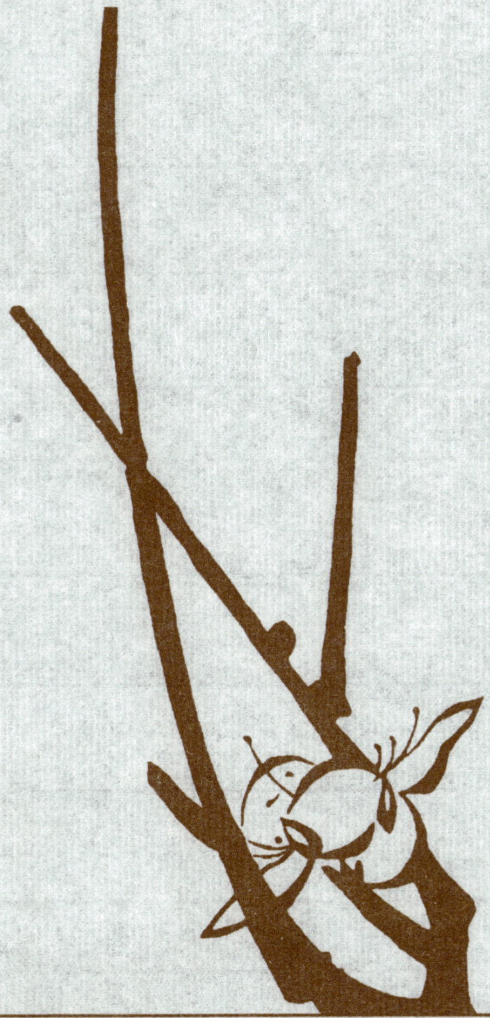

金梭抛翠絲，東風弄晴晝。
求友不須鳴，緑窗人倦繡。

## 鶻乘風

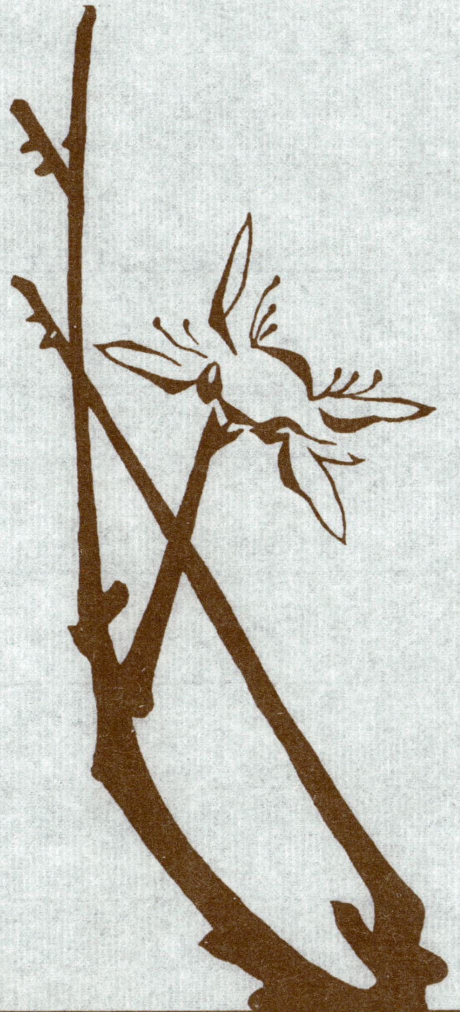

怒翮摩青天，秋風真得意。
可憐烏鵲儔，一枝聊自寄。

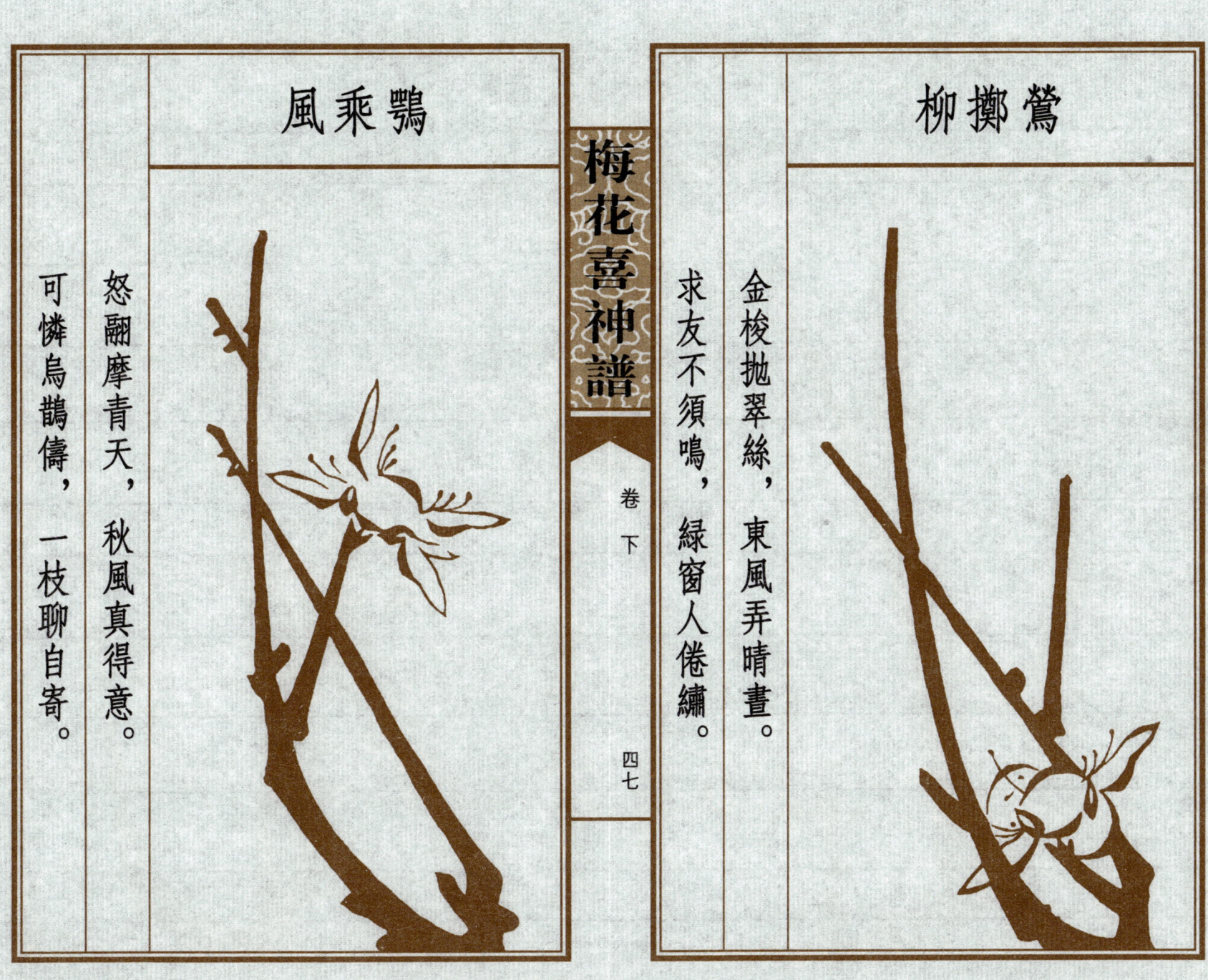

## 鶯擲柳

金梭拋翠絲，東風弄晴晝。
求友不須鳴，綠窗人倦繡。

梅花喜神譜　卷下　四七

## 鷁乘風

可憐烏鵲僊，一枝聊自寄。
忽翻摩青天，秋風真得意。

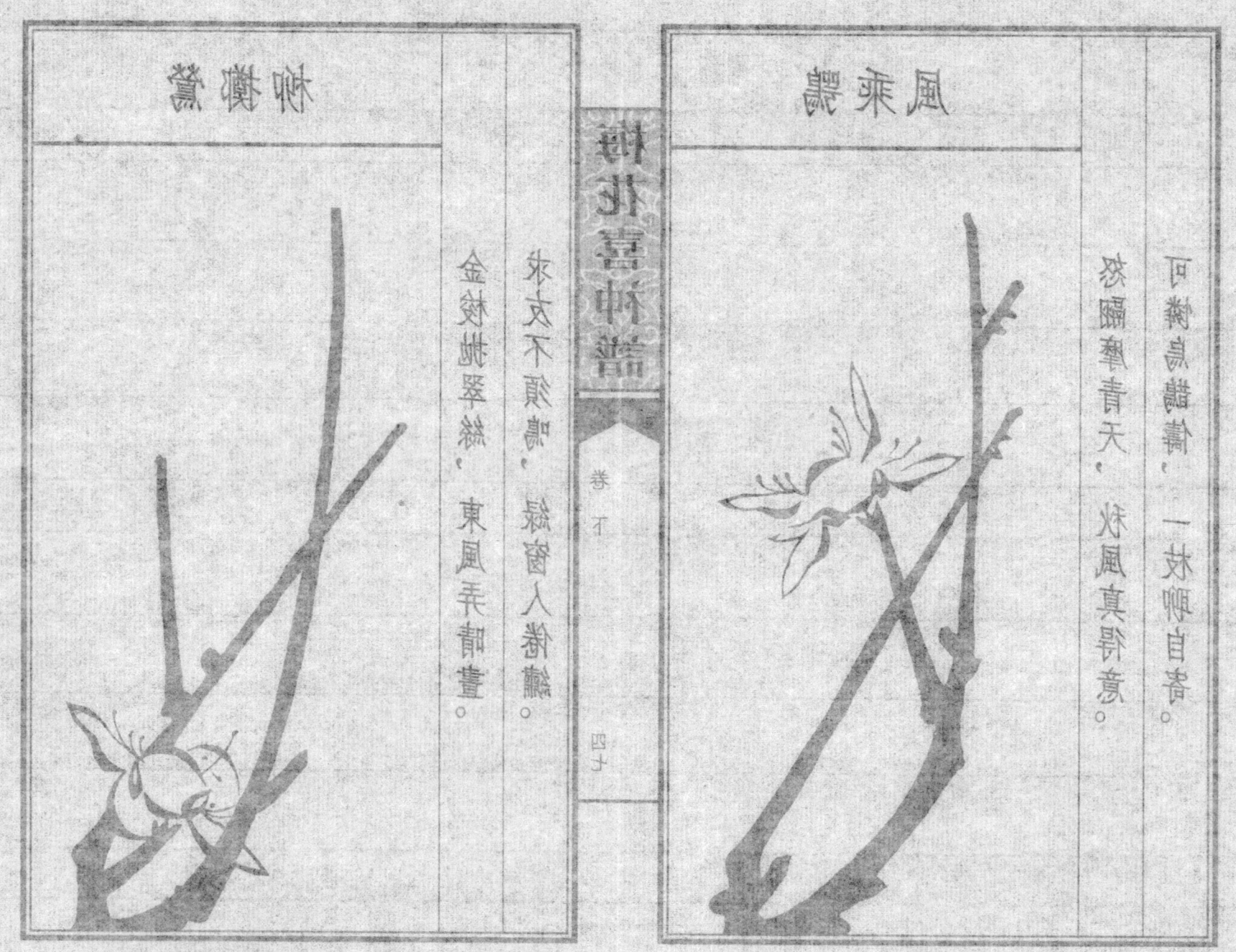

## 頂雪

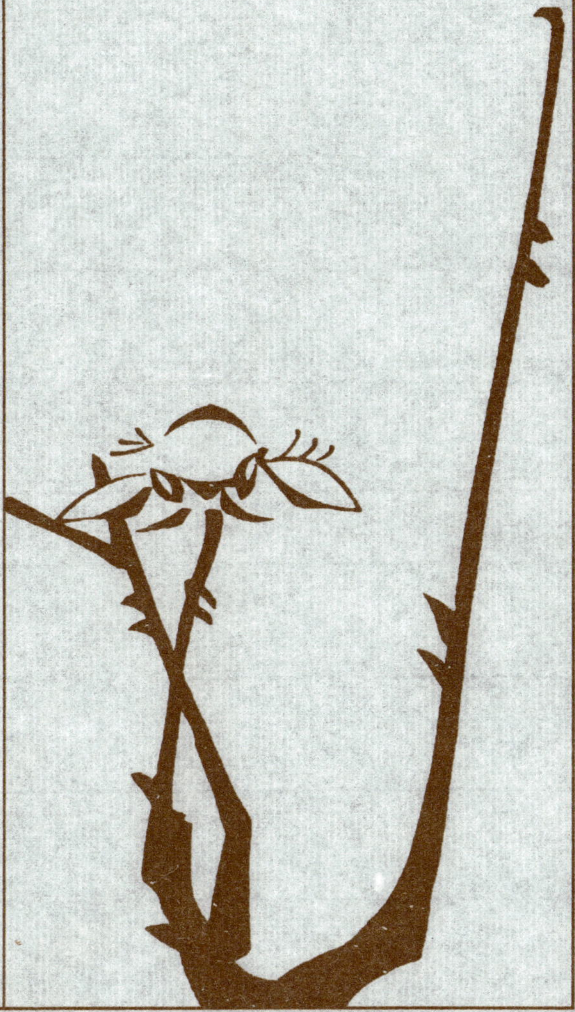

滕六雨天花，南枝香鬬白。
瓊玉兩模糊，冷笑從君索。

## 敧風

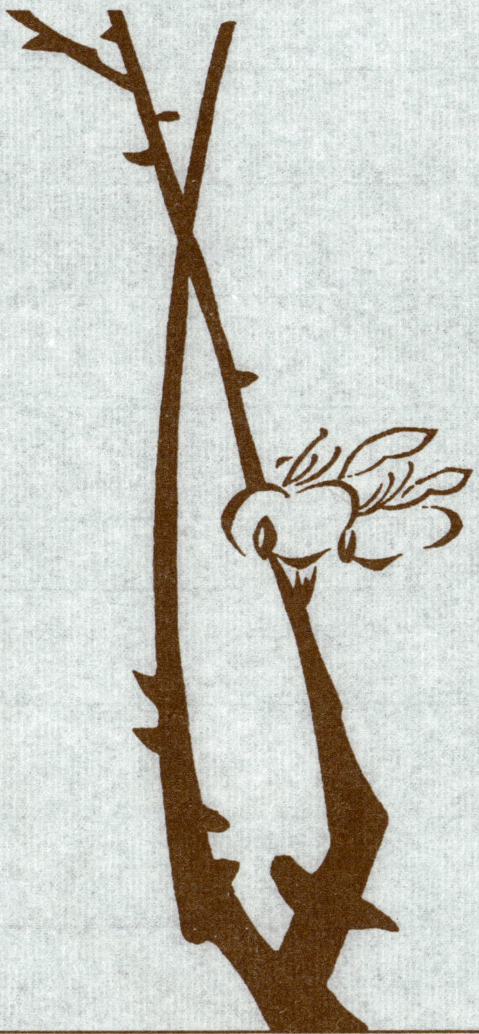

暗香從何來，寒飈爲輕扇。
東君須護持，莫點宮妝面。

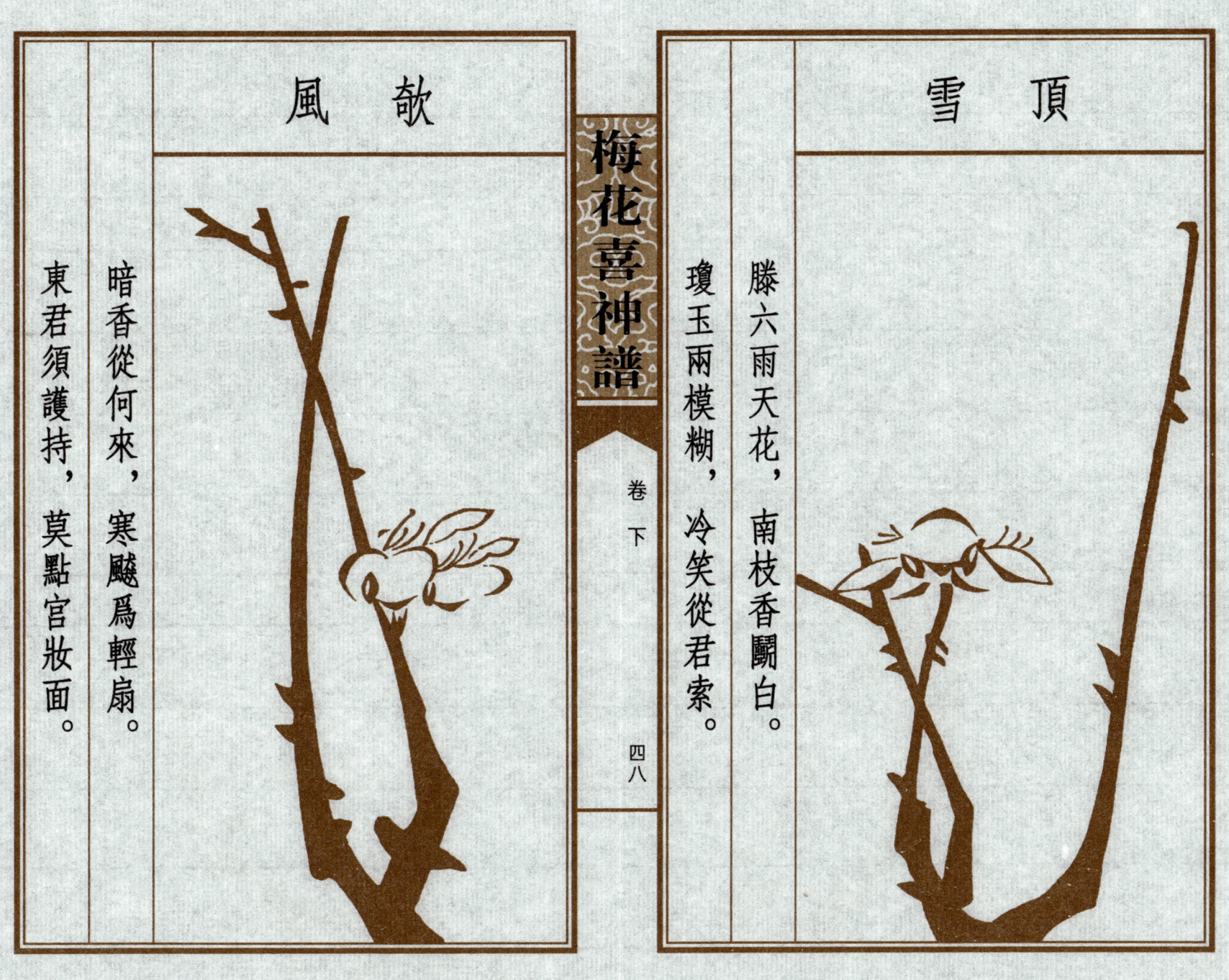

## 頂雪

瓊王兩模糊，冷笑從君索。
滕六雨天花，南枝香鬭白。

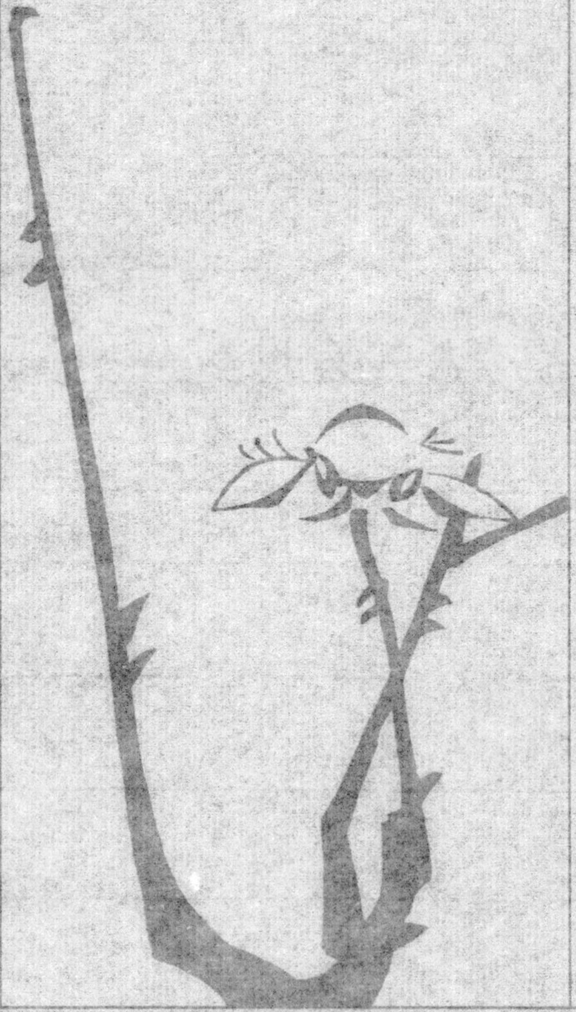

## 欹風

東君須護持，莫點宮妝面。
暗香從何來，寒飇爲輕扇。

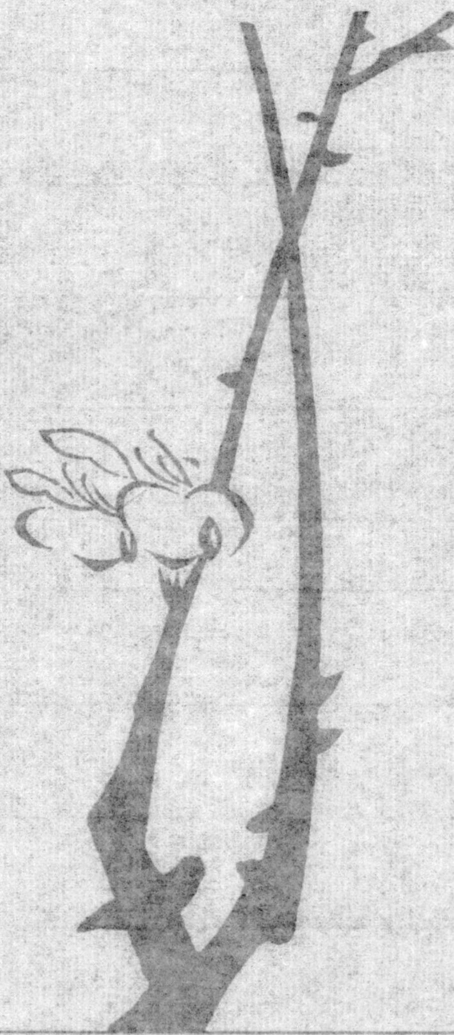

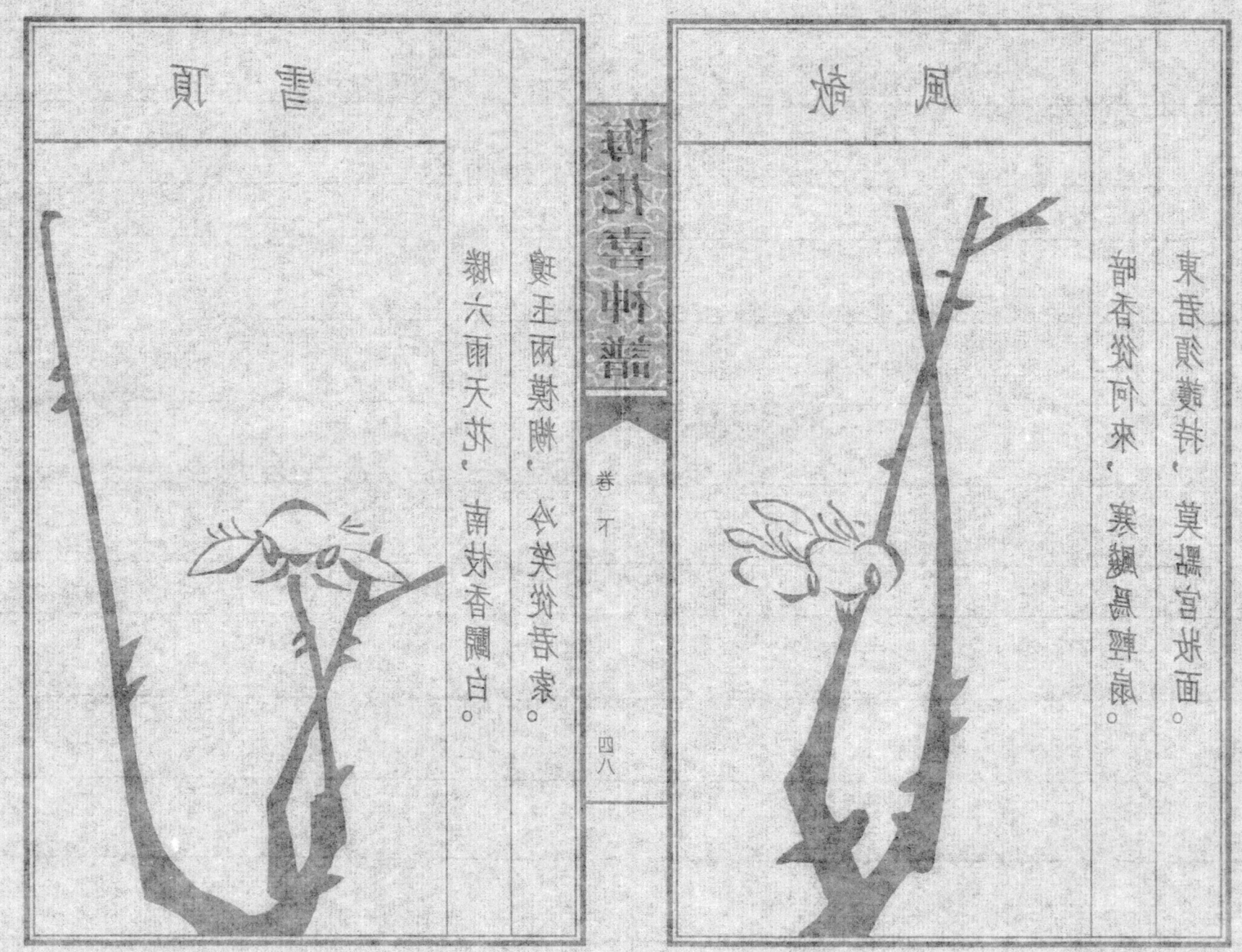

## 蜻蜓欲立

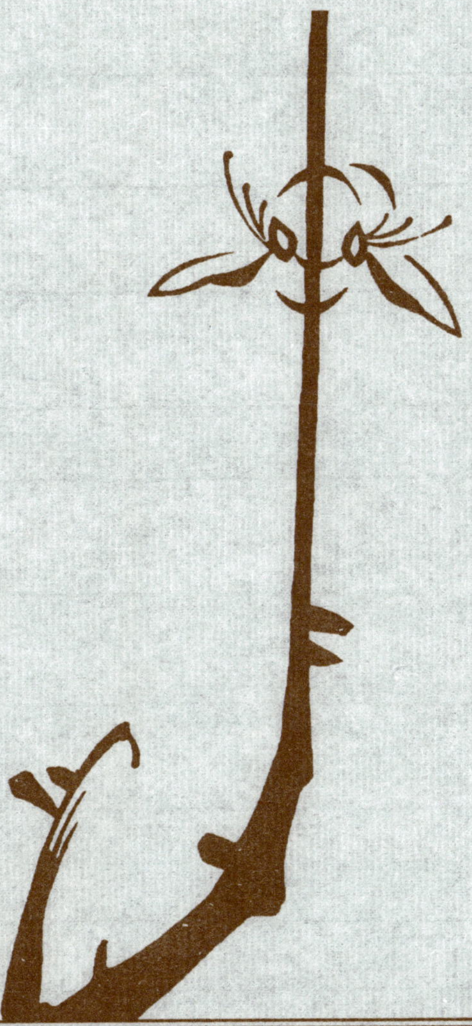

四翼薄於紗，纖塵不相着。
只在釣絲邊，漁翁素盟約。

## 螳螂怒飛

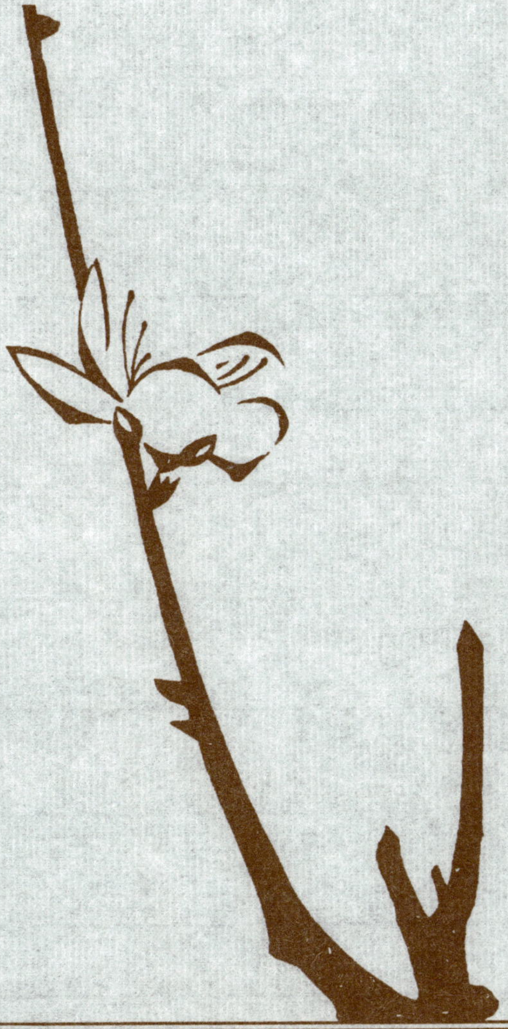

我臂不能固，捕蟬非所宜。
蟬琴聲未怯，黃鳥窺高枝。

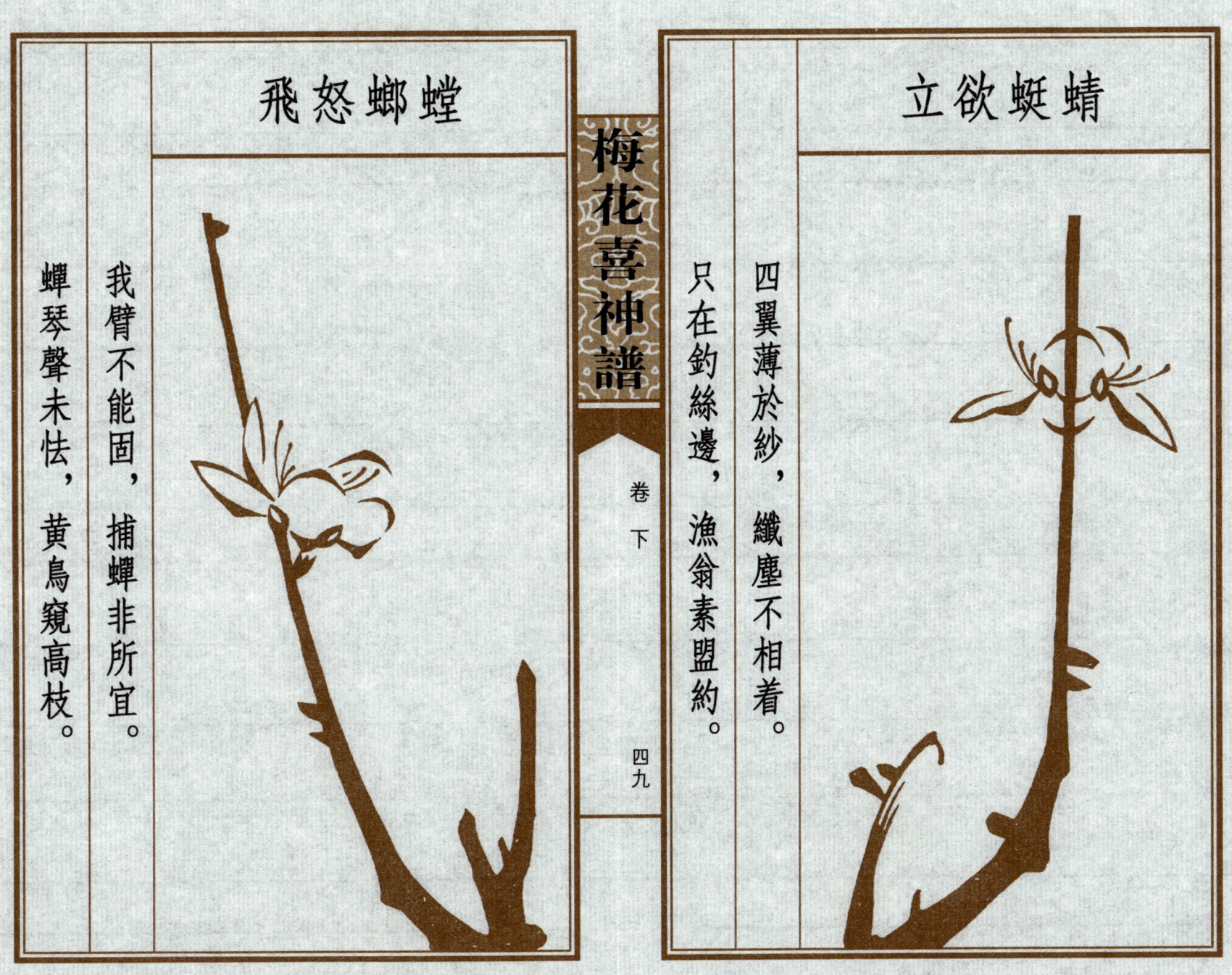

## 蜻蜓欲立

四翼薄於紗，纖塵不相着。
只在釣絲邊，漁翁素盟鷺。

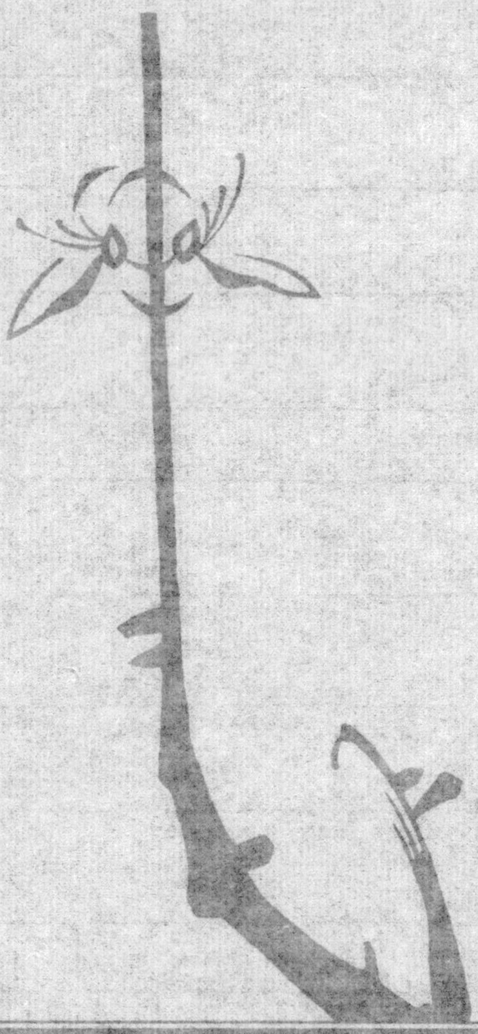

## 螳螂欲飛

我臂不能固，捕蟬非所宜。
蟬琴聲未歇，黃鳥竊高枝。

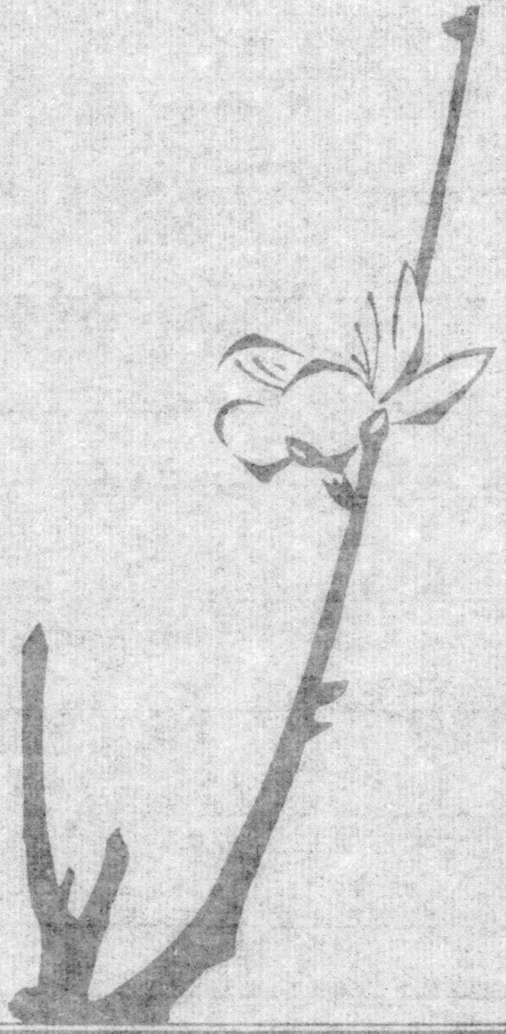

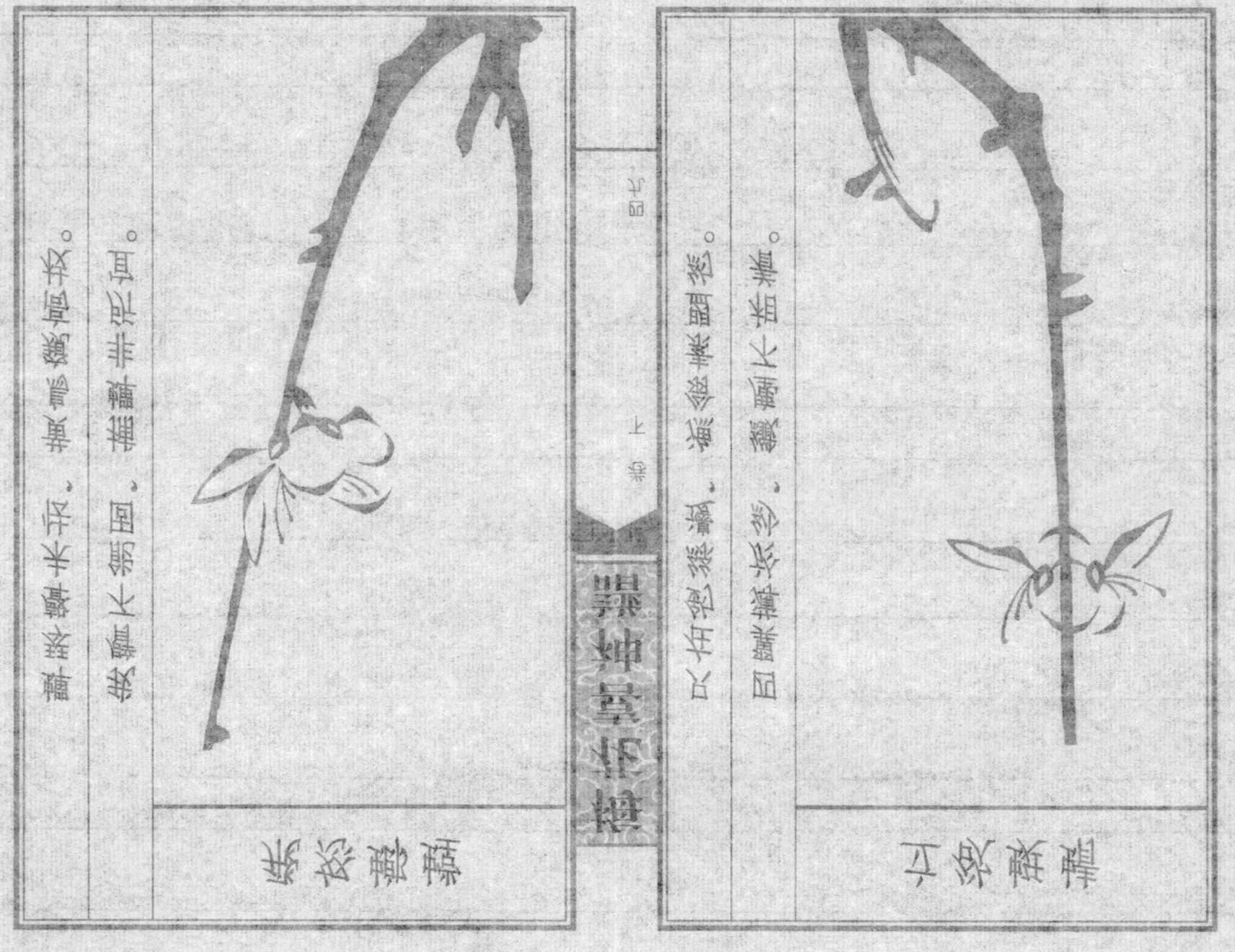

## 喜鵲搖枝

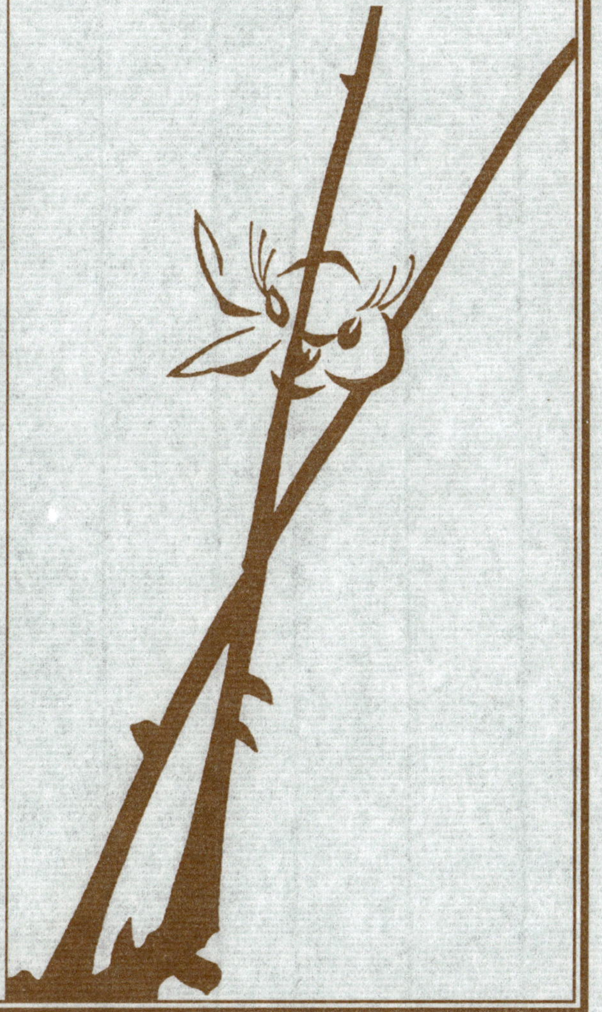

天上會雙星，橋渡銀河水。
一別動經年，楂楂徒報喜。

## 遊魚吹水

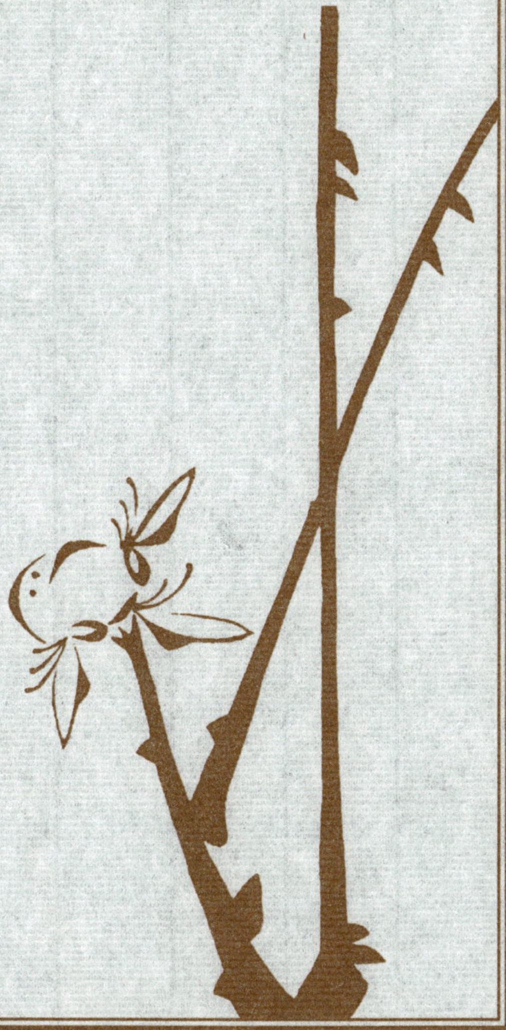

春透水波明，江湖從落魄。
三十六鱗成，禹門看一躍。

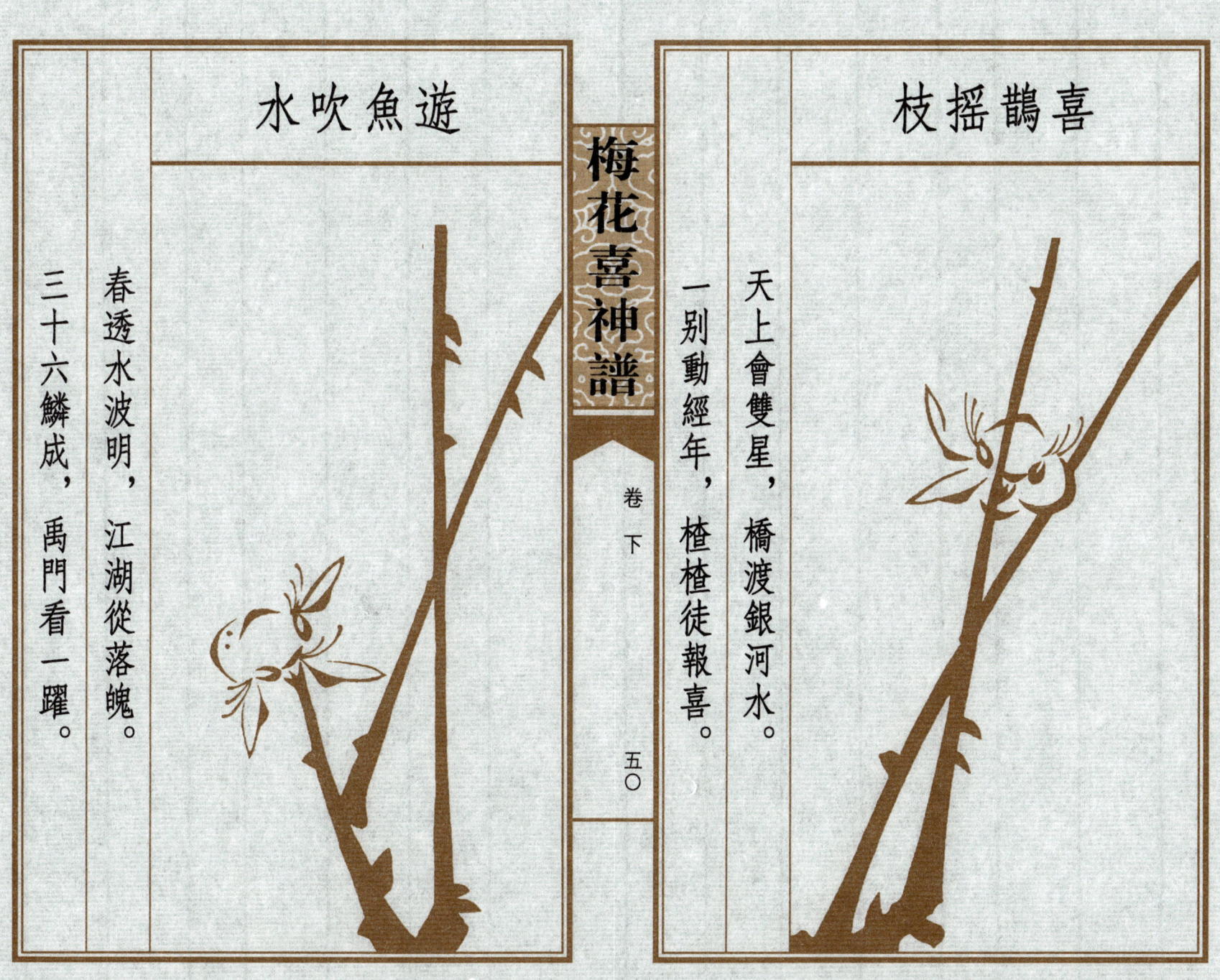

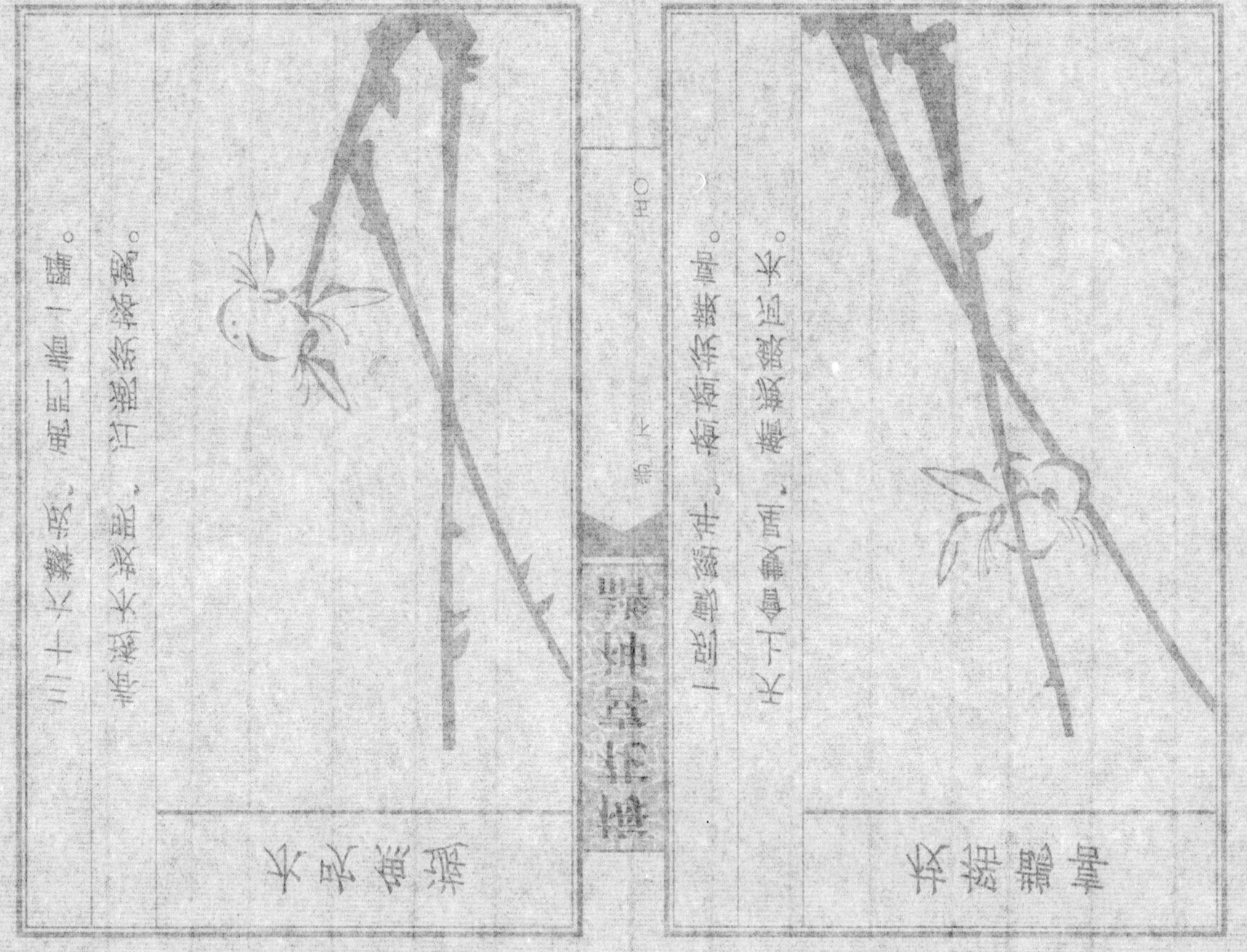

## 橘中四皓

就實六枝

羽翼漢家了，忘形天地間。
箇中有真樂，奚必拘商山。



## 吳江三高

品字列輕舠，占盡吳江雪。
丁寧紅蓼花，莫與利名說。

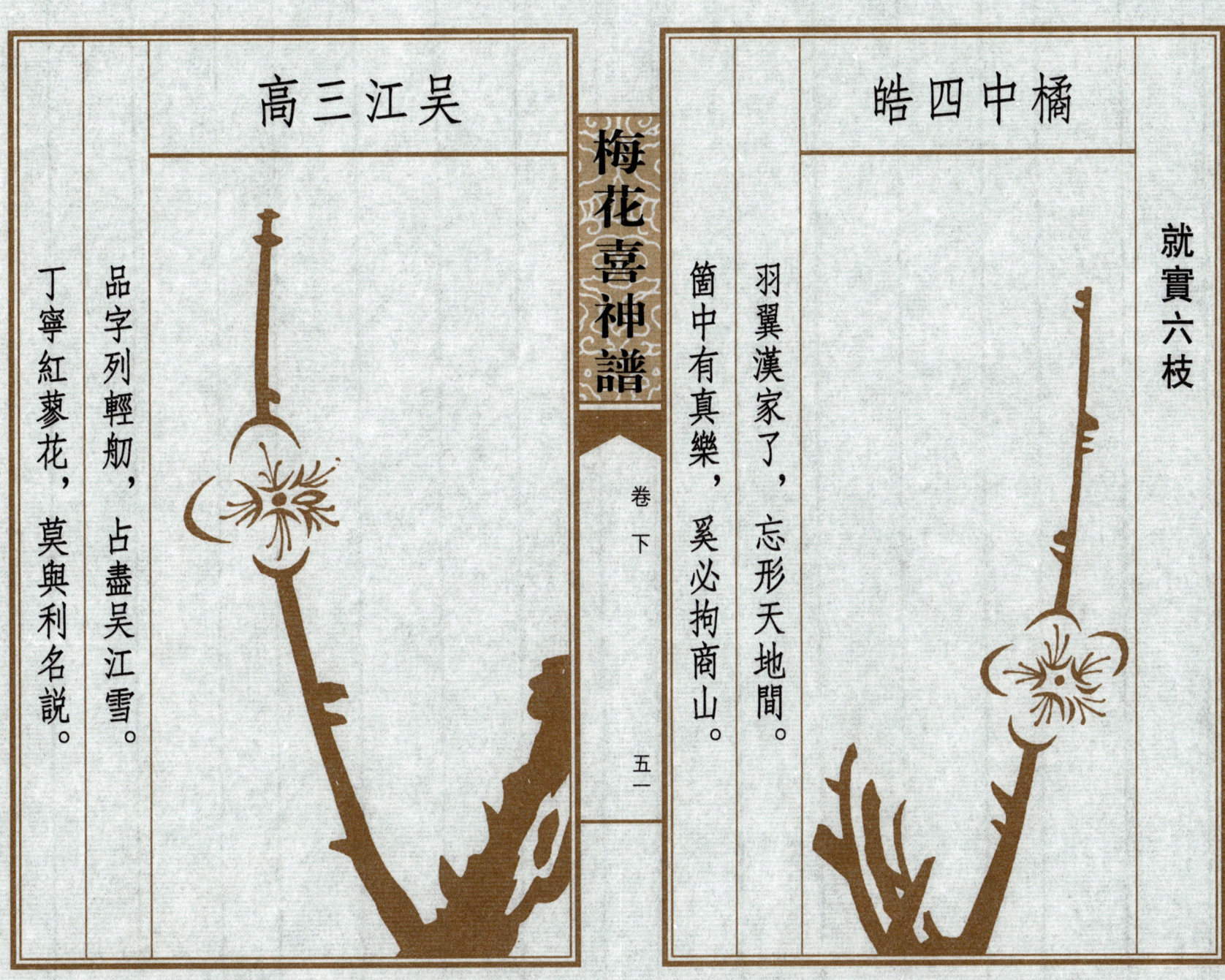

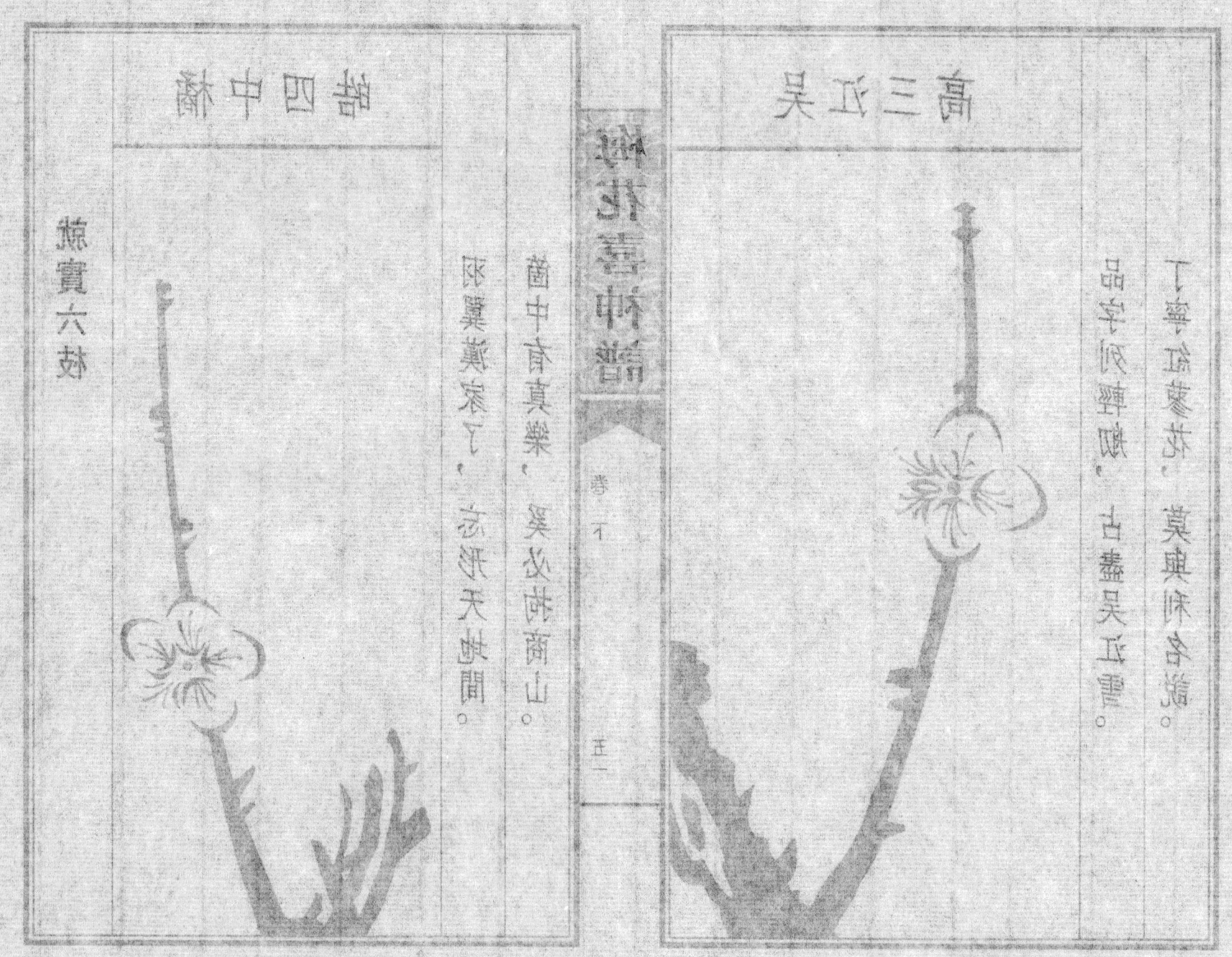

## 二疎

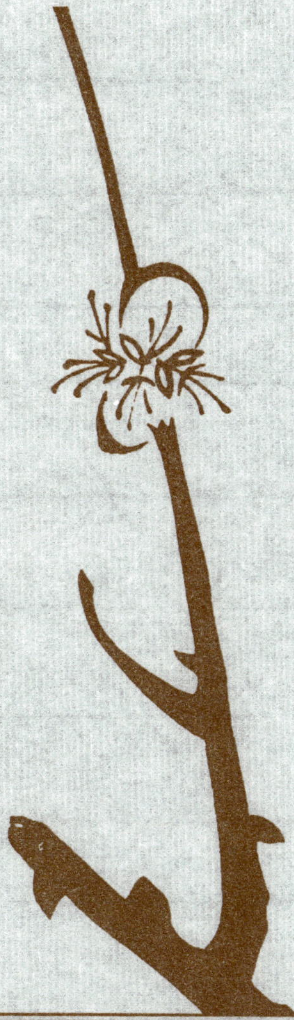

東門風飄飄，雙佩清如水。
出門相送人，胡不共知止。

## 獨釣

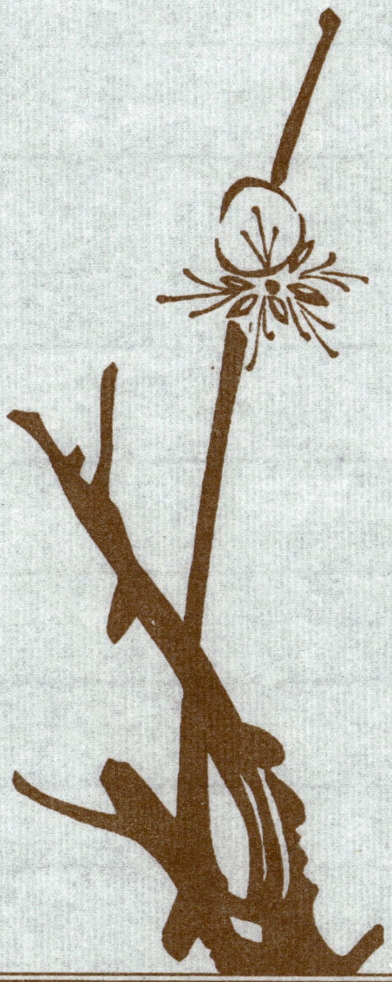

一竿風雨寒，獨占嚴陵瀨。
苟非伸脚眠，曷見光武大。

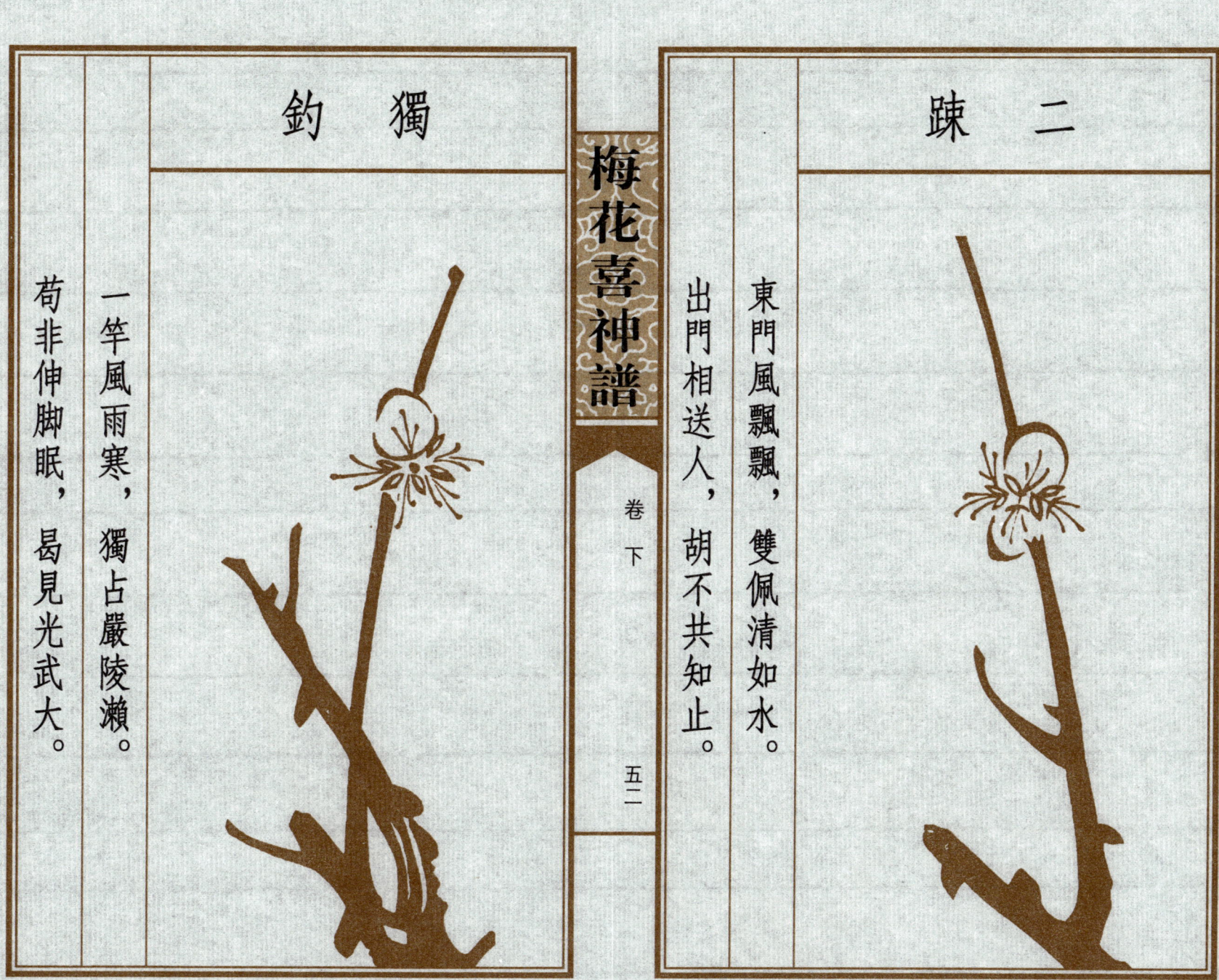

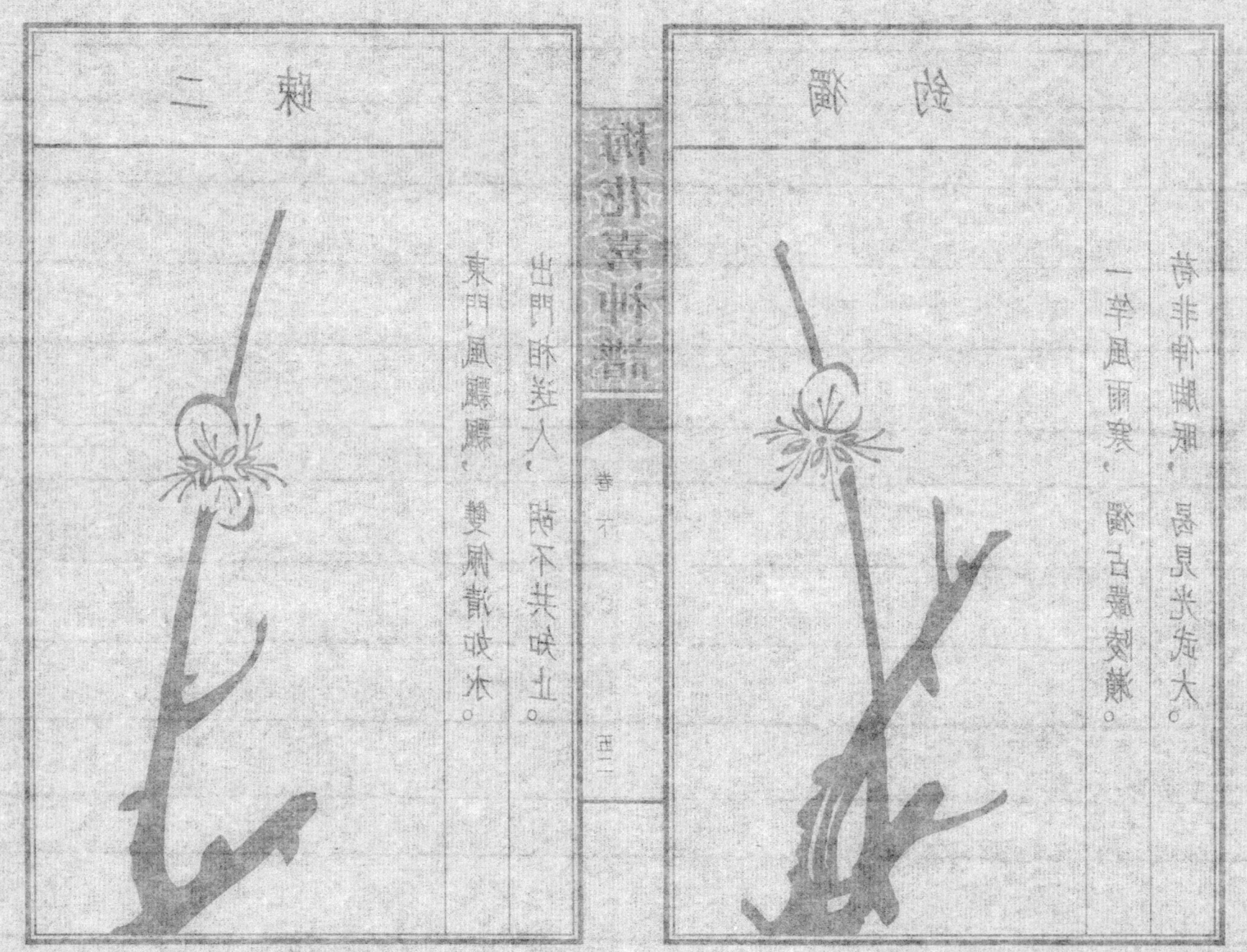

## 孟嘉落帽

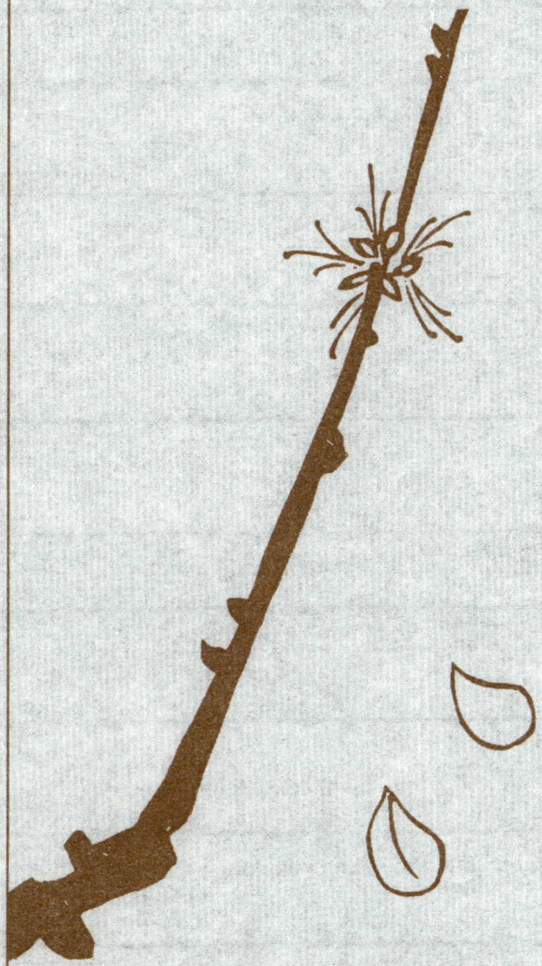

醉帽不輕飛，秋菊有佳色。
自慚群座中，主人猶未識。

## 商鼎催羹

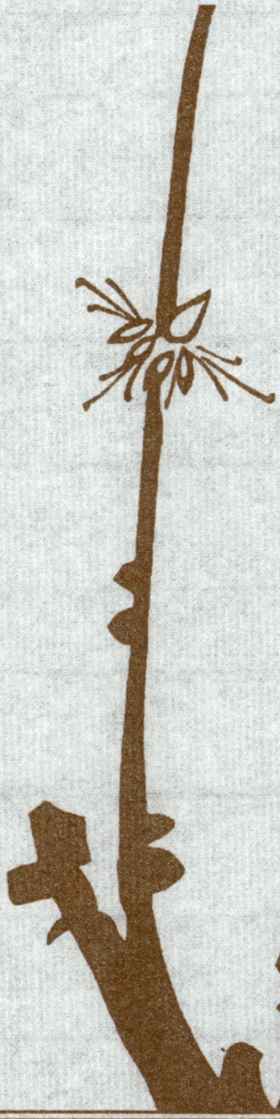

脱白弄青玉，風味猶辛酸。
指日夢惟肖，羹調天下安。

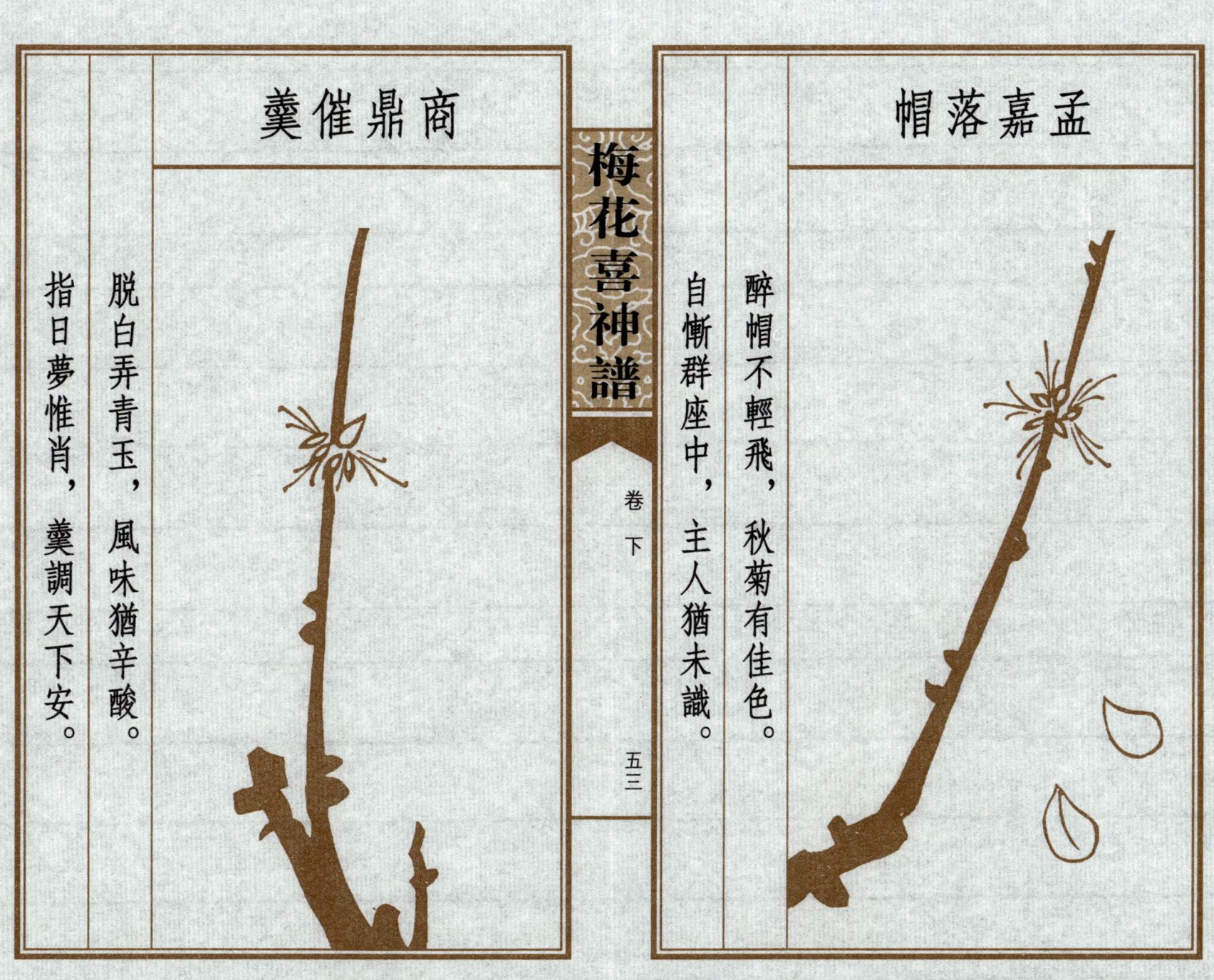

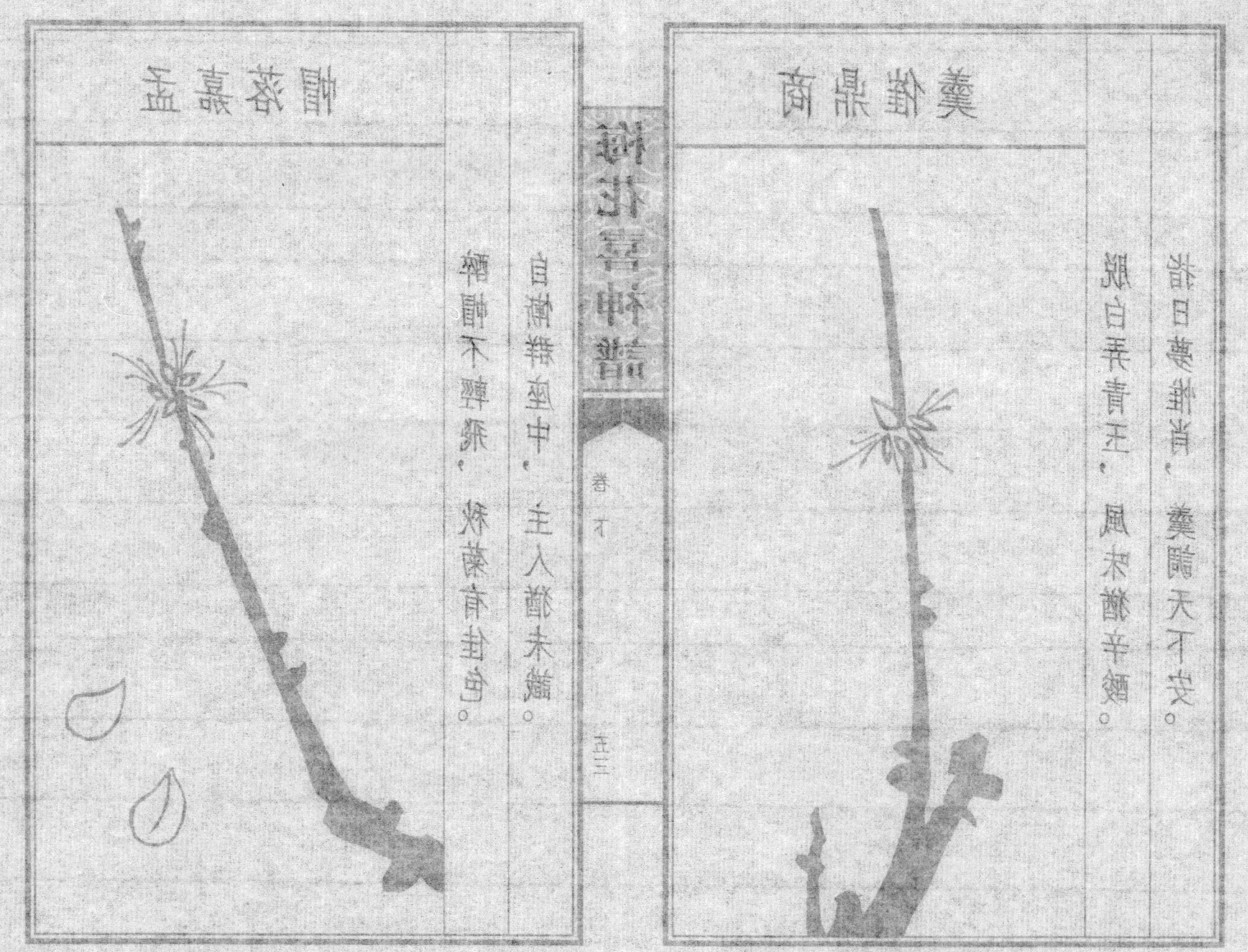